Veröffentlichungen
der Europäischen Märchengesellschaft
Band 6

Im Auftrag der Europäischen Märchengesellschaft
herausgegeben von Wolfdietrich Siegmund

Antiker Mythos
in unseren Märchen

Im Erich Röth-Verlag Kassel

Umschlagschrift von Hans-Wilhelm Bick

CIP-Kurztitelaufnahme der Deutschen Bibliothek
Antiker Mythos in unseren Märchen
im Auftrag d. Europ. Märchengesellschaft
hrsg. von Wolfdietrich Siegmund
Kassel: Röth 1984
    (Veröffentlichungen der Europäischen
    Märchengesellschaft Bd. 6)
    ISBN 3-87680-335-7
NE: Siegmund, Wolfdietrich [Hrsg.]; Europäische
Märchengesellschaft: Veröffentlichungen der
Europäischen...

Aus der Garamond-Antiqua gesetzt und gedruckt von
Druckerei H. Guntrum II. KG Schlitz
ISBN 3-87680-335-7

Der gleisnerische nationalsozialistische »Mythos des 20. Jahrhunderts« mit seinem Gewaltanspruch, Rassenwahn und Führerkult hatte die Menschheit in den Tod und ins Verderben getrieben. Mit Entsetzen hatte das Reden vom Mythos aufgehört. Aber in jüngster Zeit erheben sich wieder Stimmen für die Gegenwärtigkeit des wahren Mythos, für die Arbeit an ihm und für das Herannahen einer »Kulturrevolution«, in der Mythos und Geschichte, Märchen und Leben miteinander verschmelzen sollen. Wenn auch viele heutzutage wieder unbefangen von Mythos und Märchen reden, so haben sie doch zumeist nur eine recht verschwommene Vorstellung von dem, was die beiden Begriffe eigentlich besagen.

Die Europäische Märchengesellschaft will nun mit Hilfe angesehener Erzählforscher zur Klärung dieser zwei Begriffe einiges beitragen und hat begonnen, auf eigenen internationalen Tagungen Form und Inhalt, Entwicklungsgeschichte und Sinn von Mythos und Märchen zu erörtern. Sie veröffentlicht hier den Ertrag des ersten Treffens. Hinter unserem Buchtitel gehört an und für sich ein Fragezeichen: er soll nicht ein fertiges Ergebnis versprechen, sondern zunächst einmal aufmerksam und nachdenklich machen. Autoren aus verschiedenen Fachgebieten untersuchen antike Mythen und finden und erläutern Zusammenhänge mit unseren Volksmärchen. Ein zweiter Band über den nordischen Mythos und ein dritter über Mythos und Märchen in der Welt von heute sind für später vorgesehen.

Wissenschaftler pflegen den Mythos sehr unterschiedlich zu definieren. Wenn man indes genauer hinsieht, gibt es im wesentlichen nur zwei, freilich völlig gegensätzliche Ansichten:

Volkskundler, Religionsgeschichtler, Archäologen und Literaturwissenschaftler, Ethnologen, Psychologen, Soziologen, Wirtschaftswissenschaftler und Politiker halten den Mythos für eine Daseinsdeutung, für eine Art tieferes Nachdenken über die vordergründige Wirklichkeit oder gar für eine unglaubwürdige Ausgeburt der Phantasie, jedenfalls für ein Erzeugnis des menschlichen Geistes. Diese Fachgelehrten, ich zitiere einige im Wortlaut, bewerten den Mythos als:

- Grundkraft des Menschen, die sich in Märchen, Legende und Sage manifestiert
- priesterliche Beschwörung, Kulterzählung, Kulthandlung, irrtümlichen Glauben
- kollektive oder individuelle Göttererzählung, Heldenhistorie
- allegorische Welterklärung, Natursymbolik, primitives Grundgesetz
- Phantasien, Träume, Archetypen, Wahnideen

- *sekundäres semiologisches System, bürgerliche Metasprache*
- *Heiligenschein um die wirtschaftliche Zukunftserwartung*
- *Vehikel und Instrument politischer Bewegungen...*

Im Gegensatz zu diesen Einschätzungen ist der Mythos für etliche Mythologen, Theologen, Philosophen und namentlich für Künstler nicht eine menschliche Denkweise, sondern ein Anruf von ganz anderswoher, eine Botschaft, die sie nur symbolisch und unzulänglich umschreiben können als, und ich zitiere wieder:

- *dem Denken vorgegebenes Überzeugungs- und Schöpferwort*
- *dem Dichter zugesprochene Inspiration*
- *Uroffenbarung vor dem autoritativ gesprochenen Offenbarungswort Gottes*
- *immerwährende Wiederholung der Urschöpfung selbst*
- *Lächeln des seines Seins a priori versicherten Menschen*
- *Blitzleuchten, in dem das göttliche Gesicht der ganzen Weltwirklichkeit zu erschauen ist...*

Der Leser wird gut daran tun, bei jedem Abschnitt dieses Buches darauf zu achten, von welchem Mythosbegriff der jeweilige Autor ausgeht. Am Ende wird er sich dann seine eigenen Begriffe von Mythos und Märchen bilden. Er wird auch weiterdenken und weiterfragen: das vielzitierte »mythische Weltbild des Märchens«, gibt es das überhaupt? Fernerhin: sind Mythos und Logos Gegensätze oder einander notwendige Ergänzungen? Übrigens müssen wir die Sprache des Mythos und die Sprache des Logos sauber auseinanderhalten und den Mythos mit der ihm angemessenen Erkenntnismethode und nicht mit der der Logik verstehen lernen! Solange das nicht geschieht und sogar in der Fachliteratur Mythos und Mythologie immer wieder miteinander verwechselt werden, weil der Mythologie keine Logomythie gegenübersteht, wird die Mythologie durch methodische Mängel weiterhin leicht zu Irrtümern führen. Auch darf man nicht übersehen, daß zuweilen die Begriffe: Mythisieren, Mythologisieren und Mystifizieren durcheinandergebracht werden. Eine auf solch unsicherer Grundlage durchaus fragwürdige »Entmythologisierung« hat die Verwirrung zusätzlich vergrößert.

Fernab von derartigen zweifelhaften Spekulationen findet der Leser in diesem Buch märchenkundliche Tatsachen und Auskunft zu allerlei wichtigen Märchenfragen. Hatte zum Beispiel Wilhelm Grimm recht, wenn er schrieb: »Gemeinsam allen Märchen sind die Überreste eines in die älteste Zeit hinaufreichenden Glaubens... Dies Mythische gleicht kleinen Stückchen eines zersprungenen Edelsteins, die auf dem von Gras und Blumen überwachsenen Boden

6

zerstreut liegen und nur von dem schärfer blickenden Auge entdeckt werden«?
Sind also die Märchen tatsächlich verkümmerte Mythen? Oder sind sie an die
Neuzeit angepaßte Mythen? Oder haben einzelne Dichter sie frei erfunden?
Etwa als Mythenersatz? Wieweit stammen sie aus mündlicher, wieweit aus
schriftlicher Überlieferung? Wann sprechen wir von einem Mythos, wann da-
gegen von einem Märchen? Stimmt es, daß man Zaubermärchen nur in Eura-
sien findet, jedoch in Kanada und in Alaska nur Ursprungsmythen und Tier-
märchen? Welchen Wandel machten altgriechische Mythosgestalten durch, bis
sie in neuzeitlichen, zum Beispiel in ungarischen, skandinavischen oder india-
nischen Märchen auftauchten? Sind Mythen und Märchen, wie man mitunter
gesagt hat, aus den Wachträumen primitiver Völker hervorgegangen oder, be-
denklicher noch, aus psychotischen Wahnbildern? Aus manch spannendem
Meinungsstreit zwischen den Sachverständigen wird der Leser auch nützliches
Hintergrundwissen gewinnen. Fragt zum Beispiel der eine Fachmann nach
dem Alter eines Märchens, so meint er vielleicht eine mündliche Fassung, ein
anderer jedoch den schriftlichen Text; ein dritter wiederum kümmert sich we-
nig um den überlieferten Wortlaut, sondern hat das mythische Vorleben im
Sinn, während ein vierter an den ersten Nachweis innerhalb der »Gattung
Grimm« denkt. Wie dem auch sei, wer mythisch zu erzählen versteht (aus un-
serem Buch erhellen die Merkmale »mythischen Erzählens«), der spürt, und
seine Zuhörer spüren es vielleicht auch: wenn das Märchen aus dem Herzen
kommt und nicht nur »auswendig« abgespult wird, kommt es immer von weit,
weit her und aus lange, lange vergangener Zeit. In schöner Eintracht mit dieser
schlichten Erfahrung bestätigen die Verfasser dieses Buches auch wissenschaft-
lich: zu behaupten, die Volksmärchen seien uralt, ist richtig und falsch zugleich.
Aus Begabung und Bedürfnis des Menschen ist psychologisch ohne weiteres zu
erschließen, daß er seit eh und je »Märchen«, das heißt Ursprungs-, Abenteuer-,
Sinngeschichten, weitererzählt hat, lange bevor er sie aufschreiben konnte.
Andererseits leuchtet genauso ein, was in diesem Buch an den Märchen von
»Amor und Psyche«, von »Dornröschen« und vom »Machandelboom« reizvoll
und in allen Einzelheiten nachgewiesen wird: daß unser heutiger Märchenstil
im früheren Schrifttum fehlt, daher wohl erst in der Neuzeit seine unverkenn-
bare Form fand, und die Erzähler ihre Geschichten natürlich auch aus literari-
schen Quellen schöpften. Offensichtlich täuscht sich, wer annimmt, die Volks-
märchen seien aus grauer Vorzeit wortgetreu mündlich auf uns überkommen.
Über diese und jene Unstimmigkeiten hinweg führt bescheiden und sicher die
Kunst eines guten Erzählers. Sie läßt Mythen und Märchen einfach erleben und
ganzheitlich erfassen: es war einmal und ist auch heute und wird immer wieder

sein! Das gleiche, nur mit anderen Worten, haben Vorgeschichtsforscher und Völkerkundler vom Mythos der alten Völker, beziehungsweise von dem der noch heute lebenden Naturvölker übereinstimmend berichtet: der Mythos erklärt vom Urbeginn an die Welt, beglaubigt die Dinge und ruft von Augenblick zu Augenblick die ganze Schöpfung neu ins Leben. Neben den Erfahrungsberichten und wissenschaftlichen Erörterungen wird man in diesem Buch kaum etwas von den ach so beliebten Märchendeutungen finden. Dagegen kommt behutsam zur Sprache, daß manche Deutungskünstler Volksmärchen gerne als Transportmittel oder als Bestätigung für vorgefaßte Theorien benutzen und dabei den Sinn der Geschichten verdrehen.

Vielleicht wird der Leser, von der Vielfalt der Beiträge überrascht, sich zum Schluß des Buches fragen: »was kann ich mit all dem gewonnenen Wissen in meinem Alltag denn anfangen?« Mit den einzelnen Autoren hat er die Wege und Wandlungen der Volksmärchen soweit wie möglich zurückverfolgt und konnte den Irrtum erkennen, Mythen allein nach unserer modernen Denkweise deuten zu wollen. Vermutlich hat er bemerkt, wie der Mythos sich nur dem erschließt, der sich bemüht, ihn vom ursprünglichen Umfeld, Zeitgeist und Zweck her zu verstehen. Er wird versuchen, den Mythos als Ganzes zu begreifen, und sich nicht blenden lassen von jenen, die hier und da lediglich Einzelheiten herausgreifen, diese mit bloß Ähnlichem aus allen möglichen Wissenschaften in eins setzen und aus dem Gemisch dann wirklichkeitsfremde »Komplexe« ausklügeln. Wer sich mit dem Mythos ehrlich auseinandergesetzt und dann befreundet hat, wird manches modische Mythosgerede leichter durchschauen und sich nicht von alten oder neuen erlogenen Mythen verführen lassen. In gleichem Maße wird er fremdem Glauben mit noch mehr Einfühlungsvermögen und Versöhnlichkeit begegnen und die üblichen Vorurteile über angeblichen Aberglauben früherer Zeitalter oder andersartiger Kulturen nicht ungeprüft übernehmen. Zum Beispiel kann man doch nicht, wie es gelegentlich geschieht, den Griechen der Antike, ohne sie gezielt dazu befragt zu haben, unterstellen, sie hätten ihre Götter vermenschlicht. Homer, gleichviel wer alles hinter diesem Namen sich verbirgt, würde womöglich über seine späteren Abschreiber, Nachahmer und Deuter seufzen und unserem Zeitgenossen antworten, die mythische Sprache sei keine Alltagssprache: mit seinen »anstößigen« Göttergeschichten habe er durchaus nicht die Vermenschlichung der Götter, sondern die Vergöttlichung des Menschen im Sinne gehabt.

Aus allen Beiträgen dieses Buches, so verschieden sie im einzelnen auch sein mögen, klingt die Mahnung an, die mythische Sprache nicht mißzuverstehen. Sie unterscheidet sich ganz und gar von unserer Begriffssprache, ist eine weisende, nicht eine beweisende Sprache und wird daher allzuoft falsch verstanden. Wer aber einmal über das Sprachhindernis hinweg die in sich selber klare Welt des Mythos erkannt hat, der entdeckt auch die Volksmärchen neu. Viele von ihnen, die »Märchen im eigentlichen Sinn«, werden ihm wahrhaftig zu Wunder- und Zaubermärchen. Das hat nichts zu tun mit »Anbetung des Märchens als Götzendienst« (Rudolf Schenda) oder mit der frommen Einfalt: »als ob die Märchen alle nach Ton und Thema aus einem Topf kämen, und zwar einem, in dem nur Wunder- und Zaubersuppen gekocht würden« (Klaus Doderer).

In ihrem neuesten Buch (»Über Märchen für Kinder von heute«. Weinheim 1983) sprechen Doderer, Schenda und andere den Märchen jedwede »mythologische Tiefe« ab und propagieren auf Seite 22 eine grundsätzliche Parteinahme gegen die Vertreter »mythologisierender Auffassungen«. Sie fordern »eine alternative Märchendidaktik, eine grüne Erzählpolitik«, die die Märchen wieder zu historisieren versucht, sie in ihr kulturales Umfeld reintegriert und sie sozial lebendig macht. Autoren und Herausgeber unseres Buches dagegen erachten die sogenannte mythologisierende und die von Doderer beschworene Betrachtungsweise sehr wohl für vereinbar, vorausgesetzt allerdings, daß die Verfechter beider Richtungen nicht übertreiben und sachlich und unabhängig genug sind, zuzugeben, daß nicht glattweg Unsinn ist, was außerhalb der eigenen Wissenschaft oder der eigenen Erkenntnisfähigkeit liegt. Ich mißtraue allen einseitigen Märchentheorien. An der recht selbstbewußten, sich grün und alternativ gebenden Märchendidaktik mißfällt mir außerdem, daß sie die ausübenden Erzähler so geringschätzt. Diese setzen doch schon allezeit aus der überaus großen Vielfalt der Volksmärchen schlechthin »Alternativen« gegen Vorurteile, verkrustete Gewohnheiten und Fehlverhaltensweisen. Jedenfalls bevorzuge ich eine offene, ganzheitliche Märchensachkunde in enger Verbindung mit einer schöpferischen, mündlichen Erzählgemeinschaft und sehe im Volksmärchen geradezu eine Via regia von der analytischen Einspurigkeit zur Ganzheitserfahrung.

Allemal sind Volksmärchen vergnügliche Unterhaltung und Anregung zum freien Spiel der Phantasie und Vorlage für soziales Lernen; aber darüber hinaus sind sie doch auch noch mehr. Wie der Mensch fest auf dem Boden der Realität stehen muß, wie er mit frischer Erfindungsgabe sich selbst und die Welt verändern soll, so braucht er, wenn er das Leben bewältigen will, den Ruf und die Verheißung über Raum und Zeit hinaus. Diesen Sinn hat der Mythos; diese Aufgabe erfüllt er im Volksmärchen auf besondere Weise: nicht mit grauenvollem Erschrecken wie in der Sage, nicht mit seligem Staunen wie in der Legende, sondern mit völliger Selbstverständlichkeit begegnet der Mensch im Zaubermärchen dem ganz anderen, dem Unbegreiflichen, dem Wunderbaren. Denn nicht aus sich selbst erzählt der Mythos, sondern was er gehört hat, erzählt er! Diese Einsicht, daß der Mythos in den Volksmärchen nicht einfach nur ein Produkt der menschlichen Phantasie ist, sondern auch »Einfall« in des Wortes eigentlicher Bedeutung, Botschaft vom Heiligen hinter den Dingen, ist eine Freude, die uns mit den Menschen der Antike verbindet.

Wolfdietrich Siegmund

Lutz Röhrich
MÄRCHEN – MYTHOS – SAGE

In der modernen folkloristischen Forschung ist die Mythologiediskussion fast ganz verstummt. Die Wissenschaftsgeschichte selbst hat sich den Weg vom Märchen zum Mythos gründlich verstellt, und insbesondere die sogenannten »Mythologischen Schulen« des 19. Jahrhunderts haben in der heutigen Wissenschaft keinen guten Klang mehr[1]. Fragwürdig geworden sind vor allem die rekonstruierten Beziehungen des deutschen Märchens zur germanischen Mythologie[2]. Aus der Perspektive der griechischen Kultur sieht die Problematik allerdings beträchtlich anders aus. Unbestritten ist der Ostmittelmeerraum ein Herkunftsort nicht weniger Märchen, die sich von hier aus über Europa ausgebreitet haben. Es ist weiter nicht zu leugnen, daß es zahlreiche Beziehungen des heutigen europäischen Märchens, eingeschlossen des deutschen, zur griechischen Mythologie gibt. Schon das Wort »Märchen« ist im Griechischen von »Mythos« abgeleitet: Paramýthi meint dem Wortsinn nach eine Erzählung aus der Umgebung des Mythos, wobei die Bedeutung der Vorsilbe »para« sowohl »neben«, wie »vor«, »unter« oder auch »gegen« meinen kann. Das ältere griechische Wort »Paramythia« oder auch »Paramýthion« bedeutet: Zurede, Ermahnung, Beruhigung, Trost, Erklärung, aber auch Ergötzung und Erholung. Das alles sind Funktionsbeschreibungen, die wir auch für das Märchen gelten lassen können.

Um Verwirrung zu vermeiden, sollte man sich zunächst über die Terminologie verständigen. Welcher der Mythosbegriffe soll gelten, wenn wir sie Revue passieren lassen von Plato bis Euhemeros, von den Brüdern Grimm über die Sonnen-, Mond- und Astralmythologen bis zu Sigmund Freud, C. G. Jung, Erich Fromm, Géza Róheim, Pierre Saintyves, Bronislaw Malinowski oder Rudolf Bultmann? Muß nicht derjenige, der nordamerikanische Indianer-Mythen analysiert, wohl oder übel zu anderen Ergebnissen gelangen als der Erforscher altägyptischer Mythen? Meinen Mythenforscher und Märchenforscher mit dem Gegenstand ihrer Disziplin immer das Gleiche?

Mythos hat etwas zu tun mit der Vorzeit, mit der Schöpfung des Universums und der Erde. Deshalb hat das erklärende, ätiologische Element in Mythen immer einen wichtigen Anteil. Mythen sind vorzugsweise Göttergeschichten; sie sprechen von den Handlungen und Leidenschaften der Götter, ihren Kämpfen, Leiden und Siegen. Menschen haben an der Göttergeschichte insofern Anteil, als die göttliche Welt auf die irdische einwirkt[3]. Inhaltlich gesehen gibt es

11

verschiedene Arten von Mythen: theogonische, kosmogonische und anthropogonische; eschatologische und ätiologische oder Urstandsmythen, zum Beispiel die, die den Ursprung des Todes[4], des Sexuallebens[5], der Sintflut und die Neuschöpfung der Welt[6] erklären. Es gibt Mythen, die im Zusammenhang mit Naturphänomenen stehen; Mythen, die historische Überlieferungen festhalten, und Mythen, die metaphysische Ideen veranschaulichen.

Solche inhaltlichen Bestimmungen ergeben aber nur *einen* Mythosbegriff. Er sieht im Mythos etwas Bedeutungsvolles und Wesentliches, eine in der Vergangenheit oder auch im Unbewußten verankerte verborgene Realität, Wahrheit, Geschichte, oft verbunden mit eskapistischen Hoffnungen für Gegenwart und Zukunft. Daneben gibt es aber einen *zweiten*, kritischen Mythosbegriff: sogenanntes fortschrittliches Denken sieht den Mythos immer an als historisch vergangen, als irreal, nicht relevant und unglaubwürdig. Abgelöst wird Mythos sowohl durch dogmatische Fixierung von Religion, als auch durch Metaphysik und Philosophie, schließlich von Rationalität und Wissenschaft. In *diesem* Sinne ist Mythos heidnische Glaubensüberlieferung, abergläubische Volkserzählung. Nicht zufällig nennen sich mehrere Sammlungen von Volkssagen aus dem letzten Jahrhundert »Beiträge zur Mythologie«[7]. In der internationalen folkloristischen Terminologie werden »dämonologische Sagen« auch als »mythische Erzählungen« bezeichnet[8]. Sie beziehen sich allerdings mehr auf die Gestalten der sogenannten »niederen Mythologie«. Im selben Sinne spricht die Ethnologie von »Mythen der Naturvölker«, wobei das griechische Maskulinum »Mythos« bei seiner Verdeutschung zu »Mythe« das Geschlecht von Sage, Geschichte, Fabel annahm und unter dem Einfluß dieser Wortreihe ein Femininum wurde, so daß es sich auch inhaltlich jenen Worten annäherte[9].

Im Sprachgebrauch der Gegenwart verbinden sich beide Auffassungen von Mythos. So erhielt Mythos eine ambivalente Bedeutung: einerseits beinhaltet das Wort etwas Falsches, Irrationales, lediglich Fiktives und geradezu Schädliches, eine Wahnidee, einen widerlegbaren Irrtum. Zum Beispiel heißt es: »Viele glauben noch immer an den Mythos vom ewigen Frieden«. Oder man spricht von trivialen Mythen von heute und meint dabei etwa »das Automobil als Mythos«, den »Mythos der Beatles«. Der französische Philosoph Roland Barthes spricht von »Mythen des (bürgerlichen) Alltags«[10]. Utopien werden als Mythen bezeichnet, man spricht auch von Ideologien und ihren Mythen, dem »Mythos von Blut und Boden«, dem »Mythos des Wirtschaftswachstums« oder dem der »Vollbeschäftigung«. In diesem Sinne hat das Wort Mythos heutzutage eine totale Bedeutungsumwandlung oder Entwertung erfahren.

Andererseits hat man gesagt, unsere Zeit sei an Mythosmangel erkrankt. Damit meint man, daß die kreativen Kräfte der Phantasie zu wenig Entfaltungsmöglichkeiten haben. So werden bestimmte Erscheinungen der phantastischen Literatur oder der »Art of Phantasy« als eine nötige Wende zum Irrationalismus gepriesen. Man spricht von der »Wiederkehr des Mythos« in der modernen Literatur und meint Autoren wie J. R. R. Tolkien oder Michael Ende. Mythen unserer Zeit leben weiter in den Comics, zum Beispiel von den grünen Männchen, den fliegenden Untertassen oder in Comic-Helden wie Superman und Asterix. Was ist »science Fiction« anderes als eine gegenwärtige oder futurologische Mythologie? Mythen haben sich immer wieder an neue Bedürfnisse angepaßt. Märchen wie Mythen sind Fiktionen, die der Mensch offenbar braucht und die für ihn in verschiedenen Zeitaltern auf jeweils wieder andere Weise unverzichtbar sind[11]. Wenn wir nun Märchen und Mythos vergleichend untersuchen, so stellt sich die Frage: haben die so phantastischen und unwirklichen Märchen von heute etwas mit der archaischen Götter-, Welt- und Menschheitsgeschichte des Mythos zu tun? Der Mythos umfaßt mehrere Genres, wie auch das Märchen keine einheitliche Gattung ist. Dennoch gibt es faßbare Gemeinsamkeiten: wie das Märchen, so ist auch die Mythe eine Erzählung, sie berichtet über den Verlauf von Geschehnissen. Mythen wie Märchen sind traditionelle Erzählungen; beide leben sowohl in literarischen wie in mündlichen Überlieferungsformen. Mythen sind Schöpfungen der Phantasie ebenso wie die Märchen. Wie im Märchen spielen auch im Mythos die Geschehnisse jenseits der realen Orts- und Zeitverhältnisse; sie schildern eine übernatürliche Welt. In Märchen wie in Mythen wird das Außermenschliche, Dämonische oder Göttliche menschlich handelnd und reagierend vorgestellt, menschlich von Gestalt und Charakter. Märchen wie Mythen tendieren dahin, ihren Helden königlichen Status zuzuerkennen. Mythen wie Märchen sind vor- beziehungsweise außerwissenschaftlich. Sie werden von einem aufklärerischen Weltbild nicht für wahr und wirklich genommen. Andererseits sind beide Genres in Gefahr, von irrationalistischen Geistesströmungen überschätzt zu werden. Keine Frage, daß es in der modernen Betrachtung der Märchen nicht wenige Bestrebungen gibt, das Märchen zu re-mythologisieren.

Zu einem Vergleich mit dem Mythos lädt insbesondere das *Zauber*märchen ein. Dafür sollen zunächst einmal einige Beispiele aufgezählt werden. So erinnert etwa die Perseus-Sage an wohlbekannte Märchenmotive, nicht nur an den

Kampf mit dem Ungeheuer. Bei der Aufgabe, das Medusenhaupt zu holen, kam Perseus zu den drei Graien. Diesen stahl er ihr einziges Auge und zwang sie dadurch, ihm den Weg zu den Gorgonen zu verraten. Auch erhielt er von ihnen die Kappe der Unsichtbarkeit, die geflügelten Schuhe der Schnelligkeit und einen Ranzen, um seine Beute darin zu tragen. Dieses Perseus-Abenteuer steht in der Nähe des Märchens von den Gaben der Trolle (AT 581). Dort trifft der Held auf drei Frauen, die gemeinsam nur ein Auge haben. Er nimmt es ihnen weg und erhält für die Rückgabe drei Zaubergegenstände, mit deren Hilfe er eine Königstochter gewinnt, die in die Gewalt von drei Trollen geraten war[12].

Auch die Argonauten-Sage ist mehrfach als Musterbeispiel einer märchennahen Heldensage betrachtet worden. Das Schiff Argo und die wunderbaren Helfer des Helden erinnern an KHM 71 »Sechse kommen durch die ganze Welt« (AT 513). Die Erzählung von Theseus und Ariadne, besonders das Motiv des Ariadne-Fadens, verläuft strukturgleich mit den Märchen von der Geliebten als Helferin. Es sind drei oder vier Märchen, die man hier zum Teil wiederfinden kann (KHM 51, 56, 186, 193). Aber es sind doch nur einzelne Märchenmotive, die sich in der Argonauten-Sage erkennen lassen, nicht vollständige typische Märchenabläufe. Die Ähnlichkeit oder Vergleichbarkeit der Motive in der Argonauten-Sage mit solchen des Märchens ist auffällig und unbestreitbar. Doch hat sowohl die daran anknüpfende Theorie Karl Meulis über die angebliche Entwicklung der Argonauten-Sage aus einem Märchensubstrat als auch die darauf aufbauende und noch weiter gehende Auffassung von Sven Liljeblad, daß der Märchenkomplex der Argonauten auf ein schon in der Volkstradition vorhandenes Konglomerat aus verschiedenen Märchentypen zurückgehe, bei Ludwig Rademacher und Jan de Vries entschiedene, mit gewichtigen Argumenten aufwartende Kritik erfahren[13]. Der Inhalt der Argonauten-Sage ist gewiß noch kein Märchen, sondern eher, wie de Vries vermutet hat, die Spiegelung einer Unterweltsfahrt, um einen mythischen Gegenstand, nämlich ein Sonnensymbol zu erwerben[14]. Auch hat die Argonautengeschichte fraglos ein viel stärker mythisches Gepräge, als es je ein Märchen aufweisen kann.

Doch zunächst noch weitere allgemeine Parallelen: das vergiftete Brauthemd, das für den Königssohn im Märchen vom treuen Johannes bereitliegt und das verbrannt werden muß, erinnert an das Nessos-Hemd, das Deianeira dem Herakles bereitet hatte, wie überhaupt die Taten des Herakles mehr Märchenhaftes enthalten als andere Zyklen.

14

Beim Märchen von den drei Schlangenblättern ist zumindest die erste Hälfte identisch mit der Sage von Polyidos und Glaukos: der Seher Polyidos wurde mit der Leiche des Glaukos, des Sohnes des Minos von Kreta, eingeschlossen. Alsbald sah er eine Schlange sich dem toten Kinde nähern. Nachdem er diese getötet hatte, kam eine zweite, erblickte die tote, schlich davon und kam mit einem Kraut zurück, mit dem sie ihre Gefährtin dem Leben zurückgab. Polyidos verstand den Hinweis und verwendete dasselbe Kraut mit Erfolg bei Glaukos.

In all diesen Fällen geht es um einzelne Märchenmotive, die sich in durchaus gleichartiger Weise auch in griechischen Heldensagen wiederfinden. Die Motivverwandtschaft geht zum Teil bis in die Einzelheiten. So gibt es zum Beispiel auffallende Übereinstimmungen in der Drachenkampfgeschichte von der antiken Welt bis zu den neuzeitlichen Märchen und Sagen: der Held tötet einen Drachen oder ein anderes Ungeheuer und beweist später, daß er und nicht ein Rivale die Tat vollbrachte, indem er die Zunge des Tieres vorzeigt, die er herausgeschnitten und aufgehoben hatte. In der gleichen Weise legitimiert sich noch Tristan im mittelalterlichen Epos, und auch der Held im neuzeitlichen Drachentötermärchen erweist sich dadurch als der rechtmäßige Sieger und Anwärter auf die Hand der Königstochter[15].

Andere mythische Züge der antiken Welt finden wir eher in der Volkssage wieder. Überhaupt steht der Mythos der Sage näher als dem Märchen. Wieder einige Beispiele: Kerberos, der Höllenhund, scheint verwandt mit den Schatzhüterhunden der Sage.

Auffallend ist die Ähnlichkeit der bei Plutarch überlieferten Erzählung vom Tod des großen Pan mit den Varianten der in Mittel- und Nordeuropa, sowie auf den Britischen Inseln weitverbreiteten Todesbotschaftssagen[16].

Die Tötung und Wiederbelebung mit dem Motiv des »kleinen Verlusts« in Gestalt eines fehlenden Knochens findet sich in der alpinen Sage von der Haselhexe in ähnlicher Weise wie in der Pelops-Mythe[17].

Der alpine Hirt, der nach seinem Tode ein Stück Vieh, das er zu Lebzeiten abstürzen ließ, den Berg hinauftragen muß, von dem es ihm immer wieder herunterfällt, erinnert an die Bestrafung des Sisyphos[18].

Das Thema des Damoklesschwertes kehrt auch in neuzeitlichen Sagen wieder. Es findet sich in Zwergsagen, nur ist hier das Schwert durch einen Mühlstein am seidenen Faden ersetzt. Im übrigen sind die Erzählungen ganz verschieden, da die Gastgeber Zwerge sind, nicht Tyrannen, und der Gast eine Dienstmagd ist[19].

Man bemerkt schon jetzt wesentliche Unterschiede des sozialen Milieus und der erzählerischen Funktion. Aber ganz unbekümmert um die genetischen Entwicklungsverhältnisse werden im Aarne-Thompsonschen Typenverzeichnis (AT) und genauso in der Stichwortliste der Enzyklopädie des Märchens (EM) antike Mythen- und Heldensagenstoffe mit neuzeitlichen Erzähltypen gleichgesetzt, zum Beispiel: Alkestis mit AT 899, Amor und Psyche mit AT 425, Ariadnefaden mit AT 874, Dido (Die Ausmessung eines Platzes mit einer Ochsenhaut) mit AT 2400, Pan ist tot mit AT 113 A, der Ring des Polykrates mit AT 736 A, Polyphem mit AT 1135 – 1137. Darüberhinaus enthält die EM eine Fülle von Stichworten, die man primär eigentlich in einem mythologischen Lexikon suchen und finden sollte. Als Beispiele für die lange Liste von A bis Z nenne ich nur einige wenige mit dem Anfangsbuchstaben A: Achilles, Äeneas, Andromeda-Perseus, Atlas, Augiasstall, und so weiter und so fort. Es ist schon interessant, wie folkloristische Forschung den Mythos für sich beansprucht hat. So ist es auch kein Zufall, daß Stith Thompson mythische Überlieferungen in seinen Märchen-Motiv-Index einbezogen hat. Die gesamte Gruppe A des Motif-Index umfaßt »Mythological Motifs«; unter anderen sind das kosmogonische Motive: Ursprung von Sonne, Mond und Sternen, von Erde, Wasser, Felsen und so weiter, es sind Flutwelt, Brandwelt, Weltuntergang; und anthropogonische Motive: Erschaffung des Menschen, Ordnung des menschlichen Lebens, Ursprung der Sexualität, des Todes, der Kultur, des Lichtes, des Feuers, Diebstahl des Feuers, Entstehung der Handwerke, der Sitten und Gebräuche, von Ehe und Familie, der Gesetze, Verteilung und Differenzierung von Völkern, Rassen und Sprachen, Erschaffung des tierischen Lebens, der verschiedenen Tiere und ihrer jeweiligen Eigenschaften, sowie der Ursprung der Pflanzen.

Bei all diesen Parallelen muß man nun im einzelnen sehr genau verfolgen, was eine nur ungefähre Parallelität aufweist und vermutlich kausal-genetisch nicht miteinander zusammenhängt, und andererseits das, was eine absolute Motividentität zeigt, die auf wie auch immer geartete Zusammenhänge schließen läßt. Sicher ist es methodisch nicht zulässig, aufgrund nur zufälliger oder entfernter Ähnlichkeit einen Zusammenhang herzustellen. Die neuere vergleichende Märchen- und Mythenforschung hat deshalb der Motivgeschichte nur noch einen begrenzten Wert zuerkannt und sich damit begnügt, die strukturellen Ähnlichkeiten oder Unterschiede herauszuarbeiten, ohne damit schon etwas über die Entwicklungsgeschichte der Motive und Erzähltypen aussagen zu müssen.

Wenn der Mythos narrativen Charakter hat wie das Märchen, lockt dies zu einem strukturalistischen Vergleich. Wie das Märchen liebt der Mythos die Extreme: Schönheit und Häßlichkeit, Stärke und Schwäche, Liebe und Haß. Er kennt wie das Märchen die »binären Oppositionen«: Belohnung und Strafe, Tabu und Übertretung, versuchte Verhinderung und doch Erfüllung des Orakelspruches, Tötung und Rache, Aussetzung eines Helden und seine Errettung, Enthüllung und Bestrafung eines Mordes, Entführung und Befreiung, Frevel und seine Sühne. Es gibt typische »Hero-Patterns«. Heldenbiographien des Märchens und typische Heldenbiographien des Mythos gleichen einander, zum Beispiel Perseus, Jason und Herakles dem starken Hans der Märchen. Das Lösen schwieriger Aufgaben, häufig in einer bestimmten Anzahl, gehört zu den gemeinsamen Strukturen. Die Suche nach einem wertvollen Gegenstand, zum Beispiel nach Tarnkappe, Siebenmeilenstiefeln, Zauberschwert, ist Märchen und Mythen gemeinsam und gelingt nur einem auserwählten Helden. Ob das nun das Wasser des Lebens, ein goldenes Vlies oder die Äpfel der Hesperiden sind, oft muß das Wertvolle aus dem Besitz eines übernatürlichen oder übermächtigen Wesens geholt werden. Zu den gemeinsamen Strukturen gehört ferner die Fahrt in eine jenseitige Welt. In Märchen wie Mythen wird fehlende Körperkraft oft durch List und Klugheit ausgeglichen. Auf der anderen Seite steht die Dummheit des scheinbar Großen, Starken und unüberwindlich Scheinenden, das »David- und Goliath-Syndrom«. Der Wettlauf vom Hasen mit dem Igel oder der Schildkröte zeigt dies ebenso wie die antiken Überlieferungen von Odysseus oder Herakles. Schon Geburt und Jugend eines Helden verlaufen in außergewöhnlicher Weise. Übernatürliche Zeugung und Geburt, die Aussetzung von Kindern und die Errettung durch ein Muttertier (Hindin, Wölfin, Stute, Bärin) ist märchen- wie heldensagengemäß. Das Ende der Erzählung ist beim Märchen bestimmt durch ein Happy-ending, während die Heldensage von Untergang und Tod eines Helden berichtet. Mythen sind in keinem Fall so stilisierte Erzählungen wie Märchen. Es fehlen weitgehend die Erzählgesetze der Volksepik, insbesondere eben das Happy-ending des Märchens. Mindestens haben sich bestimmte Merkmale, die wir dem späteren Glücksmärchen zusprechen, erst später ausgebildet und haben noch keine Entsprechung im Mythos. Die strukturellen Beziehungen von Mythos und Märchen sind vielfältig. Strukturalismus bedeutet ja, nicht jeden Mythos als isolierte Einzelerscheinung zu betrachten, sondern Mythen, und im Vergleich dazu die Märchen, in bestimmten, sich wiederholenden oder sich gleichenden Modellen zu sehen. Solche strukturalistischen Betrachtungen sind oft entstanden aus einem Mißvergnügen an den unsicheren Ergebnissen historischer Ursprungs- und Herkunftsforschung. Sie bedeuten oft ein Ausweichen vor den genetischen Fragen. Ob allerdings solche strukturalistischen Überlegungen zu einem besseren Verständnis von Mythen führen, erscheint manchmal fraglich. Strukturalistische Vergleiche hinken allenthalben, denn sie berücksichtigen keinerlei historische Schichtung, sondern synchronisieren unbekümmert Volksüberlieferungen des 19. und 20. Jahrhunderts mit literarischen Hervorbringungen der vorchristlichen Jahrhunderte. Andererseits treten dabei nun doch auch manche und gewichtige Unterschiede von Märchen und Mythen zutage.

Mythos hat mehr mit Religion zu tun als das Märchen. Er ist die Geschichte der Götter, Halbgötter und Heroen. Das Märchen bezieht sich dagegen immer auf eine menschliche Welt. Der Mythos ist sakral, das Märchen profan; der Mythos ist ernster, das Märchen eher verspielt. Deutlich zeigt sich das etwa in der unterschiedlichen Einstellung zum Tod. Das Märchen strebt immer einer optimistischen Lösung zu: »Und wenn sie nicht gestorben sind, so leben sie heute noch.« Eine solche Ausklammerung des Todes ist dem Mythos fern. Mythen handeln von grundlegenden Dingen des Daseins, sie handeln in einer Urzeit. Das »Es war einmal« des Märchens enthebt das Erzählte zwar einer genauen Fixierung in Zeit und Raum, doch das Märchen bezieht sich in der Regel nicht auf die Vorzeit. Seine Akteure entstammen nicht der religiösen Welt. Der religiösen Bedeutung des Mythos entsprechend spielen in ihm rituelle Dinge eine Rolle, zum Beispiel Opfer oder Orakel. Das gilt nicht für die Märchen. Sie sprechen zwar auch gelegentlich von Opfern, zum Beispiel von Menschenopfern; aber diese sind im Märchenaufbau nur noch Spannungsformeln[20]. So stellt sich schon die Frage, ob das Märchen das Mythische eliminiert hat. Was im Mythos essentiell war, ist im Märchen oft nur noch Unterhaltung; es erscheint weitgehend entwirklicht.

Viele Mythen sind Ätiologien von Kulten; sie erklären und begründen Bräuche, Tabus, oder sie sind häufig mit der Entstehung von Ortsnamen verbunden[21]. So hat der Mythos in ganz anderer Weise historische Aspekte als das Märchen. Das Geschehene ist immer ein Stück Geschichte einer griechischen Landschaft oder Stadt.

Zentrale Begriffe haben im Mythos eine andere Funktion als im Märchen. Beide Bereiche kennen zum Beispiel den Motivkomplex der Verwandlung. Im Märchen führt Verwandlung zwangsläufig zur entsprechenden Rückverwandlung, zur Erlösung[22]. Im Mythos ist das anders: in den Ovidschen Metamorphosen bleiben Philemon und Baucis oder Klythia in Pflanzen verwandelt. Zwar verwandelt sich Zeus in verschiedene Gestalten, um sich menschlichen

18

Frauen zu nähern. Aber das ist ein anderer Vorgang als die Verwandlung des Froschprinzen: Zeus verwandelt sich kraft eigener Machtfülle, während der Froschkönig Opfer eines fremden Schadenzaubers ist.

Der Mythos hat eine andere Dynamik. Das Holen des Lebenswassers gehört sicher schon mythischen Dimensionen an, ehe es im Märchen zu einer fast beliebigen, das heißt auswechselbaren schweren Aufgabe für den Helden geworden ist. Herakles, wenn auch in vielem mit dem starken Hans des Märchens vergleichbar, ist eben *kein* Märchenheld, sondern eine mythische Persönlichkeit, der vielerorts Kulte gewidmet wurden. Oder diese andere Dynamik erweist sich auch am Beispiel des Drachenkampfes: Ungeheuer- und Drachenbesiegung sind im Mythos zunächst einmal Göttertaten – der babylonische Marduk kämpft mit dem Urwesen Thiamat, Apollon mit der Pythonschlange. Das ist nicht einfach ein Märchenmotiv, sondern Urzeitgeschehen. Im Mythos sind die Auseinandersetzungen mit Drachen noch eine Tat der Götter, in Heldensage, Märchen oder Legende eine Sache auserwählter Menschen. Mythische Titanenkämpfe, Kämpfe zwischen Göttern und Riesen werden im Märchen zu Auseinandersetzungen zwischen Riesen und Menschen. Die Rollen, die im Mythos die Götter haben, werden im Märchen gelegentlich von Menschen übernommen.

Mythen bilden sich um bestimmte, namentlich bekannte Gestalten; das Märchen ist anonym, oder es gibt in ihm Allerweltsnamen wie Hans, Grete oder Else. Das Märchen arbeitet wesentlich mehr als der Mythos mit nichtindividualisierten Typen, während die Figuren des Mythos individueller erscheinen. Mythos verläuft weit mehr in genealogischem Denken: Ahnentafel und Abstammung spielen eine große Rolle. In allen Einzelheiten interessiert sich der Mythos für die Eltern, die Geschwister, Jugend, Liebschaften und Nachkommen seiner Personen. Das Märchen bietet zwar auch eine »biographische« Erzählung, begnügt sich aber mit der Geburt und mit Abenteuern (insbesondere der Brautwerbung) seiner Helden. Die Eltern oder auch Geschwister des Helden vergißt es, und auch dessen Kinder spielen in der Regel keine Rolle mehr.

Die Akzente liegen im Märchen anders als in den Mythen. Dort gibt es wirklich Liebe und Eifersucht; auch Erotik, die im Märchen nur stark sublimiert und entwirklicht erscheint. Mahrtenehen in der Sage sind etwas anderes als die Liebschaften des Zeus in der Gestalt von Schwan oder Stier[23].

Obwohl die stoffliche Übereinstimmung von Märchen mit Mythen unleugbar ist, gibt es dennoch zwischen ihnen ganz verschiedene Einstellungen und Erlebnisweisen. Die gleichen Motive haben offenbar in beiden Gattungen recht unterschiedliche Motivationen und Funktionen. Wenn Mythos Glauben voraussetzt, erscheint das Märchen wie ein verweltlichter, entmythologisierter Mythos (entsprechend griechisch Paramýthi), während der Mythos mit seinem Glaubenshintergrund eher der Sage verwandt erscheint. Es ist jedoch nicht beweisbar, wie weit Mythen wirklich den Volksglauben widerspiegeln.

Wir müssen aber auch noch von einem Unterschied der *Quellen* sprechen. André Jolles rechnet die »Mythe« ebenso wie das Märchen zu den »einfachen Formen«[9]. So einfach ist das aber nicht. Wir haben grundsätzlich die Frage zu klären: wie weit eigentlich steht Mythos für Literatur, hingegen Märchen für Folklore? Mythen sind Aussagen von Dichtern und Schriftstellern: von Homer, Pindar, Sophokles, Euripides, Hesiod, Ovid. Oder Mythen werden berichtet in Werken der Geschichtsschreibung, zum Beispiel von Herodot, Plutarch, Apollodor, Diodor. Damit stehen Mythen, wiewohl die älteren Erzählungen, auf einer ganz anderen, komplizierteren Ebene der psychologischen Betrachtung als Märchen. Mythologie ist eher eine Sache der Gebildeten, Volksmärchen sind eine Jedermannsangelegenheit. Märchen existieren zwar auch in literarischen Überarbeitungen, aber vorzugsweise hat es der Folklorist mit authentischen, mündlich aufgezeichneten Ethnotexten zu tun. Und immer hat er es mit einem Quantitätsmaterial zu tun, während der Mythologe auf ein zahlenmäßig begrenztes, elitäres Qualitätsmaterial zurückgreifen kann, das heißt auf bewußt gestaltete Kunstwerke. Trotz des Alters und der oft fragmentarischen Qualität seines Materials hat es der Erforscher der antiken Mythologie doch auch mit mehr überschaubarem Quellenmaterial zu tun als der Märchenforscher, der sich oft erst durch einen unübersehbaren Wust von Sammlungen und Varianten aus aller Welt hindurchwühlen muß, bis er auch nur zur Grundform eines Märchentyps vorstößt.

Immer wenn von irrationalen Elementen in der Folklore die Rede ist, spricht man von »mythischen« Motiven[24]. Und immer wenn im Mythos die Phantasie sich reich entfaltet, spricht man von »märchenhaften« Motiven. Man meint damit also die allzu phantastischen Züge, die sich in die sonst eher religiösen und historischen Texte eingeschlichen haben. Aber wer kann sagen, ob die entsprechenden »märchenhaften Motive« wirklich schon zu existierenden Volksmärchen des Altertums gehört haben?

Mythenforscher und Märchenforscher sehen mit einem gewissen Mißtrauen aufeinander, und der Vorwurf mangelnder Seriosität beruht auf Gegenseitigkeit. Verdächtig ist dem Märchenforscher einerseits die Quellenlage der Mythologie: was ist da bloße literarische Erfindung, was Volksglaube, was reine

Phantasie? Für welchen Personenkreis hat Mythos religiöse Gültigkeit, für welche ethnischen und sozialen Schichten? An der Märchenforschung andererseits kann man mit Recht bemängeln, daß sie sich keineswegs einig ist, wie sie die Geschichte und das Alter ihres Gegenstandes bestimmen soll[25]. Für die einen reicht das Märchen in das Neolithikum zurück, für die anderen ist es ein Genre, das sich erst im 16. Jahrhundert in seiner heutigen Form auszubilden begann. Dunkel und umstritten sind die Wege der Übertragung: literarische Übernahme oder Wanderung von Volk zu Volk? Woher kommen die Traditionen? Viele Meinungen lassen sich in ihrer keinen Widerspruch duldenden Zuspitzung wohl nicht halten, etwa die, das Märchen sei viel älter noch als der Mythos. Sicher hat man in der volkskundlichen Erzählforschung die Kontinuität von mündlichen Überlieferungen über Jahrtausende hinweg überschätzt. Zu einfach machte man es sich sicher auch, wenn man schlicht behauptete, die Odyssee sei die älteste Märchensammlung der Welt[26]. Archaische Motive im Märchen sind nämlich als solche nicht unmittelbar erkennbar. Wir erkennen sie erst, wenn uns entsprechende Motive auch in antiken Mythentexten entgegentreten. Daraus darf man aber nicht grundsätzlich folgern, daß solche sogenannten archaischen Elemente auch bereits der Entstehungszeit des Märchens zugehörten und daß das Märchen sie in allen Überlieferungsprozessen bewahrt hätte, oder daß das Märchen selbst grundsätzlich in archaische Zeiten hinaufreiche[27], vor allem dann nicht, wenn es im Märchen keine archaische Einstellung zu diesen Motiven mehr gibt. Den Glauben an die Stabilität von mündlichen Überlieferungen halten manche Kritiker selbst für einen »Mythos«. Die Vorstellung, daß griechische Sagen, wie zum Beispiel die der Argonauten, schon fertig ausgebildete Märchen voraussetzen, ist sicherlich phantastisch. Das Auftreten derselben Motive oder sogar derselben Motivreihen in Mythos, Sage und Märchen ist kein Beweis für irgendwelche Verwandtschaft oder Entlehnung. Wenn die Argonautensage Märchenmotive enthält, so beweist das überhaupt nicht, daß es in der minoischen Zeit schon Märchen gegeben habe. Es lehrt uns nur, daß Motive, die wir in den heutigen Märchen vorfinden, damals schon bekannt waren, aber zum Beispiel zur Heldensage gehören konnten. Überall, wo man von »Märchen« in der alten Welt spricht, sind dies eben noch keine Märchen im neuzeitlichen Sinne. Das altägyptische Brüdermärchen ist ein Pharaonenmythos und noch kein Märchen[28]. Auch die Forscher, die im Sinne der geographisch-historischen Methode ein Märchen in hunderten, tausend oder gar zweitausend Varianten verfolgt haben, können in der Regel keine exakten Angaben über Herkunft, Ursprung und primäre Funktion der jeweiligen Geschichte geben.

An einigen wenigen Modellfällen sollen im folgenden die verschiedenen Möglichkeiten der Zusammenhänge zwischen heutiger Folklore und antiker Mythologie aufgezeigt werden. Ich werde dabei Beispiele vermeiden, die schon oft und kontrovers behandelt worden sind, wie Amor und Psyche[29], Argonautensage[30] oder Polyphem[31]. Die folgenden Ausführungen beschränken sich darum auf einige weniger bekannte und weniger spektakuläre Fälle. Rein methodisch können zwei Möglichkeiten unterschieden werden: 1. mündliche Kontinuität und 2. literarische Übertragung.

Ein Beispiel für wahrscheinliche Kontinuität bieten die Sagen und Märchen vom vorherbestimmten Schicksal. Mehrere altgriechische Mythen und Heldensagen enthalten das Motiv der Schicksalsbestimmung bei der Geburt des Helden. Herakles, Odysseus und Achill, Paris, Ödipus, Meleager und Admetos (Alkestissage) vollziehen in ihrem Leben die Prophezeiungen der Moiren. Die Moiren sagen dem neugeborenen Kinde voraus, durch welchen Umstand es seinen Tod finden wird. Es sind außergewöhnliche, bemerkenswerte Todesarten, Unglücksfälle und Katastrophen mannigfacher Art. Tod durch Altersschwäche oder durch Krankheit wäre kein Anlaß zur Sagenbildung. Nur das Außergewöhnliche ist weitererzählenswert. Die Eltern des Kindes richten ihr ganzes Bemühen darauf, die Erfüllung des meist schlimmen Spruches zu vereiteln. Doch am Ende muß der Mensch seine Ohnmacht und die Zwecklosigkeit seiner Bemühungen erkennen. Alle diese Sagen und Märchen haben einen ausgesprochen vorchristlich-heidnischen Anstrich in ihrer Schicksalsauffassung. Sie sind im heutigen griechischen Volksglauben noch so lebendig wie zu den Zeiten Hesiods oder Platons. Sogar der Name ist geblieben[32]. Noch immer werden die Moiren in der dritten Nacht nach der Geburt eines Kindes zu Hause erwartet, um ihm sein Lebenslos zuzuteilen. Nach allgemeinem Volksglauben sind zwar die Schicksalsbeschlüsse unabwendbar. Es gibt aber doch auch neugriechische Märchen, in denen die Moiren aus irgendwelchen Gründen ihre Stimmung ändern, sich wohlwollend zeigen und dem armen Menschen Hilfe und Gnade zukommen lassen[33].

Die meisten Wesen der altgriechischen niederen Mythologie: Neraïdes, Anaskelades, Lamia, Lykanthropoi, Strigles, Gorgonen, Gello, Charos sind mit denselben oder leicht abweichenden Namen im Glauben und Brauch des griechischen Volkes bewahrt worden. Wie Georgios Megas[32] und Demetrios Loukatos[34] gezeigt haben, sind die Neraïdes im griechischen Volksglauben gegenwärtig. Sie halten sich als Wasserdämonen in Höhlen, Brunnen, Flüssen, Seen oder im Meer auf, das heißt an denselben Orten wie Nymphen. Sie sind so schön, daß man hübsche Mädchen mit ihnen vergleicht. Neraïdes sind Mittagsdämonen und Nachtgeister. Wer während der Nacht Wasser holen will, muß zuerst dem Wasser »guten Abend« sagen, sonst fügen die im Brunnen hausenden Neraïdes ihm Schaden zu. Ihr ganzes Leben ist Tanz und Spiel in den klaren Wassern. Während sie baden und den Schleier im Gebüsch am Strand haben liegenlassen, gelingt es dem Helden, das Schleiertuch einer Neraïde zu entwenden. Dann kann sie nicht fliehen und muß ihm in sein Haus folgen. Nun wohnt sie bei ihm und gebiert ihm ein schönes Kind, wie die altgriechische Neraïde Thetis den Achilles. Aber ihr ganzes Sinnen und Trachten ist auf die Wiedergewinnung des Tuches gerichtet, und das gelingt ihr. Sie eilt nun zurück zu ihren Genossinnen. Dann beginnt im Märchen die abenteuerliche Suche nach der verschwundenen übernatürlichen Gemahlin[33]. Es gibt also Liebesverhältnisse der Neraïdes mit Sterblichen, mit der Motivabfolge »Schwanenjungfrau« und »Mahrtenehe«. Die Neraïdes rauben auch Kinder. Es gibt bestimmte Abwehrmittel gegen sie wie das Kreuzeszeichen, bestimmte Gebete oder Amulette. Neraïdes spinnen, bewachen Schätze. Musikanten werden zu Neraïdenhochzeiten eingeladen. Sie erhalten dort viel Geld als Lohn, das aber beim Fortgehen zu Kohle wird. Mit anderen Worten: sie üben Volksglaubensfunktionen aus, die anderwärts andere Wesen der niederen Mythologie in genau der gleichen Weise ausüben, bei uns zum Beispiel Zwerge, Salige Frauen, Percht, Wassermann und Nixen. Eine andere Kategorie von Dämonen sind die Anaskelades, die während der Nacht erscheinen. In Eselsgestalt sind sie eine Art Spuktier. Sie werfen den Reiter zu Boden, was häufiger tödlich endet, oder sie fungieren als Aufhocker. Den Lamies entspricht die altgriechische Lamia. Lamia war ein böser Dämon, der die kleinen Kinder erstickte und den Tieren das Blut aussaugte. Im neugriechischen Volksglauben sind die Lamies eher Wasserdämonen und Verwandte der Neraïdes. Sie lieben es, wohlgestaltete Männer zu heiraten. Sie sind immer bösartig, erscheinen als Frauen mit großen Brüsten und langen gepflegten Haaren; aber sie haben einen Eselsfuß. Am Meer schaden die Lamies oft den Schiffen; sie verursachen Wirbelstürme und lassen die Schiffe im Strudel untergehen. Lykanthropoi (Werwölfe) sind Menschen, die zu bestimmten Zeiten Wölfe werden. Seit der Antike leben auch die Strigles fort: ältere Zauberfrauen oder Hexen. Das Wort Strix bedeutet eigentlich Nachtvogel. Sie sind vor allem für die ungetauften Kinder gefährlich. Findet die Strigla kein kleines Kind in einem Haus, zerreißt sie die Brust von Erwachsenen, holt ihnen die Eingeweide heraus und frißt diese dann. Gorgona ist die antike Gorgo, eine schreckliche Mißgestalt. Im neugriechischen Volksglauben werden vor allem Schiffsunglücke auf sie zurückgeführt. Auch im neugriechischen Märchen taucht öfters plötzlich aus dem Meer die Gorgona auf, ein Seedämon mit fischartigem Unterkörper. Auch Gello ist ein Dämon, der im griechischen Altertum wie noch in der Neuzeit die gleiche Wirkung ausübt, nämlich als kindertötender Dämon. Ähnlich ist die eselsfüßige Empousa eine Schreckfigur. Harpyen sind Windgeister und werden dargestellt als Vögel mit Frauenköpfen. Überhaupt sind halbmenschliche, halbtierische Wesen eine Besonderheit der ostmediterranen Dämonologie. Vielleicht als Nachwirkung griechischer Siedler in Marseille spielt im südfranzösischen Märchen die Sphinx eine Rolle als »große Bestie mit dem Menschenkopf« und noch immer gibt sie dem Helden Rätsel auf wie ihr griechisches Vorbild aus der Ödipussage[35].

Man muß hier wohl eine deutliche Unterscheidung zwischen höherer und niederer Mythologie treffen. Die weitaus größten Gemeinsamkeiten mit den heutigen Volksmärchen finden sich in der sogenannten niederen Mythologie. Und das sicher aus gutem Grund, weil die niederen Wesen nicht so sehr den Angriffen und Tendenzen des Christentums ausgesetzt waren wie der polytheistische Glaube. Das griechische Wort »Dämon« ist von allen Kulturvölkern in die theologische und wissenschaftliche Terminologie aufgenommen worden[36]. Was entweder nur der Unterhaltung diente, oder als Kunst den christlichen Glauben nicht berührte, oder was sich so in den Niederungen bewegte, daß es den monotheistischen Glauben nicht weiter betraf, das hat am ehesten die christliche Mission und Katechese überdauert. Daher haben die Erzählungen aus der niederen Mythologie von Zwergen, Wassermann, Mahrt, Tierherren u.s.w. mehr Kontinuität aufzuweisen als die aus der höheren Mythologie.

Mit der Kontinuität mündlicher Überlieferung geht aber sicher auch literarische Übertragung einher. Die Schicksalsfrauen tauchen in der mittelalterlichen deutschen Literatur als »Scepfen« auf, in der neuzeitlichen deutschen Schicksalssage (zum Beispiel in Gottschee-Varianten) als »Schöpferlein«, die das Schicksal des neugeborenen Kindes »schöpfen«. Dort, wo mittelalterliche Dichtung antike Stoffe ihrer eigenen Zeit und ihrem Milieu angepaßt hat (wie zum Beispiel in den mittelhochdeutschen Fassungen des Aeneas-Romans), vermischen sich »interpretatio christiana« und »interpretatio germanica«: Charon und Kerberos erscheinen als Teufel. Kentauren, Harpyen, Skyllen, Gorgonen werden zu wilden Tieren der heimischen Sage oder zu Drachen, Löwen, Lindwürmern oder Leoparden. Noch weiter geht Albrecht von Halberstadt in seiner Nachdichtung der Metamorphosen Ovids. In der Fassung Jörg Wickrams erscheinen die Dryaden, Najaden und Oreaden, die Bergnymphen und so weiter als Waltfeyen, Merminnen, Meerfrawen, Elbinnen, Meerfeiyen, Wasserholden, Wassermegde, Wasserweiber. Satyrn und Faune werden zu Waldmännlein, gezwergen, schretzen, elben. Giganten, Kyklopen und Kentauren erscheinen als Riesen[37]. Antike niedere Mythologie wird voll in die heimische Sagenwelt integriert und entsprechend angepaßt.

Zu den Fällen, in denen antike Mythen vielleicht doch aus damals umlaufenden Volkserzählungen gespeist worden sind, gehört die Erzählung von dem Geheimnis des Herrschers mit den Pferde-Ohren. Nach Ovids Erzählung vom König Midas ließ Apollon ihm zur Strafe dafür, daß er beim musikalischen Wettstreit Pan den Vorzug gab, Eselsohren wachsen, die Midas vergeblich unter der phrygischen Mütze zu verbergen suchte. Sein Barbier verriet das Geheimnis und gab ihn der Schande preis.

Die Volkserzählung vom Geheimnis der Herrschers (AT 782) verläuft etwas anders: um sein Geheimnis zu wahren, verbirgt sich der Herrscher vor den Leuten. Die ihn scheren, tötet er. Einen verschont er unter der Bedingung, daß er das Geheimnis hüten werde. Der aber erkrankt unter der Last des Geheimnisses und spricht es an einem einsamen Ort aus. Dort wächst ein Schilfrohr, aus dem eine Flöte geschnitzt wird, die das Geheimnis dann als Lied verrät. Danach stirbt der Herrscher zumeist, er verschwindet oder er wird getötet.

Obwohl gerade diese Erzählung von der Ovid-Rezeption des Mittelalters und der Renaissance aufgegriffen wurde (Albrecht von Halberstadt, Fulgentius, Johannes Pauli), verläuft hier die Tradition offenbar wieder anders als auf dem literarischen Wege. Sie ist als Volkserzählung in Deutschland in der mündlichen Überlieferung überhaupt nicht vertreten. Im ganzen Balkangebiet dagegen ist dieser Stoff sehr lebendig. Dort tauchen auch Diokletian, Alexander oder Trajan als Namen des Herrschers auf. Der geographische Verbreitungsraum dieser Erzählung reicht bis Korea, bis zur Mongolei, von China über Tibet und Indien bis zum Balkan und bis nach Italien sowie bis nach Nord- und Mittelafrika. Er umfaßt weiter die pyrenäische Halbinsel, die bretonische Küste Frankreichs sowie Irland und Wales. Von Sydow wollte diese Erzählung deshalb mit der Ausbreitung der Megalith-Kultur in Verbindung bringen. Jedenfalls war der phrygische König Midas wohl nicht die primäre Figur in dieser Sage. Maja Bošković-Stulli bringt die Sage mit archaischen Herrscherkulten in Verbindung, mit Herrschern oder Gottheiten mit tierischen Merkmalen[38]. Sie meint, daß das tierische Merkmal des Herrschers primär kein anstößiges Zeichen war, sondern Kennzeichen besonderer Macht, vielleicht das Zeichen eines Herrschers, der sich als Nachkomme mythischer tierischer Vorfahren fühlte. Sie begründet das Motiv mit den Volksglaubensvorstellungen vom Abscheren des Haares. Auch die Tötung des Herrschers sieht Bošković-Stulli als Rest eines Rituals. So scheint dieser Erzählstoff tatsächlich älter zu sein als sein ältester antiker Beleg; das heißt Ovid scheint nur einen Seitenstrang der Geschichte benutzt zu haben.

Man hat auch eine Verbindung zwischen dem Danaë-Mythos und dem Rapunzelmärchen festgestellt; beide enthalten zentral das Motiv der Jungfrau im Turm, die von ihrem Vater dort eingesperrt wird, damit sie für jeden Mann unerreichbar bleibt. In beiden Fällen hat die Abschirmung nicht den gewünschten Erfolg, denn Zeus nähert sich Danaë in Form eines Goldregens, und auch Rapunzels Liebhaber findet einen Weg zu seiner Geliebten. Wie Danaë wird auch Rapunzel trotz aller Vorsichtsmaßnahmen geschwängert. Trotzdem ist diese Motivik vielleicht ubiquitär. Noch spezifischer aber sind wohl die Verbindungen des Danaë-Mythos mit dem Märchentyp »Die Tochter der Sonne« (AT 898): einer Prinzessin wird geweissagt, daß sie durch die Sonne geschwängert werde. Ihr Vater läßt sie deshalb in einen fensterlosen Turm einmauern. Doch die Prophezeiung erfüllt sich. Die Prinzessin gebiert ein Mädchen. Die Tochter der Sonne wird ausgesetzt, aber von einem Prinzen aufgefunden und gerettet. Als sie erwachsen ist, möchte der Prinz sie heiraten. Doch als Kind rätselhafter Herkunft war sie stumm und konnte nicht sprechen, bis eine ganz bestimmte Frage gestellt wurde. Schließlich gelingt es ihm, durch übernatürliche Hilfe oder durch eine List das Geheimnis der Tochter der Sonne zu lüften, und es gibt zum Schluß eine glückliche Heirat.

In den Erzählungen, auch in den Liedern von Sonne und Mond als Ehepaar oder als inzestuösem Geschwisterpaar, ist die Sonne stets männlich, und sie ist es auch nach ihrem grammatischen Geschlecht in der Sprache der Länder, in denen dieses Märchen erzählt wird. Die Schwängerung durch einen Sonnenstrahl ist gewiß nicht nur ein zufälliges Märchenmotiv. Man hat vermutet, daß dieses Märchen auf den Mythos von der Geburt des Perseus zurückgeht: dem König von Argos wurde verkündet, sein Enkel würde ihn töten. Um Nachkommen zu verhindern, sperrte er seine schöne Tochter Danaë in eine eherne Kammer ein. Doch Zeus besuchte sie in der Gestalt eines Goldregens, und Danaë gebar ihm den Perseus. Aber Zeus ist nicht die Sonne und ein Goldregen auch kein Sonnenstrahl. Für den Zusammenhang des Märchens mit dem antiken Mythos spräche die auf den Mittelmeerraum begrenzte Verbreitung des Märchens. Allerdings ist die bloß regionale Verbreitung eines Märchens auch ein Anzeichen gegen ein zu hohes Alter seiner Tradition. Interessant ist, daß derselbe Stoff, die Heirat mit der Tochter der Sonne, auch in epischen Liedern wiederkehrt und daß diese ebenfalls dem Balkanraum angehören[39].

Antike Sagen sind nicht generell vom Christentum einfach unterdrückt worden. Einige ließen sich sogar besonders gut in die christliche Katechese einbauen, so zum Beispiel die Geschichte des Ovid von Pyramos und Thisbe. Schon in der Frühschrift »De Ordine« des heiligen Augustin kommen Pyramos und Thisbe als Beispiel des sündigen Menschen vor, als negatives Liebespaar, als Beispiel fehlerhaften Verhaltens, weil die beiden der Begierde nachgegeben haben. Aber im Hoch- und Spätmittelalter erfährt der Stoff eine christlich allegorische, positive Umdeutung. In den »Gesta Romanorum« (um 1300) erscheint Pyramos als Christus, Thisbe als die christliche Seele des Menschen und der Löwe als Diabolos, der Teufel. Folklore ist der Stoff dann in der sogenannten »Abendgang-Ballade« geworden[40].

Ovids Werke sind im Mittelalter verhältnismäßig gut bekannt gewesen. Zur Ovid-Rezeption des Mittelalters gehört auch der Sagen-, Märchen- und Balladenstoff von der verlassenen Geliebten, die sich in eine Blume verwandelt. Ovid berichtet von Klytia. Sie wurde einst vom Sonnengott geliebt und verwandelte sich nach langem und vergeblichen Warten und Starren in die Sonne in eine Sonnenblume. Unter dem Pflanzennamen »Sponsa Solis« ist im deutschen Sprachgebrauch auch die Wegwarte bekannt, deren Name etwas ähnliches aussagt: die Blume ist ein verwandeltes Mädchen, das am Wege wartet. Von ihrer blauen Farbe, von ihrem auffallenden Standort und von ihrem Namen her bot sich die Pflanze als Symbol der Treue und der in Geduld ausharrenden Liebe geradezu an. Die erst im 19. Jahrhundert aufgezeichnete Volksballade von der Wegwarte geht auf diese Zusammenhänge zurück[41]. Ähnliches findet sich auch in der Volksprosa, in Sagen oder auch im Grimmschen Märchen vom »Liebsten Roland« (KHM 56).

An vorwiegend literarische Übertragung ist auch bei dem Ovid-Stoff von Philemon und Baucis zu denken. Er findet sich wieder in den Volkserzählungen von der verweigerten, beziehungsweise belohnten Gastfreundschaft, in den Sagen von der untergegangenen Stadt; auch das Märchen KHM 87 »Der Arme und der Reiche« gehört in denselben Umkreis der Erzählungen von den Wanderungen und Reisen der Götter und Heiligen auf Erden[42]. Es gibt vor allem zwei literarische Denkmäler aus dem Altertum, zu denen die meisten Untergangserzählungen in irgendeinem Abhängigkeitsverhältnis stehen: erstens die Erzählung von Philemon und Baucis bei Ovid und zweitens die biblische Geschichte vom Untergang Sodoms.

27

Bei Ovid kommen Jupiter und Merkur in Gestalt von Wanderern in eine Ortschaft und bitten die Bewohner um Aufnahme. Aber an allen Türen werden die Fremden, die man nicht als Götter erkennt, abgewiesen. Nur ein altes Ehepaar in einer ärmlichen Hütte nimmt sie gastlich auf. Wie nun der Weinkrug sich immer von neuem füllt, erkennen Philemon und Baucis, daß sie es mit Göttern zu tun haben. Die Götter beschließen dann den Untergang der gottlosen Stadt, von dem aber Philemon und Baucis ausgenommen bleiben sollen. Die Götter empfehlen den beiden Alten, die Ortschaft zu verlassen und ihnen ins Gebirge zu folgen. Anstelle der Ortschaft entsteht später ein Sumpf. Philemon und Baucis dürfen sich etwas wünschen. Sie wünschen sich, einmal zusammen zu sterben. Als die Lebenszeit der beiden vorüber ist, werden beide zur gleichen Zeit in Bäume verwandelt.

Bei Ovid ist die Geschichte eine klassisch durchgeformte Dichtung. Sie ist sicher ein Mythos von einst sehr realer Funktion: daß die Gäste Götter sind, betont die Heiligkeit des Gastrechtes. Die hartherzigen Nachbarn, die den obdachsuchenden Wanderern die Gastfreundschaft verweigert haben, versinken im Sumpf. Diese Form des Strafgerichtes rückt unsere Geschichte in die Nähe der Sintflutsagen, wie sie in den ältesten schriftlichen Zeugnissen aller großen Kulturkreise überliefert sind.

Der alttestamentarische Bericht vom Untergang Sodoms ist strukturell ähnlich aufgebaut: Frevel und Zerstörung auf der einen Seite, Gastfreundschaft und Errettung auf der anderen Seite. Es sind zwei Engel, die in Gestalt von Wanderern nach Sodom kommen. Lot nimmt die Fremden gastlich auf im Gegensatz zu allen übrigen Leuten von Sodom. Diese nämlich verlangen die Auslieferung der Fremden. Lot warnt vor dem nahen Untergang der Stadt. Er und seine Familie werden herausgeführt, die Stadt jedoch wird zerstört: Jahve läßt Schwefel und Feuer vom Himmel regnen und vernichtet den ganzen Landstrich. Die Ähnlichkeit der Philemonsage und der Sodomgeschichte ist auffallend. Beide gottlosen Orte werden mit dem Untergang bestraft und an ihrer Stelle entsteht ein See, im biblischen Fall das Tote Meer.

Alle diese Sagen haben eine gemeinsame Struktur: Gott beschließt, die Menschen wegen ihres sündhaften Treibens zu vernichten. Ein auserwähltes Paar wird verschont und zu Stammeltern eines neuen Menschengeschlechts. Dazu kommt im Falle von Philemon und Baucis ihre Verwandlung in Bäume; in deren Verehrung ist eine Art Baumkult begründet. Das Christentum hat die antiken Erzählungen christlich-symbolisch aufgefaßt: die Erdenwanderung der Götter wird zum Sinnbild der Herabkunft Christi. Die Hütte von Philemon und Baucis wird zur Kirche, sie selbst werden zu Priestern, beziehungsweise Gläubigen, die christliche Nächstenliebe pflegen. Die Verwandlung in Eichen schließlich sei ein Gleichnis für standhaftes Gottvertrauen[43]. So gibt es im Mittelalter ungezählte moralische und theologische Auslegungen und Nachdichtungen des antiken mythischen Stoffes auch in Kommentaren, Paraphrasen, bis hin zur barocken Metamorphosen-Tradition, sowie entsprechende Darstellungen in der Malerei. Im 18. und 19. Jahrhundert setzt sich das fort bei La Fontaine, Swift, Hagedorn, Hölty. Die heidnischen Mythen von der religiösen Sanktionierung der Gastfreundschaft wurden im Mittelalter zum Träger christlicher Tugenden und dienten als moralisches Exempel.

Wie leben nun diese Erzählungen von der untergegangenen Stadt in der neueren Volksüberlieferung fort? Auch unsere Volkssagen von untergegangenen Städten und Ortschaften sind meist ätiologische Sagen, die an Seen und Sümpfe, an Gebirge, an unfruchtbare, mit Eis und Schnee bedeckte Gegenden anknüpfen und erzählen, daß hier eine Ortschaft wegen ihrer Gottlosigkeit bestraft und untergegangen sei. Bezeichnend für die Herleitung aus der Antike ist die Tatsache, daß fast nie nur der Untergang der Stadt oder Burg erzählt wird, sondern auch von der Errettung eines Einzelnen vor dem allgemeinen Untergang. Die antiken Frevelmotive sind dabei durch neuere, meist christliche ersetzt. Anstelle der antiken Götter, der alttestamentarischen Engel ist Jesus selbst getreten. Aus Westpreußen wird von einem See folgendes erzählt[44]: Vor undenklichen Zeiten kam ein müder Wanderer in ein Dorf und ging, ein Obdach zu suchen, von Haus zu Haus; überall wurde er abgewiesen. Endlich fand er im letzten Häuschen bei armen Leuten Aufnahme und Speise und Trank. Als die Bewohner mit ihrem Gast am nächsten Morgen vor die Tür traten, war das ganze Dorf verschwunden. An seiner Stelle befand sich ein See. Der Fremde gab sich als der Herr Jesus zu erkennen, gekommen, die Herzen der Menschen zu prüfen. Alle seien hartherzige Sünder gewesen, deshalb habe die Erde sie verschlungen. Nur sie allein seien wegen ihrer Tugend und Frömmigkeit erhalten worden. Darauf verschwand der Fremde vor ihren Augen.

Das persönliche Eingreifen Gottes oder eines Heiligen gibt den Geschichten von der untergegangenen Stadt einen legendenhaften Charakter. Ein weiteres Beispiel gibt die Sage des Kalterer Sees: in jener Gegend stand einst eine prächtige Stadt, deren Bewohner boshafte, schrecklichen Lastern ergebene Leute waren. Als einmal Christus und Petrus von der Reise müde und hungrig in jene Stadt kamen, baten sie im Häuschen einer frommen, aber blutarmen Familie um etwas zu essen. Der Hausvater aber hatte keinen Bissen im Hause, entschuldigte sich und brachte einen Krug voll frischen Wassers. Petrus ging dann in die Stadt, um zu bitten, mußte jedoch mit leeren Händen wieder umkehren, denn überall wies man ihn barsch von der Türe. Als Christus von der Unbarmherzigkeit hörte, schüttete er entrüstet seinen Wasserkrug durchs Fenster hinaus. Im selben Augenblick strömte Wasser aus dem Erdboden und überflutete die gottlose Stadt. Der fromme Bewohner jener armen Hütte aber konnte nun im fischreichen See fischen und ward von da an ein reicher Mann. Also: auch im Bereich der Folklore gibt es eine »interpretatio christiana«.

Ein gegensätzliches Beispiel für literarische Übertragung bietet schließlich die Sage vom Ebertraum-Tod. Eine Variante aus dem Schwarzwald ist folgendermaßen notiert: ein Jäger wollte gottvergessen gerne auf den Himmel verzichten, wenn er nur ewig jagen könnte. Da träumte ihm eines Nachts, ein Eber habe ihm mit den Hauern die Eingeweide herausgerissen. Am anderen Morgen brachte er auf der Jagd einen mächtigen Eber zur Strecke und rief triumphierend: »Nun reißest du mir die Gedärme nicht mehr entzwei!« Dann hieb er dem Tier den Kopf ab und wollte ihn an einem Baumast aufhängen. Dabei entglitt ihm der Kopf, und im Herabfallen schlitzten die Hauer ihm den Bauch auf, so daß er starb. Für seine Gottlosigkeit muß der Jäger nach seinem Tod noch jagen; darum hört man manchmal in der Luft das Toben seiner wilden Jagd[45]. Diese Sage ist in Norddeutschland als sogenannte Hackelberg-Sage bekannt und ist auch eine Nummer des Grimm-Korpus der deutschen Sagen. Bei Jacob Grimm und seinen Nachfolgern wurde die Ebertraum-Sage vor allem naturmythologisch ausgewertet: der Eber galt als Wirbelwind, der Jäger Hakkelberg als Verkörperung des Donners. Später brachte man den Eber in Zusammenhang mit dem großen Eber aus dem 3. Bruchstück der St. Galler Rhetorik[46]. Nach anderer Meinung gilt der Eber als Sympathie-Tier Hackelbergs, in dem die Kraft, das Leben des Jägers verborgen ist: stirbt das Tier, so ist auch der Jäger dem Tode verfallen[47].

Für diese in Deutschland weitverbreitete Sage vom herabfallenden, todbringenden Eberkopf gibt es nur einen einzigen außerdeutschen Beleg. Das ist eine Stelle in der »Historischen Bibliothek« des Diodorus Siculus mit folgendem Inhalt: ein berühmter Jäger pflegte der Göttin Artemis die Köpfe und Füße der von ihm gejagten Tiere zu weihen und sie an Bäumen aufzuhängen. Als er aber einmal einen überaus großen Eber erlegt hatte, setzte er die Göttin hintan und sagte, daß er sich selbst den Kopf dieses Tieres weihen wolle. Er hängte ihn an einem Baum auf und legte sich unter den Baum schlafen. Da fiel der Eberschädel auf den Schlafenden herab und zerschmetterte ihn[48]. Diese Erzählung ist der früheste Beleg für die Geschichte vom herabfallenden Eberkopf. Deren Quelle ist nach Geffcken »Die Geographie des Westens« des Timaios. Aus Timaios schöpfte wahrscheinlich auch Kallimachos, der diese italische Geschichte in seinen »Aitia« (Buch IV, fragm. 96) behandelte. Ovid spielt auf diese Stelle an, als er einen persönlichen Gegner verflucht: »Auch dich möge ein Eber zerschmettern, und möglichst solch einer, der sogar im Tode dir noch eine Wunde beibringen könnte, wie dem Manne, auf den der Kopf des über ihm aufgehängten Wildschweins herabfiel!«

Die Wendung, daß der Jäger den Eberkopf an einem Baum aufhängt, läßt aufmerken. In der Schwarzwald-Variante heißt es: »Sodann hieb er dem Tiere den Kopf ab und wollte ihn an einem Baumast aufhängen.« Dieses an sich unverständliche Vorhaben, wird doch erlegtes Wild auf der Jagd nicht an Ort und Stelle zerlegt, sondern im Walde nur aufgebrochen und erst zu Hause zerteilt, ist am besten von der Diodorerzählung her zu begreifen, wo es durch das Opfer sinnvoll ist. Das Aufhängen des Schädels eines getöteten Jagdtieres an einem Baum ist ein sehr altertümlicher Zug von Jagdopfer und ist ebenso in den Jagdriten der nordasiatischen Völker bezeugt. Aber auch die griechischen Jäger pflegten, wie wir namentlich aus Weiheepigrammen vornehmer Nimrode erfahren, noch in der Kaiserzeit Fell und Gehörn von Jagdwild durch Aufhängen zu weihen[49].

Nun gehört das Traum-Tod-Motiv allerdings nicht zu den ursprünglichen Motiven der Hackelberg-Sagen. Aber im 16. Jahrhundert erscheinen bereits die ersten Übersetzungen des Diodor mit unserer Geschichte im Buchdruck, zum Beispiel bei Johann Herold (Basel 1554) mit allen Grundmotiven: Eberjagd, Hybris des Jägers, Aufhängen des Eberkopfes, Tod durch den herabfallenden Eberkopf. Das Traummotiv fehlt zwar in der italischen Sage des Siculus. Das Unglück geschieht dort im Schlaf, während es in den deutschen Sagen in einem Angsttraum vorher erlebt wird. Aus der ursprünglich gerechten Strafe für die Mißachtung der Gottheit hat sich die fast tragisch anmutende Stimmung in der deutschen Sage entwickelt, wie es ihrem Hang zum Unheimlich-Unbegreiflichen entspricht. Durch den Wegfall des Opfermotivs wird der Tod des Jägers »rätselhaft«. Es wird klar, daß hinter dieser Sage weder Vegetationsmythen noch totemistische Vorstellungen, noch ein Aberglaube über das Mitleid mit getöteten Tieren stehen. Der ursprüngliche Grund für den Tod des Jägers liegt in seinem Hochmut der Gottheit gegenüber.

Die Tatsache, daß die Eberkopfgeschichte im deutschen Bereich erst im 17. Jahrhundert auftritt und zwar zuerst als literarisches Produkt, spricht dafür, daß sie in den jagdfreudigen Barockgesellschaften vermutlich aus Ovid, Diodor oder Kallimachos bekannt geworden ist. Die aus dem spätantiken Italien stammende Jagdgeschichte kann zur Unterhaltung der höfischen Jagdgesellschaften im 17. Jahrhundert gehört haben, wo die Jagd im Mittelpunkt aller aristokratischen Vergnügungen stand. Dieses Beispiel ist vielleicht deshalb so interessant, weil es zeigt, daß ein mythisch und altertümlich anmutendes Motiv nicht zwingend auch das Alter und die Traditionskontinuität einer Volkserzählung beweisen muß, vor allem dann nicht, wenn literarische Zwischenglieder nachweisbar sind, von denen die neuzeitliche Volkserzählung vermutlich erst ihren Ausgang genommen hat.

Ein letzter Ovid-Stoff mag als Beispiel dafür gelten, daß Motivverwandtschaft noch keine genetische Beziehung zu beweisen braucht. In diesem Fall helfen uns allerdings vielleicht psychologische Interpretationen weiter. Ich wähle als Beispiel den Pygmalionstoff und seine alpenländische Parallele, die sogenannte Sennenpuppen-Sage. In den Alpen erzählt eine Sage von der Belebung einer von den Alphirten hergestellten Puppe. In der Einsamkeit einer Alm, aus Langeweile, aus Ermangelung einer Frau und aus Übermut machen Sennen sich eine Puppe, füttern sie, legen sich mit ihr ins Bett und treiben allerlei Unfug mit ihr und befriedigen ihre Lust an ihr[50]. Die Männer werden schließlich von ihrem eigenen, lebendig gewordenen Geschöpf auf grausame Art umgebracht, und zwar wird der Obersenn »geschunden«: bei lebendigem Leib wird ihm die Haut abgezogen. An dieser Erzählung fällt die archaische, aber auch noch mittelalterliche Folterstrafe des Schindens auf. Von daher gesehen kann man diesen Stoff mit einer antiken Sage in Verbindung setzen, nämlich mit der Sage von Marsyas. Vor allem aber handelt es sich um eine Pygmalion-Geschichte, eine Parallele zu der Erzählung von Ovid über jenen Bildhauer auf Zypern, der sich in eine von ihm selbst geschaffene Elfenbeinstatue verliebte, bis diese von der Göttin Aphrodite belebt wurde.

Leopold Schmidt hat in seinem Aufsatz[50] vor allem auf den Kontinuitätsgedanken zur antiken Pygmalionsage abgehoben. Sowohl Schmidt wie schon vor ihm Anton von Zingerle[51] haben in den Alpen generell antik-mythische Überlieferung vermutet. Aber vielleicht liegen hier einfach psychologische Beziehungen zur sozialen Lebenswirklichkeit näher. So hat Gotthilf Isler die Sennenpuppe als »Anima-Projektion« nach C. G. Jung interpretiert. Diese Puppe, so deutet er, sei das von ihnen selbst vergegenständlichte Phantasieprodukt der Sennen. Sie begegnen darin ihrem konkret gewordenen Unbewußten. Nun bekommt das Geschöpf seinen eigenen Willen, und die Hersteller erschrecken über ihre eigene unbewußte Psyche, da sie sich plötzlich als autonom erweist und gerade darum numinos ist[52]. Ich möchte den Akzent etwas anders setzen. Weshalb eigentlich rächt sich die Sennenpuppe so fürchterlich? Meines Erachtens ist es das schlechte Gewissen, das die Sennen plagt und vor allem den Obersenn als den Hauptverantwortlichen. Denn es geht um einen in bäuerlichen Sagen sehr häufig dargestellten Nahrungsfrevel. Die Puppe wird aus Käse, Butter oder Brot hergestellt, das heißt, Nahrungsmittel werden vergeudet und verspielt. In anderen Fassungen der Sennenpuppensage besteht der Frevel, den die Sennen mit ihrem Leben büßen müssen, darin, daß die von ihnen hergestellte Puppe getauft wird, also in einem Mißbrauch des Sakraments. Ein allen Varianten gemeinsamer und ganz wesentlicher Zug aber ist die Übertretung eines sexuellen Tabus, die Sünde Onans. Die über mehrere Monate hin frauenlosen Älpler befriedigen sich selbst, indem sie sich zu dieser Puppe ins Bett legen. Es geht also um religiöse Tabus und handelt sich meines Erachtens um eine ausgesprochene Exempelsage. Es sollte mich nicht wundern, wenn wir eines Tages einen Frühbeleg dieser Erzählung in der Exempelsammlung irgend eines alpenländischen Klosters auffinden würden. Psychologisch hinzukommen mag noch das schlechte Gewissen gegenüber der imaginierten Frau. Die Sennenpuppe rächt sich unter anderem auch dafür, daß sie nur als Sexualobjekt mißbraucht worden ist. Dementsprechend hart ist ihre Rache[53]. Alles in allem zeigt diese Sage die Lebenswirklichkeit und die Probleme einer sozialen Gruppe. Die Sennenpuppensage hat mit Ovids Pygmalion-Erzählung also nur sehr oberflächlich etwas zu tun.

Je schwieriger und unergiebiger die Beantwortung der Frage nach Alter, Ursprung und Herkunft der Volkserzählungen wurde, desto mehr wandte man sich der Frage nach ihrer Bedeutung, der durch sie vermittelten »Botschaft« zu. Schon immer hat man angenommen, daß Mythen und Märchen nicht einfach wörtlich zu nehmen seien; sondern man hat vermutet, in ihnen seien religiöse, philosophische, allegorische oder symbolische Wahrheiten verschlüsselt enthalten; und Wahrheit sei eben überhaupt nur in Sinnbildern und Abbildern begreifbar. Immer wieder und unaufhörlich hat man darum in Mythen und Märchen etwas anderes, Tieferes erahnt als das, was sie mit bloßen Worten sagen. Darin verstehen sich die Interpreten und Deuter vom Neuplatonismus bis zur Psychoanalyse oder zur Anthroposophie. Gerade die heutige Gesellschaft, die Entmythisierung weithin als Fortschritt betrachtet, hofft in ihren irrationalistischen Gegenströmungen, daß das moderne Denken gewisse Wirklichkeitsaspekte wiedergewinne, die im mythischen Denken noch wirksam waren,

aber durch die neuzeitliche ausschließlich rationale Weltbetrachtung verloren-
gegangen sind[54]. Hier sucht man auch die Brücke zwischen Mythos und Märchen. Der Wunsch, das Märchen in die Nähe des Mythos zu bringen, ent-
springt dabei weniger der Absicht, philologische oder historische Kontinuitä-
ten aufzudecken oder sie als falsch zu erweisen, als vielmehr der Hoffnung,
Märchen und Mythen als Muster ewig gültiger Zustände begreifen zu können.
Manche Fehldeutungen haben sich mittlerweile von selbst erledigt, insbesondere die naturmythologisch-allegorische Interpretation: überwunden ist heute
die Meinung, das Wesen des Mythos und der Märchen sei die Versinnbildli-
chung meteorologischen und kosmischen Geschehens. Im Grunde argumentieren so ähnlich aber noch die Psychoanalytiker, gleich welcher Richtung, indem sie postulieren: das und das bedeute dies und jenes! Auch wenn man sich
diesen Schulen nicht anschließen will, bleibt es doch ein anthropologisches
Problem: was ist die Botschaft eines Märchens oder eines Mythos? Warum
wird eine Geschichte überhaupt über Jahrhunderte hinweg erzählt?

Märchen und Mythen sind zunächst einmal die Erzählungen selbst und nicht
ihre Interpretationen. Märchen und Mythen sind vieldeutig. Ein und dieselbe
Gestalt ist immer wieder anders gedeutet worden. Aber sie drückt tatsächlich
auch immer wieder etwas anderes aus. Die scheinbar immer wieder gleiche
Drachenkampfsage teilt in jeder Kultur etwas anderes mit. Der Drache stellt
immer wieder eine andere Gefahr dar: er ist der Urdrache, der die Polis bedroht; er bewacht die Brunnen und Flüsse und bedroht die Menschen mit
Trockenheit oder Unfruchtbarkeit. Er ist in der christlichen Version der Teufel, der Glaubensfeind. Er ist der Staatsfeind; er ist der Nebenbuhler, der Lie-
beserfüllung verhindert. In modernen Wandlungen ist es der Drache der Infla-
tion, der Arbeitslosigkeit, des Krieges, der Umweltverschmutzung oder wo-
vor auch immer Menschen Angst haben. Übernatürliche Wesen der niederen
Mythologie sind überhaupt im wesentlichen Verkörperung menschlicher
Ängste. So gesehen stellt eigentlich alle Volksdichtung anthropologische Modelle dar[55]. Wenn Mythen, Sagen und Märchen nicht solche Modelle zur Lösung von Problemen anbieten würden, hätten sie nicht diese Durchschlags-
kraft über Jahrhunderte oder gar Jahrtausende gehabt. Nur was wichtig ist und
den Menschen unmittelbar berührt, wird weitererzählt.

Die Bemühungen der Märchen-, Mythen- und Sagenforscher mit ihren ganz
verschiedenen Methoden erinnern mich an eine alte orientalische Weisheitsge-
schichte. Da sollen fünf blinde Männer einen Elefanten beschreiben. Der Erste
ertastet ein Bein und sagt: es ist eine Säule. Der Zweite faßt den Schwanz an

und sagt: es ist ein Strick. Der Dritte bekommt ein Ohr zu fassen und meint: es ist ein Fächer. Der Vierte faßt den Rüssel an und sagt: das muß wohl eine Wasserpfeife sein. Der Fünfte versucht den Leib des Elefanten abzutasten und kommt zu dem Ergebnis: es ist eine Sache ohne Anfang und Ende. Das sind fünf ganz verschiedene Antworten, die alle ein bißchen richtig sind, vor allem aber: alle falsch. Jeder Mensch hat nur einen sehr begrenzten Wahrnehmungskreis. Entsprechend widersprüchlich hören sich auch Aussagen über Ursprung, Natur und Wesen von Märchen und Mythen an. Sie können dennoch jeden einzelnen von uns bereichern und sogar erleuchten, wenn wir uns der Beschränkung unseres Wissens und der Relativität unserer Kenntnisse bewußt bleiben.

Anna Birgitta Rooth
MOTIVE AUS GRIECHISCHEN MYTHEN IN EINIGEN EUROPÄISCHEN MÄRCHEN

Es zeigt sich in der Märchenforschung oft, daß klassische Mythen zum Vorschein kommen, ohne daß man besonders danach gesucht hat. Der Aschenputtel-Zyklus (AT 510) gehört in die Gruppe der Zaubermärchen. Mit der Formel: »Schlaf Einäuglein, schlaf Zweiäuglein, schlaft alle Augen, die im Wald sind«, versenkt Aschenputtel ihre Stiefschwestern in tiefen Schlaf. Die Begrenzung des Motivs von Einäuglein, Zweiäuglein, Dreiäuglein auf Europa deutet auf einen europäischen Ursprung hin, vermutlich den aus Südosteuropa[1]. Eine Parallele zu den Motiven von Einäuglein finden wir im Mythos von Argos Panoptes und Io: Zeus wünscht, seine Leidenschaft für Io zu verbergen und verwandelt darum Io in die Gestalt einer Kuh. Hera aber ist trotzdem argwöhnisch und setzt Argos Panoptes als Wächter ein. Eines von all seinen Augen ist immer wach. Zeus sendet Hermes aus, um Io zu befreien. Hermes versenkt Argos in einen tiefen Schlaf und erschlägt ihn. Hera spielt nicht die Rolle der Stiefmutter, sondern die einer Rivalin. Der Unterschied zwischen diesem Mythos und dem Märchen ist klar: der Mythos könnte das ganze Märchen gar nicht benutzen; denn die Götter haben ihre Charaktere und ihre feste Rolle in der Mythologie. Heras Rolle ist die der höchsten Göttin und der Gattin von Zeus. Sie kann nicht die »andere« Frau, die Stiefmutter werden. Ich kann mir die Ähnlichkeit zwischen dem Mythos und dem Volksmärchen so erklären, daß sie traditionell verbunden sind. Ihre Verschiedenheit dagegen kommt daher, daß das bestimmte Rollenmuster des Götterolymps nur das verwenden kann, was zu diesem Pantheon paßt. Märchen und Mythos können darum nur teilweise übereinstimmen. Argos Panoptes und Zweiäuglein und Dreiäuglein, in der slawischen und balkanischen Überlieferung hören wir sogar von sechs, neun und zwölf Augen der überwachenden Schwestern, haben alle drei die Aufgabe zu spionieren. Die Augen sehen, aber ihre Funktion ist zu spionieren. Das ist eigentlich so einfach, daß man behaupten könnte, die Geschichten seien getrennt und unabhängig voneinander entstanden. Und doch scheint mir, daß die beiden Motive traditionell verbunden sind. Dafür spricht nicht nur die gemeinsame Aufgabe, das Spionieren, sondern auch: Argos hat den Auftrag, eine *Kuh* zu bewachen, die verwandelte Io, ebenso wie Ein-, Zwei-, Dreiäuglein die Kuh des Aschenputtels überwachen müssen. Das Zusammentreffen des Spionierens mit vielen Augen mit dem Überwachen einer Kuh ist ungewöhnlich genug, um eine zufällige Ähnlichkeit für unwahrscheinlich zu halten. Noch ein winziges Motiv muß ich hervorheben. In einer Aufzeichnung des Mythos von Argos Panoptes und Io sendet Hera eine Bremse, die Io in ihrer Kuhgestalt in den Bosporus, in die »Kuhfurt« jagt. Wieder kann man sagen: Bremse und Kühe gehören natürlich zusammen. Aber in den Arbeiten mit mehr als tausend Märchen vom Aschenputteltyp habe ich dieses Motiv mit der Bremse nur in der Balkantradition gefunden.

Es ist noch immer umstritten, was für ein Gott oder Dämon Loki war. Ist er ein Feuerdämon, wie Axel Olrik meint, oder ein Wasserdämon, wie J. E. Gras behauptet? Oder ist er, wofür ihn Hilding Celander hält, ein Zwerg aus der Unterwelt? Ist es richtiger, mit Jan de Vries zu vermuten, daß die Mythen ursprünglicher sind als die spätere volkskundliche Überlieferung? Oder ist Loki, wie Georges Dumézil annimmt, als phänomenologische Idee beheimatet sowohl im Kaukasus wie auch in Skandinavien? Ist er ein Kulturbringer, wie viele Forscher, unter ihnen Friedrich von der Leyen und de Vries meinen; oder ist das falsch, wie Folke Ström annimmt, ein Forscher, der daran festhält, daß Lokis richtige Rolle im Baldermythos zu finden ist? Nachdem ich mit den Weltschöpfungsmythen und der Tricksterfigur der amerikanischen Indianer gearbeitet hatte, wurde mein Interesse auf Loki gelenkt, wegen seines Charakters, den er in den altnordischen Mythen zeigte. Um methodisch die glaubwürdigste Theorie herauszufinden, habe ich folgendermaßen gearbeitet: alle Quellen oder Texte, in denen Loki vorkommt, bin ich sorgfältig durchgegangen, um zu sehen, ob sie in der mittelalterlichen Literatur zu finden, oder ob sie altnordischen Ursprungs sind[2].

Die ersten sechs Mythen sind zusammen zu sehen, weil sie eine Art Heilbrin-
germythen sind. Loki schafft wertvolle Gegenstände herbei oder holt sie zurück. Im Mythos von Thjazi wird erzählt, wie Loki zum Riesen Thjazi fährt,
um Idhun mit ihren Äpfeln zu holen. Dieser Mythos ist mit dem vom Garten
der Hesperiden zu vergleichen. Das altnordische Märchen ist mit dem irischen
Märchen von den Söhnen Turens[3] nahe verwandt. Einige Forscher wollen diesen Mythos als ein rituelles Drama über die Jahreszeiten ansehen und Skadhi
als eine Wintergöttin betrachten. In Reginsmál und dem Andvari-Mythos gibt
es keine Verbindungen oder Beziehungen zu klassischen Mythen. Im Asgard-
Mythos finden wir eine Variante der Baumeistersage, die eine sehr große Verbreitung hat[4]. Was hier interessiert, ist der Vergleich zwischen diesem Mythos
und dem griechischen Mythos von Laomedon mit dem Bau der Mauer von
Troja. Loki in Gestalt einer Stute verlockt den Hengst des Riesen, zu ihm zu
kommen, und darum werden die Mauern nicht zur festgesetzten Zeit fertig,
und der Lohn wird nicht ausbezahlt. Gleiches geschieht im Mythos von Laomedon. Die drei Götter, die die Mauern von Troja bauen helfen, bekommen
nicht ihren Lohn. In den Mythen vom Haar von Sif und von den Schätzen der
Asen wird vom Geheimnis des Schmiedens erzählt. Loki spielt dabei eine
wichtige Rolle. Loki trägt hier Schuhe mit Flügeln wie Hermes in Griechenland. Der immer plaudernde und immer prahlende Loki wird in diesem Mythos bestraft, indem seine Lippen zusammengenäht werden. Das stimmt nicht
überein mit der anderen Strafe, bei der Loki gefesselt ist und immerzu von dem
Gift einer Schlange gepeinigt wird, so, wie der gefesselte Prometheus geplagt
wird, an dessen Leber ein Adler frißt. Vor Schmerzen krümmen sich Loki und
Prometheus und verursachen Erdbeben. Im Mythos von Sörli wird von Freyas
Juwel Brísingamen erzählt. Mit diesem Juwel ist ein Fluch verbunden. In einem irischen Märchen »Togail na Thebe« finden wir das gleiche Motiv. In dem
irischen Märchen wird von Harmonias wunderbarem Halsband erzählt. Vul-
kanus hat es aus magischen Bestandteilen zusammengeschmiedet. Freyas Brísingamen ist mit dem Juwel in dem griechischen Thebaid zu vergleichen. Beim
Mythos vom Holen des Hammers oder von dem gestohlenen Donnerinstru-
ment handelt es sich um eine Variante von AT 1148 B. Verbindungen oder Beziehungen zu griechischen Mythen sind nicht zu entdecken.
Im Geirröd-Mythos geht es um eine Reise in die Unterwelt. Auch klassische
griechische Mythen erzählen von solchen Jenseitsfahrten zu Hades und Tarta-
rus sowie zu den Elyseischen Gefilden, einer Art Paradies. Die Katabasis-Ge-
schichten waren im Mittelalter populär und haben die altnordische Dichtung
beeinflußt. Der Mythos von Ask und Embla erzählt, wie Odhin, Lothar und

Hönir zwei Menschen, Ask und Embla, erschaffen. Hier ist Hygins Fabel 220 zu erwähnen: die Sorge bildet aus Erde einen Menschen, Jupiter gibt ihm das Leben. Sie streiten sich danach über die Frage: wer soll dem Menschen seinen Namen geben? Saturnus löst die Frage: der Mensch soll lebenslang der Sorge gehören, sein Körper wird Jupiter eigen sein, und die Erde wird ihm den Namen geben: homo (= ex humo). Eigentlich ist es eine Variante von AT 653. Im Mythos von Utgard, von einer Unterweltsfahrt, fesselt besonders die Ähnlichkeit zwischen Loki und Prometheus. Beide werden in der gleichen Weise gestraft. Sie werden an einen Felsen gebunden, und ein Tier quält sie, so daß die Erde bebt, wenn sie sich vor Schmerzen winden. Diese Geschichte haben wir schon oben im Mythos von Sifs Haar erwähnt. Der Balder-Mythos ist bei Snorri eine Mischung von verschiedenen, meistens gelehrten Erzählstoffen. Der erste und zweite Teil erzählen die Geschichte von dem König Oedipus und der Voraussage seines Todes zusammen mit Motiven aus dem Leiden Christi. Der Mythos hat eine besondere Ähnlichkeit mit der britischen Tradition von AT 931. Diese aber ist mit den klassischen Geschichten von der Zerstörung Thebens nahe verwandt[5]. Im dritten Teil ist eine Begräbnisprozession beschrieben; unter anderen kommt Freya mit ihren Katzen. Man hat hier einen Zusammenhang mit den Löwen der Erdgöttin Kybele gesehen. Der vierte Teil ist eine Variante der Geschichte von Orpheus. Der Geschichte von Oedipus und der brüderlichen Tragödie folgt hier eine Reise in die Unterwelt[6]. Die Geschichte von Oedipus wird oft mißverstanden oder auch mißbraucht, seitdem Freud und Jung sie benutzt haben, um zu zeigen, daß sie die unbewußte Liebe zwischen Sohn und Mutter spiegele. Und in Wahrheit ist es doch die Geschichte vom Schicksal: kein Mensch kann seinem Schicksal entkommen. Auch in diesem Teil kann man auf andere Varianten von AT 931 hinweisen, zum Beispiel auf »Balor mit dem bösen Auge« und auf Shakespeares »Macbeth«. Im fünften Teil wird, und man denkt an Prometheus, von dem gefesselten Dämon berichtet, der wartet, bis er am Ende loskommen wird, um die Welt zu zerstören. Der fünfte Teil handelt weiterhin von einem Ursprungsmythos über die Erfindung des Netzes. In dem Netz wird Loki in der Gestalt eines Lachses gefangen. Dieser letzte Abschnitt ist der einzige in allen Lokimythen, zu dem ich keinerlei Parallelen finden kann. Eben darum mag dieser Teil der einzige altnordische Mythos sein, der etwas von der wahren Natur Lokis aussagt[7]. Der Mythos von Loki als dem Vater der Dämonen gleicht einigen Motiven in den Arbeiten Isidors von Sevilla. Er zeigt nur eine geringe allgemeine Ähnlichkeit mit antiken Mythen, in denen wir von Monstern und Dämonen hören. Im Streitgespräch um Loki (Lokasenna), in dem Loki die Götter verhöhnt, finden wir keine unmittelbare Beziehung zu der antiken griechischen Tradition, nur gewisse Ähnlichkeiten mit den satirischen Arbeiten von Lukian.

Nach diesem Überblick über die klassischen Motive in den Lokimythen wird mir noch einmal klar, wie wenig aus der altnordischen Mythologie eigentlich übriggeblieben ist. Wenn wir zu den klassischen noch die christlichen Motive hinzufügen, bleibt leider nur noch ganz wenig aus einer ursprünglichen altnordischen Mythologie zu entdecken.

Meine Arbeiten über die Sintflut[8] brachten mich auf den Mythos von Deukalion. Ich betrachtete besonders die Rolle des Raben als Boten in diesem klassischen Mythos und wie er, der einstmals schneeweiße, verflucht ward. Ausdrücke wie »Unglücksrabe« oder »ein Bote wie der Rabe« in den europäischen Redensarten hängen vermutlich mit dem antiken Mythos von Coronis zusammen. Der Rabe oder die Krähe ist als Bote entweder dumm oder nicht zuverlässig. Apollo ist der Liebhaber von Coronis. Er bestellt eine Krähe mit schneeweißen Federn als ihren Wächter. Coronis aber betrügt Apollo, und die Krähe fliegt vergnügt nach Delphi, um die Sache zu berichten. Wer böse Nachrichten bringt, der wird bestraft, so auch die Krähe: der bis dahin weißen Krähe läßt Apollon schwarze Federn wachsen. Auch Ovid erzählt in dem zweiten Buch der Metamorphosen, daß der Rabe einmal so schön weiß war wie die Taube. Aber die plaudernde Zunge des Raben wurde sein Verderben. Anstatt seiner schönen Farbe bekam er eine schwarze. Dasselbe Unglück traf einmal die Krähe, die der Rabe vergebens gewarnt hatte. Auch sie trat als Angeber auf und verriet Pallas Athena den Ungehorsam der Töchter des Kekrops. Die Krähe war früher einmal Pallas Athenes Vogel; aber seitdem hat die Eule ihren Platz eingenommen. Mir scheint, daß hier zwei Mythen vermischt sind.

Die Bedeutung des Erzählens von Mythen und Märchen möchte ich am Beispiel der Tiermärchen, der ersten Gruppe im Typenverzeichnis nach Aarne-Thompson, erläutern. Ich hatte Gelegenheit, in Alaska und Kanada, bei verschiedenen Forschungsexpeditionen sogar in denselben Dörfern, Aufzeichnungen zu machen. Ich hatte mich mit den Schöpfungsmythen der Indianer schon 1955 in USA befaßt[9]. Aber leider gab es damals fast kein Material aus Alaska. Nun konnte ich mancherlei zusammentragen. Diese Feldforschung brachte mir ganz neue Fragen und Erfahrungen. So wurde mir dabei klar, daß die Begriffe Mythos, Ursprungssage und Tiergeschichte von einem lediglich abendländischen und sehr ethnozentrischen Standpunkt aus gebildet worden sind[10] und für den europäischen und europäisch-asiatischen Überlieferungsstoff aus den Hochkulturen gedacht waren.

Die Geschichten, die sich die Indianer in Alaska erzählten, könnte ich sowohl als Tiermärchen wie auch als Mythen bezeichnen. Die Hauptfiguren in den Indianergeschichten sind nicht Menschen, sondern Tiere, aber Tiere, die auch als Menschen auftreten; wie die Indianer in Alaska sagen: damals waren die Tiere Menschen und die Menschen Tiere. So problematisch die Gattungsbezeichnung der einzelnen Volkserzählungen auch ist[11], wesentlich ist die Tatsache, daß diese Art Tiermärchen in allen fünf Erdteilen zu finden ist, während andere Gattungen wie Zaubermärchen, Novellenmärchen und Lügenmärchen, poetische Sprichwörter und Stilmittel wie Priamel (Spruchgedicht), Endreim und Hyperbel (Übertreibung) nur in Eurasien zu finden sind; lediglich als Lehngut sind sie in den anderen Kontinenten bekannt. Die Tiermärchen sowie die Ursprungs- oder Erklärungsmythen sind wegen ihrer Ausbreitung und ihres primitiven Inhalts vielleicht als besonders alt anzusehen[12]. Wir haben in Europa als Kriterium der Mythen, daß man daran glauben muß, was man in dieser Weise erzählt. Aber wie können wir feststellen, ob man wirklich an eine Geschichte glaubt oder nicht? Es war eine sehr schwierige Arbeit, diese Erfahrungen in Worte zu fassen und zu versuchen, die ganzheitliche und gleichzeitige Auffassung, Wahrnehmung und Vorstellung in eine zeitliche Abfolge von Worten zu überführen. In einem methodologischen Aufsatz mußte ich einmal auf den Vergleich Sigmund Freuds zwischen den Mythen von einerseits Zeus und Leda, andererseits von der Jungfrau Kwaptahaw (Himmelsfrau) eingehen: sie fiel vom Himmel herunter, wurde von Schwänen getragen und wurde die erste Mutter auf dieser Erde. Einen solch oberflächlichen und einfachen Vergleich bei so schwierigen Verständigungsvorgängen konnte ich nicht gelten lassen[13]. Ich hatte ja seit vielen Jahren Erfahrungen mit Folkloreaufnahmen in Schweden gemacht. Aber meine Erfahrungen in Alaska waren doch gänzlich anders.

Die Geschichten und Mythen hatten eine viel tiefere soziale und religiöse Bedeutung. Das konnte man freilich nicht nur so dem Inhalt und der Form der Geschichten ansehen. Man konnte es nur aus der Betonung und aus dem beinahe religiösen Verhalten der Indianer während des Erzählens und Hörens verstehen, nur aus den Stimmen, dem Gesichtsausdruck, den Gebärden und Bewegungen erkennen. Diese lebendige Erfahrung warf ein völlig neues Licht auf die bisherigen Erzählstoffe. Wie sollen wir solche Geschichten benennen? Tiermärchen? Mythen? Oder Ursprungssagen? Nun, ich glaube, das kommt auf den Forscher an. Wir in Europa erzählen uns heute die Tiergeschichten scherzhaft. Aber unter den Indianern, unter den Alten, werden die Tiermärchen auch heute noch geglaubt. Darauf deuten auch die vielen Gesänge hin, die in den Tiergeschichten vorkommen. Die Geschichten und die Gesänge werden nämlich auch als ein magisch wirkendes Mittel im Alltagsleben benutzt[14].

Die vielen Ursprungsmythen, die ich in Alaska aufzeichnete, verstärkten den Wert solcher philosophischen Überlegungen. Ein Forscher meinte, daß der Aufzeichner durch seine Befragung diese Ursprungssagen selbst hervorgerufen habe. Ich fragte jedoch nie nach solchen Erklärungsgeschichten, und trotzdem sind sie in meinen Alaska-Sammlungen reichlich vertreten. Durch das Verhalten des Erzählers und der Zuhörer ist mir ganz klar geworden, daß diese Ursprungsmythen und Erklärungssagen mit Tieren als Hauptfiguren wirklich geglaubt worden sind, besonders von den älteren Menschen. Ich will nun hier einen Vergleich der Indianermythen mit einer klassischen Dichtung wie Ovids Metamorphosen machen. Die Forscher meinen, daß Ovids Fabeln auf ältere griechische Arbeiten und Verfasser zurückgreifen, sowie auf Nikandros Heteroioumene (200 Jahre v. Chr.) und Partenaios' Metamorphosen. Der Letztgenannte wurde als Kriegsgefangener 72 v. Chr. nach Rom verschleppt, wo er auch Lehrer für Vergil wurde. Das gemeinsame Anliegen all dieser Dichtungen ist ebenfalls nur ganz allgemein die Erklärung von Natur, Sternen, Bäumen, Vögeln, wie sie für die primitivste Erzählung, das Tiermärchen, auch zutrifft. In diesen Bereichen beschäftigen sich die Menschen überall mit ähnlichen Fragen, ohne daß ein Überlieferungszusammenhang spürbar ist. Hier, in diesem Zusammenhang, könnte man vielleicht von Elementargedanken oder von Archetypen sprechen. Ich meine damit, daß das menschliche physiologische Denken überall das gleiche ist. Das Denken ist ein Vorgang; aber seine Erzeugnisse, die Mythen, die Märchen, die Rätsel, usw. sind in den jeweiligen Gesellschaften und Kulturen verschieden[15]. Allerdings sind die Mythen dieser Art oft zu kurz, um wirklich erfolgversprechende Vergleiche anzustellen. Nur zwei der ungelösten Fragen sollen erwähnt werden: warum führt auch der indianische Prometheus in kalifornischen Mythen das Feuer in einer Flöte, so wie in der antiken griechischen Überlieferung, mit sich? Warum ist der Mythos vom uranfänglichen Weltei bei den südlichen Indianern wohlbekannt, nicht jedoch bei den nördlichen?

In meinem Buch »Vom Lügenmärchen zur Paradiesschilderung«[16] zeige ich, daß die Vorlagen des Schlaraffenlands und des Bauernhimmels schon bei griechischen Verfassern zu finden sind. Teleklides und Pherekrates und andere geben uns die lustigen Schilderungen vom Schlaraffenland. Einzelne Motive der humoristischen Lügendichtungen mit ihrem nonsensartigen Inhalt werden zum Beispiel von Aristophanes erzählt. Er schreibt von den eingefrorenen Tönen, die im Sommer wieder auftauen. Auch dieses Motiv ist in der europäischen Lügendichtung sehr beliebt. Die Stilmittel, die die Lügendichtung benutzt, wie Priamel (Spruchgedicht) und Adynaton (Unmögliches), hatten schon die griechischen Verfasser benutzt. Solche Stilmittel wie auch die unsinnige Lügendichtung überhaupt, sind in der euro-amerikanischen Überlieferung sehr beliebt, in der indo-amerikanischen jedoch nicht zu finden. Die Lügen- und Nonsensgeschichten sind also, so wie etliche andere Arten der Volkserzählungen, nur in Europa und Asien beheimatet. Es scheint, als ob Europa diese Gattung der antiken griechischen Tradition zu verdanken hat.

Ich war mir früher nicht darüber im klaren, wie oft doch meine Erzählforschung mich zu den griechischen Mythen gebracht hat. Beim Niederschreiben dieser Zeilen ist mir so recht deutlich geworden, welche Tragweite die griechische Mythologie für die verschiedenen Erzählgattungen gehabt hat. Daß die griechischen Mythen in verschiedenen Untersuchungen immer wieder zitiert worden sind und zitiert werden, beruht auch auf der klassischen Bildung der früheren Generationen. Wenn zum Beispiel die ägyptische, arabische oder chinesische Kultur und Literatur anstatt der klassischen Antike Grundlage europäischer Bildung gewesen wären, hätten wir wahrscheinlich eher Vergleiche mit diesen Kulturen gefunden. Dagegen sind Hinweise zu primitiven Kulturen viel seltener, von denen wir mangels geschriebener Texte zu wenig wissen. Nun aber *ist* einmal die klassische Literatur, die griechische und später die lateinische, das Fundament unserer europäischen Kultur, und so versteht man, daß unsere Volkserzählungen noch am ehesten der klassischen Antike verbunden sind. Ich stimme der Behauptung gerne zu, daß die Wiege der europäischen Kultur in Griechenland gestanden hat. Aber ich möchte dieses Bild noch weiter ausmalen: an dieser Wiege saß bestimmt eine ziemlich stramme babylonische Amme, die ihren griechischen Säugling mit dem urtümlichen Glauben und den einfachen Erzählungen aus älteren Generationen und Völkern ernährte.

Sebastiano Lo Nigro
VON DEN MYTHEN DES ALTERTUMS ZU DEN MÄRCHEN
DES MODERNEN GRIECHENLAND

Seit eineinhalb Jahrhunderten ist die Frage der Beziehungen zwischen Mythos und Märchen Gegenstand scharfsinniger Analysen und vor allem von Diskussionen zwischen Philologen und Linguisten einerseits und Anthropologen und Religionshistorikern andererseits[1]. Für die Brüder Grimm sind die Volkserzählungen, das heißt die *Märchen* und die *Sagen*, die von der ländlichen Bevölkerung aus dem Gedächtnis bis in unsere Zeit bewahrt wurden, einfach die wunderbaren Überreste der alten indo-europäischen Mythen[2]. In den Forschungen der vergleichenden Mythologie des 19. Jahrhunderts wurde die Hypothese der Brüder Grimm bald ein Dogma, und die Volkserzählungen des modernen Europa erregten das Interesse der Wissenschaftler insbesondere als Relikte eines griechischen bzw. indischen Mythos.

In unserer Zeit ist die Frage von Volkskundlern, wie Vladimir Propp, und Anthropologen, wie Claude Lévi-Strauss[3], wieder aufgegriffen worden. Meinerseits werde ich versuchen, den Fragenkomplex der griechischen Mythologie und der europäischen Volkserzählung in einer historischen und anthropologischen Perspektive zu sehen, die den Arbeiten von Wissenschaftlern wie Kirk, Vernant, Meletinski[4] folgt.

Es ist zunächst festzustellen, daß die griechischen Sagen uns in geschliffener literarischer Form von Epikern wie Homer und Hesiod, Lyrikern wie Pindar und Bakchylides und den Tragikern Äschylos, Sophokles und Euripides überliefert wurden. Schließlich wurden in der alexandrinischen Epoche die Mythen von Mythologen wie Apollodor wissenschaftlich fundiert erforscht und von Dichtern wie Kallimachos und Apollonios von Rhodos, dem Verfasser des Heldenliedzyklus »die Argonauten«[5], besungen.

Diese Wertschätzung hat meiner Meinung nach eine ganz besondere methodologische Bedeutung, wenn man berücksichtigt, daß die griechischen Sagen die mündliche Überlieferung des archaischen Zeitalters sind, und beachtet, wie die Wissenschaftler sie entsprechend ihrer Ideologie und je nach ihrer literarischen Methode verändert haben.

In der Tat haben die Helden der epischen Erzählungen, die von der Vorstellungskraft eines Homer und später von der Phantasie eines Pindar gestaltet wurden, die Funktion beispielhaften ruhmreichen Handelns für eine aristokratische Gesellschaft, die die Vorrechte königlicher Abstammung genießt. Die Liederzyklen über die griechischen Helden, wie Herakles, Perseus, Jason, müssen dazu dienen, die Vorfahren der Adelsfamilien zu feiern, die die Städte Tiryns, Mykene und Theben regierten. Das Andenken an diese Helden wurde auch durch die Verehrung bewahrt, die ihnen insbesondere in den kleinen Städten und durch die mit diesem Kult verbundenen Bilder zuteil wurde. Wenn man die Frage nach dem Wesen der mythischen Helden stellt, muß man ihre übermenschlichen Eigenschaften betonen. Gestalten wie Herakles und Achilles besitzen eine außerordentliche Körperkraft und gleichzeitig eine moralische bzw. psychische Heftigkeit, die bis zur Übertreibung und zum Wahnsinn führen kann, zwei Verhaltensweisen, die die Griechen *bia* und *hybris* nannten. Nach der Sage von den fünf Geschlechtern, von denen Hesiod in seiner Theogonie spricht, wurde das Heldengeschlecht von Zeus vergöttlicht, damit sie über ihren ruhmreichen Tod hinaus auf den Inseln der Seligen weiterleben konnten, die man sich inmitten des Ozeans vorstellte, reich an Früchten, die dreimal im Jahr geerntet werden können.

Wie sind die historischen Verhältnisse Griechenlands im 7. und 8. Jahrhundert v. Chr.? Die politische und soziale Struktur der griechischen Welt änderte sich rasch in Richtung einer demokratischen Ordnung, die ihren deutlichsten Ausdruck in der polis, dem Stadtstaat des 5. Jahrhunderts hatte. Als Folge begann das in den Heldensagen gefeierte Vorbild des Kriegers zu verblassen, um schließlich von den Bürgern von dem Augenblick an abgelehnt zu werden, da sie die gleichen bürgerlichen und politischen Rechte erhielten. Man hat festgestellt, daß der Stadtstaat den Kriegsdienst zu seiner Sache machte, indem er den in der Stadt lebenden Landjunkern die militärischen Vorrechte der Aristokratie übertrug und dadurch diese Welt des Kriegers, den die Heldensage verherrlichte und vom gewöhnlichen Menschen trennte, in seinen eigenen politischen Bereich integrierte. Die Gestalt des Kriegers als Vorbild für den Menschen verblaßte.

Wir kennen nicht die Volkserzählungen, die dieser tiefgreifenden sozialen und politischen Veränderung folgten, aber wir wissen wohl, daß die Philosophie und die Naturwissenschaften von Platon bis Aristoteles einen Rationalisierungsprozeß erlebt haben, der den Mythenglauben und den Kult der Götter des Olymp erschütterte[6]. Nach einer sehr wahrscheinlichen Hypothese hatte die Land- und Stadtbevölkerung des Griechenlands der alexandrinischen Epoche jedes Interesse für Mythen verloren, während die Mythologen und gelehrten Dichter, wie Kallimachos, sie zum Gegenstand ihrer Forschungen machten. Die während dieses Zeitalters im Bewußtsein der Massen sich stellenden Probleme sind ganz anderer Art und betreffen den Bereich des Alltagslebens. In diesem Zeitraum, der vom Verlust der Freiheit und der überlieferten Überzeugungen gekennzeichnet ist, suchte der griechische Mensch Schutz im engen Kreis seiner Familie und in den Grenzen seiner ehrgeizigen Pläne. Man kann daher annehmen, daß die Volkserzählungen, mit denen sich die Folkloristen beschäftigen, in der mediterranen Zivilisation während der Jahrhunderte des

Imperium Romanum und des Mittelalters entstanden sind, in Zeiträumen also, die in Griechenland der byzantinischen Kultur entsprechen.

Zweifellos benutzt die neue Erzählform einige mythische Themen, wie die List und Schläue, deren sich die Götter und Helden bedienten, die Rätsel und die schwierigen Prüfungen, denen sich die Helden, wie Jason und die Argonauten, unterziehen mußten. Es ist daher erlaubt, von typischen Themen des Märchens zu sprechen, die bereits im griechischen Altertum neben den Mythen bekannt waren, und auch von einem freien Austausch zwischen den beiden Arten der Erzählung. Wie die Anthropologen Boas und Malinowski nachgewiesen haben, besaßen alle Urvölker Mythen oder sakrale Erzählungen und gleichzeitig Geschichten, die der Unterhaltung der Menschen dienten[7].

Eigentlich ist es nicht die Summe dieser Themen oder ihre spezifische Qualität, die eine Erzählstruktur, ähnlich der des europäischen Märchens schafft. Das Märchen entstand in dem Augenblick, in dem dieser Typus der bäuerlichen Gesellschaft, die die freien Menschen von den Sklaven getrennt hatte, sich zu verändern begann. Diese soziale und politische Revolution ist meines Erachtens die wesentliche Voraussetzung für die Schaffung einer neuen Erzählform, die traditionelle Themen in Verbindung mit einer ganz anderen Gestalt verwenden, die nichts mit den Helden der Mythen des Altertums zu tun hat. Dabei wird diese Gestalt zur namenlosen Figur, denn ihre Eigenschaften gehören den unteren Klassen und im allgemeinen den Einzelpersonen zu, die eine untergeordnete Stellung in der Gesellschaft einnehmen und oft der Gewalt und Verfolgung ausgesetzt sind. Bald wird der jüngste Sohn von seinen älteren Geschwistern, bald die Stieftochter von der Stiefmutter gepeinigt; meist beschreibt uns das Märchen eines dieser Opfer familiärer Verfolgung und wie es reich und adelig wird. Die Volkserzählung erreicht dadurch eine neue semantische Struktur, die sich aus bestimmten moralischen Eigenschaften des Helden entwickelt, wie Demut, Nächstenliebe, Edelmut, Freigebigkeit usw. In der Erzählhandlung beruht der Erfolg auf diesen inneren Qualitäten des Helden, nicht mehr auf seiner physischen Kraft, wie dies beim mythischen Helden der Fall war. Es ist daher möglich, seine Feinde, manchmal sogar Monster, durch magische Kräfte zu besiegen, mit denen der Held begabt wird als Entschädigung für die guten Dienste, die er seinem Nächsten geleistet hat.

In der Tat ist die Entwicklung der Mythen des griechischen Altertums zum modernen europäischen Märchen die unmittelbare Folge der Veränderung der Institutionen der Feudalgesellschaft und wurde vollendet durch die moralische und religiöse Einwirkung des Christentums. Diese neue Struktur der Volkserzählung zeichnet sich insbesondere in den neugriechischen Texten ab, die vom englischen Archäologen und Philologen Richard McGillivray Dawkins[8] übersetzt worden sind.

Eine wichtige Betrachtungsweise des neugriechischen Märchens ist die Darstellung des Initiationsprozesses des Kindes, das durch allerlei Erfahrungen heranreift und die Rolle des Erwachsenen in der Familie und in der Gesellschaft übernimmt. Offensichtlich kann diese soziale und kulturelle Funktion entsprechend dem Charakter des Einzelmenschen, sei er gut oder schlecht, kontaktfreudig oder menschenfeindlich, geizig oder großzügig, sehr verschieden sein: eine Vorstellung, die im Bewußtsein des modernen Griechen stets gegenwärtig ist. Der Begriff »Vorherbestimmung«, den die alten Griechen *moira* nannten und in der Tragödie des Ödipus so treffend behandelten, kommt in den modernen Märchen in einer gemilderten, weniger tragischen Form, mit einer optimistischeren Einstellung gegenüber dem Geschick des Menschen zur Sprache. In einem Text aus dem Dodekanes mit dem Titel »Die Lehrerin« sagt der Erzähler: »In dieser irdischen Welt hat jeder Mensch sein eigenes Schicksal: einen Geisthelfer, der ungerufen zu ihm kommt, einen jenseitigen Schutzengel, vielleicht einen guten, vielleicht einen bösen.« Was die neugriechische Schicksalsvorstellung von der antiken in besonderer Weise abhebt, wird in diesem Erzählstück klar ausgedrückt. Es scheint mir im verantwortlichen und individuellen Wesenszug zu liegen, der nunmehr das Verhalten der Menschen bestimmt.

Schließlich beruht die tiefe Wirkung der neugriechischen Erzählungen in der kulturellen und sozialen Funktion des Gesprächs, das sich zwischen dem Erzähler und seinen Zuhörern entwickelt. Was ist also die Botschaft, die dieser Erzähler seinen Zuhörern übermitteln will? Welches sind die Werte und kulturellen Vorbilder, die ihn inspiriert haben und die sich in dieser Form von Märchendidaktik widerspiegeln? Angesichts der harten Realitäten des täglichen Lebens ist anzumerken, daß die griechische Gesellschaft im Verlaufe der Jahrhunderte ein System von ideellen Werten und Sitten entwickelt hat, das vom Gefühl der Solidarität gegenüber der Familie und der Gesellschaft ausgeht, das Mitleid mit jedem armen und unglücklichen Fremden hat. Von daher kommt das Gefühl der Freundschaft und des Wohlwollens, das die Griechen gewöhnlich gegenüber Fremden äußern und womit sie die Kontinuität dieser, ihrer ältesten Zivilisation wahren. In einer Erzählung aus Mytilene sagt der Erzähler: »Wer den Fremden und den Armen bei sich aufnimmt und ihn bedient, dient gleichsam Gott selbst.«

Wohlgemerkt, es besteht zwischen den Mythen des griechischen Altertums und den neugriechischen Märchen ein Zusammenhang, der die Tiefen der griechischen Seele berührt. Es ist bekannt, daß von den Griechen des homerischen Zeitalters der fremde Gast als eine heilige Person angesehen wurde, in der ihnen Zeus selbst als Gott in Menschengestalt erschien.

Stephanos Imellos
AUS DEM KREIS DER POLYPHEMSAGE IN GRIECHENLAND

Aus dem weiteren Inselgebiet Griechenlands sind Volkserzählungen bekannt, deren Thema in einen Zusammenhang mit dem Mythos von der Blendung des Zyklopen Polyphem, wie wir ihn aus der homerischen Überlieferung kennen, gebracht werden könnte. Wir wollen jetzt das veröffentlichte und unveröffentlichte Erzählmaterial untersuchen, soweit es vom Ende des vergangenen Jahrhunderts bis vor kurzem zusammengebracht wurde.

Nach einer Volkserzählung aus Kreta, aufgeschrieben vor 1888, kommen drei Leute nach Triomatia (Dreiäugigenland), einem mythischen Land, wo sie in einer Höhle, »in der sich viel Käse und Butter befand«, die Triomaten, mythische Wesen mit drei Augen, antreffen. Die Triomaten verlangen von ihnen, Milch aufzukochen. Sie essen und schlafen ein. Da steht einer von den dreien auf und gießt kochende Milch aus einer Kanne den Triomaten in die Gesichter; gleich darauf sterben diese.

In einer anderen Volkserzählung von der Dodekanes-Insel Kárpathos, veröffentlicht 1958, wird erzählt, daß ein Hirt, bedroht von Triomaten, die hier mit Piraten gleichgesetzt werden, ihnen »eine Flasche Wein zu trinken gab«, so heißt es wörtlich im Text, »da schliefen sie ein. Dann nahm der Hirt die Kanne voll kochender Milch und begoß ihre Augen und blendete sie. Schließlich starben sie«. Von der gleichen Insel Kárpathos wurde eine Volkserzählung aufgeschrieben und 1963 veröffentlicht, in der die Rede ist von kretischen Seeräubern, die die Insel überfallen. Sie treffen auf einen Hirten, der gerade dabei ist, die Milch seiner Herde zu verarbeiten. Der Hirt »nahm sie höflich auf und bewirtete sie. Während aber die Piraten aßen, überlegte sich der Hirt, wie er sich retten könnte. Er nahm seinen Hüttenbottich, füllte ihn mit kochender Milch und schüttete diese den Piraten der Reihe nach in die Augen, bis er alle geblendet hatte. Dann tötete er sie mit ihren eigenen Waffen«.

In einer anderen unveröffentlichten Volkserzählung von der Dodekanes-Insel Kos, ist die Rede von zwei Türken, die plötzlich in eine einsame Hirtenhütte eintreten und die Hirtenfrau, die zufällig allein ist, vergewaltigen wollen. Die Frau aber gibt ihnen durch Gebärden zu verstehen, daß sie warten sollen, bis die Milch gekocht hat, die angeblich zum Käsen bestimmt ist; sonst könnte der Käse verderben. Während die Milch kocht und die Türken anderes beobachten, füllt die Hirtin eine Kanne voll aus dem Kessel und gießt sie den Türken in die Gesichter. So blendet sie sie und macht sie ohnmächtig.

Ich führe hier noch weitere Volkserzählungen von den Inseln an:
Von Kreta (1963): Türken kommen aus den Schiffen, um Skláven zu nehmen. Sie kommen auch in eine Hirtenwohnung, wo sie zwei Hirten beim Milchkochen antreffen. Die müden Türken schlafen beim Feuer ein. Der eine Hirt füllt ein Gefäß mit kochender Milch, gießt sie über ihre Köpfe und tötet sie.
Nach einer anderen Variante bietet der Hirt den Türken-Piraten Milch an; sie schlafen ein, und er tötet sie mit der gleichen Methode.

Von Ikaria (1962): Vor hundert Jahren versuchten Seeräuber, das Kloster der heiligen Lesbia zu plündern. Der Abt gab ihnen in der Nacht Wein zu trinken, und als sie betrunken waren, tötete er sie mit Hilfe der anderen Mönche.

Von Chios (1962): Ein alter Hirt empfängt in seiner Hütte Piraten, deren böse Absichten er aber ahnt. Die Hirten machen die Piraten betrunken und schütten kochende Molke in ihre Gesichter.

Von Amorgos (1962): Auf der kleinen Insel Herakleia bittet ein Mönch, der auch als Hirt tätig ist, die Seeräuber, ihn die Milch verarbeiten zu lassen, um sie zu bewirten. Bei dieser Gelegenheit überschüttet er sie mit kochender Molke.

Von Kea (1960): Ein Hirt schüttet in die Gesichter der Seeräuber eine Flasche voll kochender Molke, blendet und tötet sie.

Von Kythera (1957): Es wird von einem Piratenüberfall auf eine Hirtenhütte erzählt, während der Hirt dort die Milch verarbeitete. Der Hirt übergoß die Piraten mit einer Flasche voll, nach einer anderen Variante mit einem Kessel voll kochender Milch, blendete sie und rettete sich selbst durch die Flucht.

Von Gorgona: Schließlich gab es gemäß einer anderen Volkserzählung, die aller Wahrscheinlichkeit nach von griechischen Seeleuten erfunden worden ist, wie Nikolaos G. Politis, der Begründer der Volkskunde in Griechenland, in seinem Buch Paradoseis (Nr. 403) behauptet, früher auf der gegenüber Livorno liegenden kleinen Insel Gorgona viele Seeräuber. Der Königssohn von Livorno wollte sie ausrotten. Er belud ein Schiff mit Schläuchen voll mit Wein und lud sie auf der Insel aus. Die Korsaren entdeckten sie, tranken den Wein, wurden betrunken und schliefen ein. Der Königssohn mit seiner Wachmannschaft tötete sie.

Es gibt noch eine andere Gruppe solcher Volkserzählungen, in denen der Teufel als Gegenspieler dargestellt wird. In diesen Erzählungen, die von den Inseln Kephallenia und Zakynthos (Sieben Inseln) stammen, wird der Teufel zur Flucht aus den Hirtenhütten dadurch gezwungen, daß die Hirten, weil sie seine böse Absicht ahnen, ihm aus dem Kessel kochende Milch ins Gesicht schütten (Politis Nr. 876, 877).

Zu all diesen Volkserzählungen könnte man zweierlei vorweg bemerken: erstens sind die meisten von ihnen sehr einfach und realistisch. Daraus könnte man schließen, daß sich dahinter ein gewöhnliches Ereignis verbirgt, ein Zwischenfall übrigens unter vielen ähnlichen, denen man unter der türkischen Herrschaft begegnen konnte. Denn damals kannte die Willkür des Stärkeren, des Herrschers, Räubers oder Piraten sehr oft keine Grenzen mehr. Zweitens war mein Versuch, das gesamte Material aus veröffentlichten und unveröffentlichten Quellen zusammenzustellen, nicht systematisch. Ich bin mir aber wohl sicher, daß ein eingehenderes Suchen danach noch reicheres und vielfältigeres Material zusammenbringen würde.

Aufgrund der dargestellten repräsentativen Varianten der Volkserzählung, sie scheinen nicht weit verbreitet zu sein, hat die Geschichte folgenden Inhalt: Piraten oder Seeräuber oder Türken, aber auch dämonische oder mythische Wesen überfallen einsame Hirtenhütten immer in böser Absicht. Der Hirt macht sie betrunken, blendet sie, indem er in ihre Gesichter eine kochende Flüssigkeit gießt, und rettet sich. Die Erzählung enthält also zwei Grundmotive: das Motiv, einen Feind betrunken zu machen, und das Motiv, ihn durch Übergießen mit einer kochenden Flüssigkeit zu blenden. Das Motiv, jemanden durch Betrunkenmachen zu vernichten, ist sowohl im griechischen als auch im weiteren europäischen Raum verbreitet. Auf diese Art und Weise werden Feinde oder übernatürliche Wesen vernichtet, die schwierig oder gar unmöglich zu besiegen sind. Manchmal werden auch historische Geschehnisse erwähnt, wie man zum Beispiel aus der Chronik von Moreas (13. Jh. n. Chr.) feststellen kann. In dieser Chronik geht es um die Eroberung der Festung von Araklovon, nachdem man vorher den Anführer und seine Wache betrunken gemacht hat (V. 8288 ff.). Aber das übereinstimmende gleichzeitige Vorkommen beider Motive, des Betrunkenmachens und der Blendung, in einigen Varianten unserer Erzählung, muß wohl aus der Tatsache erklärt werden, daß wir den Rest einer alten Volkserzählung vor uns haben. Dieser Rest könnte uns, selbstverständlich mit gewissem Vorbehalt, zurückführen bis zu dem bekannten Zwischenfall der Blendung des Polyphem durch Odysseus (Odyss. I, 105).

Sicher kann man solche Motive mit so großem zeitlichen Abstand nicht einfach unmittelbar miteinander verbinden. Die Ähnlichkeiten sind nicht immer vollständig, da in den Varianten unserer neugriechischen Volkserzählungen Grundmotive der Erzählung von Homer fehlen, wie zum Beispiel der Gebrauch der glühenden Fackel[1] und das bekannte Wortspiel des »Outis«, die Niemand-List. Trotzdem könnte man Grundzüge aufzeigen und mit ihnen behaupten, daß der Erzählstoff unserer Varianten, die (abgesehen von einem Fall) erst kürzlich zusammengestellt worden sind, sehr alt ist.

Am ehesten hat sich der Mythos der Blendung Polyphems durch Odysseus in griechischen und europäischen Märchen erhalten. Diese Märchen sind im Typenverzeichnis nach Aarne-Thompson unter der Nummer 1137 zu finden[2]. In diesen volkstümlichen Texten wird weder der Name des Zyklopen noch der des Polyphem genannt. Dagegen aber werden einäugige Riesen erwähnt, die von dem Märchenhelden dadurch vernichtet werden, daß er sie betrunken macht und ihr einziges Auge ausbrennt, und der sich manchmal durch das bekannte oder ein ähnliches Wortspiel retten kann[3].

Außer den Märchen, in denen diese Erzählstücke zu finden sind, gibt es auch Volkssagen mit dem gleichen Thema. Damit meine ich nicht jene Sagen, die die Geschichte des Polyphem mit verschiedenen griechischen Höhlen verbinden. Bei einer anderen Gelegenheit habe ich die Meinung vertreten, daß manche Gelehrte oder Halbgelehrte sie erfunden haben[4], die den Ehrgeiz hatten, ihre Heimatorte mit der alten Mythologie in Verbindung zu bringen. Das war denn auch nicht allzu schwierig, denn Homers verschwommene Schilderung macht es leicht, alle möglichen Höhlen darin zu erkennen[5]. Vielmehr handelt es sich um Volkserzählungen, in denen stets von menschenfressenden Riesen mit allen Kennzeichen von Zyklopen die Rede ist. Manchmal werden sie als einäugig dargestellt und durch Betrunkenmachen und Blenden mit glühenden Kohlen vernichtet[6]. Die Verbindung der neugriechischen Volkserzählungen mit dem alten Mythos des Zyklopen Polyphem stützt sich einigermaßen auf die Tatsache, daß es sich in zwei Varianten, von Kreta und Kárpathos, um mythische dreiäugige menschenfressende Wesen, nämlich die Trimaten oder Triomaten, handelt. Diese Ungeheuer haben die gleichen Eigenschaften wie die Zyklopen. Das Merkmal der Dreiäugigkeit galt schon in der Antike als Kennzeichen der alten Zyklopen und vor allem des Polyphem, auch wenn es um ihn eine so große Verwirrung gab, daß der Kommentator von Vergilius Servius dazu bemerkte: »multi Polyphemum dicunt unum habuisse oculum, alii duos, alii tres« (Aen. III, 636)[7].

Andere Ähnlichkeiten in den Einzelheiten lassen sich nicht nachweisen. Aus diesem Grunde, daß man methodologisch Ähnlichkeiten auch in den Einzelheiten des alten und neuen Materials verlangen sollte, müßte man fast jeden Zusammenhang der neueren Volkserzählungen mit dem alten Mythos ausschließen. Das aber kann man auf dreifache Weise widerlegen: wenn erstens die Volkserzählung sich noch in ihren Einzelheiten mit einem durch die Literatur so bekannten und verbreiteten Mythos vollkommen decken würde, wäre das ganz gegen ihren volkstümlichen Charakter – sie wäre einfach unter dem Einfluß des literarischen Textes geblieben. Zweitens könnte man im Gegenteil das Auslassen von Erzählstücken, von allerlei Einzelheiten, aus der Tatsache erklären, daß das alte Material, nachdem es vom Volk aufgenommen wurde, einen Teil seiner Bestandteile wegen mangelhaften Auswendiglernens oder aus anderen Gründen verloren hat. Drittens kann das Auswechseln von Handlungsträgern auch von einer langjährigen volkstümlichen Bearbeitung herrühren. So ist es dann leicht zu erklären, daß gewöhnlich Seeräuber oder Türken erwähnt werden. Das gleiche gilt auch von vielen anderen Geschichten, in denen Seeräuber, Piraten oder Türken als Erzählfiguren erscheinen, ohne eigentlich mit der jeweiligen Epoche irgendetwas zu tun zu haben. Der wichtigste Erzählgrund ist dabei einfach die Erinnerung an die großen Katastrophen durch die Überfälle und Plünderungen auf den Inseln, die zur Zeit der Entstehung oder der Anpassung der Volkserzählungen noch sehr frisch und lebendig war.

Abschließend möchte ich die Verwandtschaft der eben untersuchten neugriechischen Volkserzählungen zu einer Variante eines anderen Mythos betonen. Diese Variante erwähnt der Mythograph Apollodoros (2. Jh. n. Chr.), eine wertvolle Quelle, die aber nicht immer glaubwürdig ist. Es handelt sich um den sehr hübschen Mythos Orions, der in der Antike sehr bekannt war und der aller Wahrscheinlichkeit nach auf einer Insel, und zwar auf Kreta oder Chios, entstand. In der Hauptvariante macht sich Orion als der beste Jäger im Auftrag von Oinopion auf, um Kreta oder Chios von den vielen schädlichen Tieren und Schlangen zu befreien. Dies entfacht den Zorn der Gaia (Erde) oder der Artemis. Sie zieht aus dem Schoß der Erde den Skorpion heraus, der Orion tötet. Zum Schluß aber verwandeln sich beide, Orion und der Skorpion, in Sterne (Arat. Phain. 636 ff. und Schol.). Nach der weniger bekannten Variante von

Apollodoros, die viel älter ist, da wird als Quelle Pherekydes (6. Jh. v. Chr.) erwähnt, hat Oinopion den Orion, der einen riesigen Körper gehabt haben soll, auf Chios betrunken gemacht und ihn dann im Schlaf geblendet und an den Strand des Meeres geworfen. Der Grund dazu war, daß Orion sich mit der Tochter von Oinopion verlobt hatte (Bibl. 1,4,3, Epit. VII, 4-9). Es sei hier noch angefügt, daß in einer anderen Variante, die sich in der Erotika (Liebesge-schichte) von Parthenios befindet (20), Orion in betrunkenem Zustand die Tochter von Oinopion vergewaltigt, woraufhin Oinopion ihn blendet.

Der Mythos von Orion, zumindest wie er bei Apollodoros lautet, enthält nur die zwei Motive, das der Betrunkenheit und das der Blendung, wodurch er sich mehr den neugriechischen Volkserzählungen nähert. In diesem Mythos sind Erinnerungen an das homerische Erzählstück nicht auszuschließen. Auf jeden Fall wird mit dem Orionmythos die zeitliche Kluft zwischen der Polyphemsa-ge und der neueren Volkserzählung einigermaßen überbrückt.

Walter Puchner
EUROPÄISCHE ÖDIPUSÜBERLIEFERUNG UND GRIECHISCHES SCHICKSALSMÄRCHEN

Das ungeheure Schicksal des Thebanerkönigs Ödipus hat nicht nur berühmte Wissenschaftler und Philosophen und mit unabsehbaren Folgen die Tiefen-psychologie unseres Jahrhunderts mit Sigmund Freud und seinen Schülern be-schäftigt, sondern sich auch in zahlreichen literarischen Nachahmungen, Um-arbeitungen und Neudeutungen niedergeschlagen, die alle auf den »Ödipus Rex« des Sophokles und nur in zweiter Linie auf den des Seneca zurückgehen. Der mythische Variantenreichtum des thebanischen Sagenkreises läßt sich nur mehr zum Teil rekonstruieren[1].

Seine erste literarische Erscheinung macht Ödipus in der »Odyssee« Homers, wo die Seele der Epikaste (Jokaste) dem Odysseus ihr Schicksal erzählt: nach der Entdeckung des Vatermordes und der Blutschande habe sie sich erhängt und Ödipus als König in Theben zurückgelassen. Über diese Ödipusvita des nicht erblindeten Königs dürfte ein verlorengegangenes Epos »Oidipodeia« Auskunft gegeben haben. In der »Ilias« berichtet Homer, der große König sei im Krieg gefallen, und ihm zu Ehren würden heute noch Wettkämpfe in Theben abgehalten. Homer spielt hier auf das genannte Epos an, in dem Ödipus noch zweimal geheiratet und von diesen Frauen seine Kinder erhalten habe. In einem anderen verlorenen Epos, »Thebais«, bleibt Jokaste am Leben; Ödipus hat sich die Augen ausgestochen und lebt, als Greis immer noch zu Wutanfällen neigend, im Haus. Dies schildert uns anschaulich Euripides im Eingangsmonolog der Jokaste in den »Phönizierinnen«. In den älteren Mythosfassungen scheint man die Blutsverbrechen eher als Unglücksfälle aufgefaßt zu haben, was Kerényi mit matriarchalischen Institutionen erklären will. Ebenfalls verloren ist die »Thebanische Tetralogie« des Aischylos (in der »Ödipus« den zweiten Teil bildete), sowie der »Ödipus« des Euripides, der für das Altertum große Bedeutung gehabt zu haben scheint. Das Werk läßt sich aus verschiedenen Quellen zum Teil rekonstruieren. Die psychologische Differenzierung der tragischen Wirkung geht bei Euripides noch weiter: er bringt auch die Pflegemutter des Ödipus, Periboia, ins Spiel und läßt den König von Kreon entmachten und blenden. Des Euripides Ödipus war in Rom zwar bekannt, doch griff man wieder auf Sophokles als Vorlage zurück. Seneca stellt in seiner Schicksalstragödie nicht nur den Geist des Laios auf die Bühne, sondern auch die Blendung des Ödipus und den Selbstmord der Jokaste. Die Seneca-Lesetradition des Mittelalters hat dann noch zu einer Stoffbearbeitung im »Roman des Thèbes« (1150/55) geführt, doch sonst bleibt es eher still um das exemplarische Geschick des thebanischen Königs. Hatte ihm doch eine andere Exempelgestalt, diesmal christlicher Prägung, mit den gleichen und noch fürchterlicheren Verbrechen den Rang abgelaufen und seine Vita aufgesogen: Judas Ischarioth. Die eher komplizierten Zusammenhänge von Judas-Legende und Ödipus-Sage wollen wir aber noch etwas später besprechen. Der Übersicht willen sei hier vorgreifend festgehalten, daß die komplexe Ödipusüberlieferung in drei Stränge gegliedert werden kann: erstens einen literarisch-philosophischen, der mit der italienischen Renaissance einsetzt und auf den »Ödipus Rex« des Sophokles zurückgreift, zweitens einen heilsideologisch-legendären, der im Mittelalter in der Judasvita zur Ausformung kommt, weitgehend mündlich tradiert wird, in der Literatur etwa mit Hans Sachs seinen Abschluß findet und in der oralen Tradition als Legendenstoff bis heute weiterwirkt, und drittens einen rein märchenhaften, der bis zu einem gewissen Grad hypothetisch bleiben muß und der annimmt, der mythische Thebanerkönig sei der Held eines vorsophokleischen Schicksalsmärchens gewesen. Diesem Märchen würden Typen und Verknüpfungen neuzeitlicher Schicksalsmärchen, mit besonderer Häufung in Ost- und Südosteuropa, entsprechen, wobei nicht so sehr Vatermord und Blutschande (als außergewöhnliche Ereignisse, die variieren können), sondern das Schicksalsorakel der Moiren das konstante Motiv bildet. Über die Problematik einer solchen Annahme wird noch zu sprechen sein.

Auf den Überblick über den ersten Überlieferungsstrang, den literarisch-philosophischen, wollen wir verzichten und uns sogleich dem zweiten zuwenden, der sowohl in oraler wie auch in schriftlicher Tradition verläuft und mannigfache Wechselwirkungen zeigt.

In der Germanistik des 19. Jahrhunderts gab es eine bezeichnende Auseinandersetzung um die direkte Abhängigkeit der Gregoriuslegende, besonders in der Ausprägung, die ihr Hartmann von der Aue gegeben hat[2], von der Ödipusüberlieferung: für eine direkte Abhängigkeit von einer späthellenistischen Ödipusfassung haben sich damals C. Greith, Fr. Lippold, A. Heintze, J. Nadler und G. Ehrismann ausgesprochen, dagegen wandten sich O. Neusell, K. L. Cholevius, D. Comparetti und H. Sparnaay, mit dem Hinweis, daß der Heilige Gregorius auf dem Steine nur eine einer ganzen Reihe von Inzestlegenden des Mittelalters[3] sei, die Ödipusmotive verarbeiten. Friedrich Ohly hat kürzlich mit großer Überzeugungskraft dargelegt, daß es sich um typologisierte Anti-Judas-Legenden handelt, wo auf die Ödipustaten nicht die *desperatio* folgt, sondern Buße und Gottvertrauen[4]. Der Zweifel an der *gratia dei*, die Sündenschuld für die unerhörten Blutsverbrechen wegnehmen zu können, ist selbst die größte und unverzeihlichste Kardinalsünde, die auch den Selbstmord des Judas motiviert; und dieses Heilsdogma bringt im Zuge theologischer Kasuistik Anti-Judas-Figuren hervor wie Gregor, Albanus, Julianus, beeinflußt auch die Judasdarstellung in der Brandan-Legende, die Darstellung des bulgarischen Paulus von Caesarea oder des russischen Andreas von Kreta. In verschiedener Dosierung sind in diesen Legenden die ödipalen Verbrechen gemischt; die Abhängigkeitsfrage der Legenden untereinander und ihre Stellung zur Ödipusüberlieferung bleibt zum Großteil hypothetisch und ist ziemlich kompliziert[5].

Schon die Ausbildung dieser theologischen Gegenlegenden in der Sündertypologie des Mittelalters zeigt die Verbreitetheit der Judaslegende. Diese heilseschatologische Warnfunktion, die uns zum erstenmal in der »Legenda aurea« des Jacobus de Voragine (1228/30 – 1298) entgegentritt[6], ist hier schon an einer Stelle, die mit Judas direkt nichts zu tun hat, festgehalten: »...denn Judas bekannte auch seine Sünde, aber er verzweifelte an dem Erbarmen Gottes, und darum ward er verdammt«. Die Judasvita der lateinischen »Legenda aurea«, im Kapitel »Von St. Mathias dem Apostel«, die ihrerseits enorme Verbreitung in den Volkssprachen bis hin zum monumentalen Judaswerk Abraham a Santa

Claras und vor allem auch in der oralen Tradition gefunden hat[7], geht auf eine lateinische Judasvita aus dem 12. Jahrhundert im französischen Raum zurück[8], die folgenden Inhalt hat: »Schon während ihrer Schwangerschaft träumt Judas' Mutter Ciborea, daß ein Feuer aus ihrem Leib schlage und sich, alles verzehrend, bis Jerusalem ausbreite. Nach der Geburt beabsichtigen sie und ihr Mann Ruben, das Kind zu töten, doch schließlich siegt ihr Mitleid: sie setzen den kleinen Judas in einem Körbchen auf dem Meer aus, er treibt zu einem Ufer und wird von einer mitleidigen Frau (oft eine Königstochter) aufgefangen und adoptiert. Der heranwachsende Judas aber versucht immer wieder, seinen Stiefbruder zu unterdrücken, schließlich erschlägt er ihn. Nach Jerusalem zu Pilatus geflüchtet (nach anderen Versionen ist sein Aufbruch nach Jerusalem darin begründet, daß er von den Festspielen in Olympia ausgeschlossen wurde und nun, um seine Herkunft aufzuklären, seine Stiefeltern verläßt), kommt er in die ihm entsprechende Gesellschaft. Eines Tages befiehlt Pilatus, aus einem Obstgarten für ihn Äpfel zu stehlen, was Judas gerne unternimmt. Er gerät mit dem Besitzer des Gartens, Ruben, in Streit, ohne daß Vater und Sohn einander erkennen, und tötet auch Ruben. Pilatus gibt ihm nun Ciborea zur Frau, von der Judas endlich seine Herkunft erfährt. Er bereut und wird auf den Rat seiner Mutter und Gattin hin Jünger des Heilands. Der Rest seiner vita entspricht dann dem Bericht in den Evangelien« (zitiert nach Dinzelbacher). Man hat allein zweiundvierzig Versionen der Legende zwischen dem 12. und 15. Jahrhundert ausfindig gemacht, gegliedert in fünf Variantengruppen, wobei die früheste ins 12. Jahrhundert fällt. Die volkssprachlichen Fassungen setzen nicht vor Ende des 13. Jahrhunderts ein, sind dann aber im Englischen, Französischen, Deutschen, Italienischen, Holländischen, Irischen, Skandinavischen, Katalanischen, Provenzalischen und Böhmischen verbreitet. Besonderes Interesse beanspruchen die bulgarischen und russischen Texte, die nach Baum auf die »Legenda aurea« zurückgehen sollen, nach Solovjev und Repp aber eher von einer verschollenen griechischen Vorlage stammen müßten. Istrin hat einen griechischen Text aus dem 17. Jahrhundert und einen Flugblattdruck aus dem 19. Jahrhundert veröffentlicht, Baum fügt aus Lampros' Handschriftenkatalog vom Berg Athos noch zwei griechische Varianten hinzu, wovon Megas später eine philologisch überprüfte, mit einer zypriotischen Version interpolierte Fassung veröffentlicht. Die Abweichungen der griechischen Fassungen gehen dahin, daß die Mutter des Judas ohne Namen bleibt (Ciborea in den lateinischen Fassungen), Ikaria das Geburtsland des Judas, nicht die Aussetzungsinsel ist, daß er von Hirten aufgezogen wird, von seinem eigenen Vater adoptiert (nicht von einem Pflegevater), seinen eigenen Bruder ermordet (nicht seinen Pflegebruder), daß er die Äpfel in Herodes' (in vielen lateinischen Fassungen in Pilatus') Auftrag stiehlt.Baum schließt daraus folgerichtig, daß wohl nur eine gemeinsame Urfassung existiert habe. Mit Megas müssen wir aber dafür plädieren, daß dies nur eine unbekannte byzantinische Vorlage gewesen sein kann. Die späten russischen Fassungen mögen eventuell auf die »Legenda aurea« zurückgehen, vielleicht auf den Einfluß der polnischen Jesuiten im 17. Jahrhundert, wie die Verwendung des Frauennamens Ciborea nahelegt. Die griechischen Handschriften vom Athos freilich können nur aus Byzanz stammen, auch wenn sie späteren Datums sind. Seit dem 7. Jahrhundert ergießt sich ein ganzer Strom von Heiligenviten aus dem byzantinischen Osten in den lateinischen Westen[9]. »Über eine dieser Stationen dürfte auch der Ödipusstoff in den westlichen Teil Europas gelangt sein und die Neubildung der Judaslegende angeregt haben« (Anm. 5: 51).

Von D'Ancona, Graf, Constans bis zu Lehmann, Megas und Brednich wird die Judaslegende für eine christliche Redaktion des antiken Ödipusstoffes gehalten, wenn auch einzelne Vorbehalte nicht fehlen wie bei Creizenach, Baum und Repp. Heinrich Günter spricht von einem »verchristlichten Wandermotiv«[10], und Rolf-Wilhelm Brednich konstatiert: »Diese Legende ist eine mittelalterliche Kopie des Ödipusstoffes und enthält dessen wichtigste Motive: A. Vorherbestimmung des Schicksals, B. Aussetzung, C. Vatermord, D. Mutterehe. Nur das letzte Motiv, der Verrat an Christus, ist mit der Gestalt des Judas näher verbunden. Alle anderen Motive sind erst später an Judas herangetragen worden und zeigen ihn als Menschen, dem es vorherbestimmt war, zum Verbrecher zu werden«[11]. Von allen mittelalterlichen Inzestlegenden steht die Judaslegende dem Ödipus am nächsten. Das Inzestmotiv genügt freilich nicht, Judas von Ödipus herzuleiten, denn Inzestgeschichten gab es, nach der Auflistung Otto Ranks[12], im Mittelalter in Hülle und Fülle, Geschichten, die absolut nichts mit dem Ödipusstoff zu tun hatten, wie etwa bei Caesarius von Heisterbach um 1260 oder wie in der 13. Erzählung der »Gesta Romanorum«.

Freilich gab es auch gravierende Motivunterschiede jenseits der moraltheologischen Schuld- und Sündenfrage: das Orakel ist in einen Traum verwandelt, das Sphinxmotiv fehlt völlig, neu ist der Gespielenstreit. Solovjev führt eine Origines-Stelle an, wo die Vorhersage der Judastaten durch den Psalmisten mit der Prophezeiung des Orakels an Laios verglichen wird. Solovjev stützt unter anderem auch darauf seine Hypothese vom östlichen Ursprung der Judas-Legende. Doch gibt es noch andere Indizien für einen organischen Übergang zur

56

mittelalterlichen Doppelfigur bei den byzantinischen Mythographen und Paradoxographen. Im Lexikon des Suidas, in Malalas Weltchronik und in der Synopsis des byzantinischen Chronographen Kedrenos findet sich Ödipus als eine Art Räuber, das Sphinxmotiv ist völlig umgedeutet (es verselbständigt sich als Freierprobe im Rätselmärchen wie bei Turandot): »Die mythographische Überlieferung des Ödipusstoffes tendiert zu einer Abschwächung des Schicksalsmotivs des Orakels, zur Umwandlung des ursprünglichen Aussetzungsmotivs in eine Aussetzung auf das Meer und zur Ausgestaltung des Gespielenstreitmotivs mit dem Zug, daß Ödipus den Gespielen, von dem er über seine unsichere Herkunft erfährt, tötet«[13]. Eine Vorlage der »Thebais« des Statius, wie sie noch Creizenach forderte, scheint unwahrscheinlich. Schreiner folgert: »Es kann also darüber kaum ein Zweifel bestehen, daß die Judaslegende in Anlehnung an eine Erzählung von Ödipus entstanden ist; die Übereinstimmung in der Motivik ist zu deutlich« (Anm. 5: 323). Die Ödipusmythographie, die als unmittelbare Vorlage zur Schaffung der Judaslegende gedient haben mag, syrisch oder griechisch, ist verschollen. Das Abhängigkeitsmodell ist freilich viel komplizierter als hier angedeutet, da auch noch andere Inzestlegenden deutlich Ödipusmotive tragen und auch die Einwirkung rein oraler Traditionen in Rechnung gestellt werden muß. Schreiner faßt diesbezüglich zusammen: »Die märchenhafte Überlieferung der Ödipusfabel tendiert einerseits zur Hervorhebung des abergläubischen Schicksalsgedankens, andererseits zur Verdoppelung des Inzestmotivs... Daneben tritt... wieder die ursprüngliche Form des Erkennungsmotivs in der Ödipussage auf, die Form des Erkennungszeichens. In einem Märchen von der weisgesagten, unbewußten Ermordung der Eltern wird der Schicksalsgedanke der antiken Ödipussage ins Abergläubische verzerrt. Aus diesem uns nicht überlieferten, aber rekonstruierbaren Märchen geht die Julianlegende hervor, die sich mit ihrer zentralen Idee der Gnade gegen den Geist des alten Märchens richtet und sich zugleich mit dem Judasproblem der desperatio auseinandersetzt. Aus dem Märchen vom zweifachen Inzest und aus der Judaslegende geht die Albanuslegende hervor, die noch von der Julianlegende das Motiv des Elternmordes übernimmt. Das zweite Inzestmotiv gibt die Albanuslegende, in milderer Form, an die Gregoriuslegende weiter. In den anderen Motiven ist der ›Gregorius‹ von der Judaslegende abhängig.« Mündliche und schriftliche Tradition durchdringen hier einander fast unentwirrbar in einem ausgedehnten Motiv- und Beziehungsgeflecht, das gleich mehrere Märchentypen (AT 930 – 934) umfaßt. Es bleibt demnach fraglich, ob sich Ödipus von Judas (und den mittelalterlichen Inzestheiligen) in der nachmittelalterlichen oralen Überlieferung noch je schnittklar wird trennen lassen, so daß der rein orale Überlieferungsstrang der antiken Ödipusfabel bis zu einem gewissen Grade hypothetisch bleiben muß.

Diese Problematik, wir wenden uns nun der Frage des dritten Überlieferungsstranges zu, wobei wir auch speziell das griechische Märchen berücksichtigen wollen, zerfällt in zwei Teile: die Existenz des Ödipusmythos als Schicksalsmärchen vor Sophokles und die Existenz des Ödipusmythos im neuzeitlichen Schicksalsmärchen, das deutlich abgrenzbar sein muß von der mittelalterlichen Judasvita und ihren oralen Ausläufern. Die Frage, wie weit der griechische Mythos auf alt- oder vorgriechische Märchen zurückgeht, hat die klassische Philologie, unter anderen Halliday[14], Thomson[15], Nilsson[16], Carpenter[17], Fontenrose[18], Page[19], intensiv beschäftigt, ohne daß aber, jenseits der bloßen Vermutung und Wahrscheinlichkeit sowie der Feststellung des Fehlens direkter Quellen, im Detail übereinstimmende Ergebnisse gezeitigt werden konnten. Die märchenhaften Züge im Ödipusmythos hat vor allem Gruppe[20] hervorgehoben, dem sich darin auch Dahly angeschlossen hat. Den Ursprung dieses Mythos in einem Märchen vertreten auch Nilsson und Deubner. Robert hat versucht, den ganzen Ödipusmythos als Schicksalsmärchen nachzuerzählen[21], worin sich ihm Megas vehement angeschlossen hat, sah er doch darin eine Verbindungsmöglichkeit zu den gegenwärtigen Schicksalsmärchen[22]. Dirlmeier und Krappe haben dies allerdings abgelehnt: ersterer mit dem Hinweis auf die mögliche kleinasiatische, vorgriechische Herkunft des Mythos (er wendet sich dabei vor allem gegen die Historizitätsthese Velikovskys, der in Ödipus eine historische Pharaonengestalt vermutete[23]), der zweite in der Annahme, daß die orale Ödipustradition schriftlich vielfach überformt sein muß.[24] Ähnliche und andere Einwände haben auch Horálek[25], in anderem Zusammenhang Binder[26], Fehling[27] und Dorson[28] gemacht. Diese Einwände betreffen zwei sehr umfassende Aspekte: das Kontinuitätsproblem[29], das sich für Griechenland freilich etwas anders stellt als für andere europäische Völker[30], und das Problem der Reinheit der oralen Tradition[31]. Beide Fragekomplexe sind sehr allgemein und in den letzten beiden Jahrzehnten theoretisch viel besprochen worden, können hier jedoch nicht weiter diskutiert werden. Trotzdem handelt es sich dabei um Problemdimensionen, die auf den folgenden Seiten ständig gegenwärtig sein werden.

Ödipusmärchen sammelte als erster Ludwig Constans 1881[32]: ihm stand dabei schon die zypriotische Variante von Sakellariu (verdeutscht durch Felix Liebrecht[33]) zur Verfügung, die nordepirotische von Johann von Hahn[34], die arachovische von Bernhard Schmidt[35] sowie dessen Varianten aus Zante und von

Lesbos, die auch in Roschers Mythologisches Lexikon eingegangen sind. Antti Aarne gibt 1910 dem Ödipus-Märchen die Nummer 931 in seinem Typenkatalog: »Ödipus: der Jüngling tötet, wie prophezeit war, seinen Vater und heiratet seine Mutter.« Diese Definition übernimmt auch noch Stith Thompson in seiner Ausgabe des Typenkatalogs von 1928. Inzwischen brachte Aarne selbst eine Reihe von finnischen Varianten zu diesem Typ bei (FFC 5: Nr. 931. Helsinki 1968). Die Abhandlung von Nikolaos Politis über Ödipus und das Schicksalsmärchen[36] anläßlich der Veröffentlichung zweier albanesischer Varianten zum Märchen »Der reiche Mann und sein Schwiegersohn« wurde von der Forschung nicht beachtet, auch nicht die südslawische und die zwei griechischen Märchenvarianten, die Gugusis in der Laografia 1910 veröffentlichte. 1928 brachte Just Knud Qvigstad eine lappische Variante (FFC 60: Nr. 931. Helsinki 1925), und Schullerus drei rumänische (FFC 78: Nr. 931. Helsinki 1928), von denen eine allerdings aus dem Epirus stammt und in Aromunisch verfaßt ist, Honti vier ungarische Varianten, deren ödipale Züge, nach seinen eigenen Angaben, ziemlich verblaßt sind (FFC 81: Nr. 931. Helsinki 1928). Boggs weist 1930 auch auf eine spanische Variante hin (FFC 90: Nr. 931*. Helsinki 1930), Krauss 1935 auf eine montenegrinische (1935: Imago 21, 358-367). 1950 erschienen dann die beiden wegweisenden, im Krieg entstandenen Arbeiten von Georgios Megas zum Thema Judas und Ödipus[22]. Seine Argumentation läuft im wesentlichen darauf hinaus, daß, wenn man die Rahmenidee des Ödipusmythos, die unentrinnbare Schicksalsprophezeiung, als dessen fundamentales Motiv annehme, und zwar auch für das Altertum, man durchaus von einer Kontinuität des Stoffes von der Antike bis ins heutige Südosteuropa, speziell Griechenland, sprechen könne. Das Überleben des Sphinx-Motivs in Schmidts Variante aus Arachova lehnt er ab, da eine Nachuntersuchung 1938 im Raum Parnass nur negative Ergebnisse gezeitigt hat, das Motiv aber sonst nirgendwo nachzuweisen ist. Megas lehnt ebenfalls einen schriftlichen Einfluß auf die orale Tradition ab und hält die schriftlichen Zeugnisse, den antiken Ödipusmythos in seinen verschiedenen Ausprägungen wie auch die mittelalterlich-christliche Judasvita, für aus mündlichen Quellen entsprungen. Er stellt diese Tatsache in den Rahmen der Kontinuität verschiedener Elemente der Volkskultur von der Antike über Byzanz bis ins heutige Griechenland[37]. Eines der Hauptbedenken ist freilich, daß nach Aarnes ungenügender Definition von Typ 931, die immer noch gilt, »der Jüngling tötet, wie prophezeit war, seinen Vater und heiratet seine Mutter«, Judas von Ödipus gar nicht zu trennen ist. Die drei Varianten aus Kreta und Zypern, die Megas veröffentlichte, folgen ziemlich genau der Judasvita[38]. Doch gibt es auch Varianten wie etwa die montenegrinische, die verschiedene Inzestmotive im Rahmen des Schicksalsmärchens kontaminieren. Brednich hat also recht, wenn er eine Untergliederung des Typs 931 in 931A: »Judas Ischariot«, B: »hl. Andreas« und C: »der Elternmörder« vorschlägt (FFC 193. Helsinki 1964, 46). Megas folgt ihm in dieser Gliederung in seinem noch unveröffentlichten Typenkatalog zum griechischen Märchen. Brednich stellt fest: »...die Typennummer AT 931 ist überaus vielschichtig und vereint vielfältige Traditionen verschiedensten Alters und verschiedener historischer Herkunft.«

Auch Thompsons »Motiv-Index« bringt hier keine weitere Klärung. Die Motivkombination, die in der neuesten Ausgabe des Typenkatalogs nach Aarne-Thompson 1973 angeboten wird (Prophezeiung des Vatermords, Prophezeiung des Mutterinzests, Aussetzung des Kindes, mitleidsvoll-mangelhafte Vollstreckung, Entdeckung des ausgesetzten Kindes, Heranwachsen des Kindes an einem fremden Königshof [Joseph, Ödipus], Vatermord unwissentlich begangen, Mutter-Sohn-Inzest), ist nicht vollständig in allen Varianten vorhanden oder noch mit wesentlichen anderen Motiven (etwa dem Gespielenstreit, dem Brudermord oder der Geschwisterehe) vermischt. Hier ist Ödipus weder von Judas noch von den mittelalterlichen Inzestheiligen grenzscharf zu scheiden. Thomas Mann nahm viele Ergebnisse der Forschung schon gleichsam vorweg, als er zu seinem Roman »Der Erwählte« bemerkte: »Der Entwicklungsweg der Sage scheint von Ödipus über Judas, Andreas, Paulus von Caesarea zu Gregorius zu gehen.« Thompson führt neben den bekannten Versionen noch spanische, katalanische, italienische, tschechische, russische, ukrainische, türkische, indonesische, mittelamerikanische und mehr als fünfzig irische Versionen an. Welche Tradition ist hier in den einzelnen Fällen angesprochen? Brednich hat auch eine slowenische Variante ausfindig gemacht, in der die drei Schicksalsfrauen fehlen, doch scheint dies ein Ausnahmefall zu sein; in Ost- und Südosteuropa, außer bei den Polen und Russen, ist das Motiv der Schicksalsfrauen auch im Volksglauben und Volksbrauch weitverbreitet (Brednich: FFC 193. Helsinki 1964). Ödipusähnliche Geschichten finden sich aber auch außerhalb Europas, in Ostasien[39], Mutterinzest und Vatermord in Märchen aus Indien[40], China, Japan[41] und Nordamerika[42]. Eine sudanesische Geschichte[43], die genau dem ödipalen Motivkombinat folgt, enthält auch noch das Motiv der Erblindung: jedesmal, wenn sich der Sohn zu seiner unerkannten Mutter begibt, ergißt sich Milch aus ihren Brüsten, und er erblindet. Müssen wir hier direkt auf den thebanischen Ödipus zurückgreifen? Ödipale Motive finden sich auch in persischen (Anm. 43: 66), arabischen[44] und altjüdischen[45] Erzählungen.

Brednich faßt seine Untersuchungen zur Ödipustradition so zusammen: »...Motive wie die Überwindung der Sphinx oder der Vatermord fehlen in den neuzeitlichen Varianten. Dies darf nicht verwundern. Schon im Altertum war die Ödipussage in so viele voneinander abweichende Darstellungen verzweigt, daß Lysimachos darüber ein eigenes Sammelwerk schreiben konnte. Nur einzelne Motive und Motivgruppen dieser Sage haben bis in unsere Tage weitergelebt, nicht die gesamte Schicksalserzählung von Ödipus« (FFC 193, 45). Horálek betont in seiner Besprechung von Brednichs Arbeit, daß die schriftliche Tradition stärkend auf die mündliche gewirkt habe und deshalb sehr schwer von dieser zu unterscheiden sei (Fabula 8. 1966, 125). Der Doppelgänger Ödipus/Judas ist analytisch kaum zu zerlegen, das Alter der einzelnen Märchenvarianten daher auch kaum exakt zu bestimmen, da eben der Traditionsraum, aus dem sie kommen, im Einzelfall ungewiß bleibt. Dem Märchentyp AT 931 ist daher kritisch und mit Vorsicht zu begegnen; sein Motivzusammenspiel erhält Sinn und lebendige Existenz erst im Zusammenhang mit AT 930 (dem Schicksalsspruch), beziehungsweise dem Schicksalsmärchen überhaupt (AT 930 – 949).

Diese gewisse Konstruiertheit des Motivkombinats, das Thompson aus dem Ödipusmythos erstellt hat, wird auch augenfällig an Megas' Zettelkatalog zum noch unveröffentlichten griechischen Typenindex: zu 931, von welchem Typ Megas nach dem Vorschlag Brednichs Judas abgesondert hat (keine einzige neue Variante!), sowie Andreas von Kreta und den Elternmörder, konnten seit 1941 nur zwei unveröffentlichte Varianten beigebracht werden (die Geschichte vom Pfarrerssohn mit Mutterinzest und Vatermord und ein Märchen, in dem die inzestuöse Mutter beim Patriarchen Vergebung sucht, eine Kirche zur Sühne baut und jedem ihre Geschichte erzählt), während zu 930, 930A und B Dutzende von neuen Varianten aufgezeichnet werden konnten. Der Schicksalsspruch der drei Moiren fehlt allerdings auch bei AT 931 fast nie; er findet sich auch in einigen anderen Märchentypen[46]. Dies kann wohl nur so interpretiert werden, daß ein innerer organischer Zusammenhang zwischen Typ 930 und Typ 931 besteht, zumindest für den südosteuropäischen Märchenraum; anders formuliert: daß das Motivkombinat 931 eine sekundäre Variante von 930, der Schicksalsprophezeiung, ist, vom Schreibtisch aus konstruiert nach dem Schema der Ödipusfabel beziehungsweise der Judaslegende, über das die lebendige Erzählwirklichkeit aber hinweggeht. Hier handelt es sich also um eine teilweise mißglückte Kategorienbildung. Dies besagt freilich noch nichts über das eventuelle Überleben des antiken Ödipusstoffes.

Einige Beispiele mögen diese Zusammenhänge erhellen: in der zypriotischen

Variante hat ein Fürst drei Töchter. Der jüngsten wird von der Moira prophezeit, sie, die jüngste, werde mit dem eigenen Vater ein Kind zeugen, das sie später zum Manne nehmen werde (Inzestverdopplung). Daher fliehen sie die Freier und nehmen die anderen beiden Töchter. Damit sich der Schicksalsspruch nicht erfülle, tötet sie ihren Vater, ißt von einem Apfelbaum auf seinem Grabe eine Frucht und wird schwanger. Nach der Geburt sticht sie ihren Sohn in die Brust und setzt ihn aus aufs Meer. Das Kind wird von einem Händler großgezogen und heiratet seine Mutter[33]. Dies ist sicher ein etwas extremes Beispiel für die Unbeständigkeit des ödipalen Motivzusammenschlusses. Der Hauptdarsteller ist zur Frau geworden, und die Handlung ist mit einer Fülle von anderen Märchenmotiven vermischt.

In der nordepirotischen Variante von Hahn wird einem König prophezeit, er werde von seinem Enkel erschlagen werden; er läßt den Knaben aufs Meer aussetzen. Der aber wird gefunden und großgezogen, befreit das Land von einem Drachen, der wie in der hl. Georgs-Legende[47] die Quellen verschließt, und bekommt zum Lohn die Königstochter. Die Erzählerin verschweigt, ob es sich um die Mutter des Helden gehandelt hat. Aus Zufall tötet er seinen Großvater, und so erfüllt sich der Schicksalsspruch[34].

Die epirotische Variante in aromunischer Sprache (deutsch bei Brednich: FFC 193) folgt dem ödipalen Motivschema noch am ehesten, doch fehlt der Vatermord: einem Ehepaar mit neun Kindern wird von den Moiren am dritten Tag nach der Geburt des letzten Kindes prophezeit, daß sein Vater und alle seine Brüder sterben werden und es seine Mutter zur Frau nehmen wird. Man setzt es am Flußufer aus; es wird gefunden und großgezogen. Sein Pflegevater verrät ihm eines Tages das Geheimnis seiner Herkunft. Der Held macht sich auf, seine Familie zu suchen. In seinem Dorf angekommen, erfährt er, daß Vater und Brüder alle gestorben sind. Einer alten Frau trägt er seinen Wunsch vor zu heiraten, und diese verheiratet ihn mit seiner Mutter. So erfüllt sich der Spruch der Schicksalsfrauen (Anm. 22: 147).

Brednich hat sicher recht, wenn er meint, es sei methodisch nicht richtig, hinter jeder Inzestgeschichte zwischen Griechenland und Lappland gleich ein Survival des Ödipusstoffes zu erblicken (FFC 193, 45). Die ödipalen Taten, die Überwindung der Sphinx, der Vatermord und der Mutterinzest erweisen sich als variabel; zuweilen werden sie weggelassen, zuweilen noch angereichert. Ganz unveränderlich bleiben nur die Unentrinnbarkeit und die Erfüllung des Schicksalsspruches. Was sich dabei erfüllt, die Greueltaten des Ödipus oder des Judas oder die Unglücksfälle im griechischen Märchen »Der Ölhändler« in der Aufzeichnung von Marianne Klaar[48], oder der Geschwisterinzest im aro-munisch-epirotischen Märchen »Der Kaiser mit den zwei Frauen« in der Übertragung von Felix Karlinger[49], ist im strukturalistischen Sinne sekundär. Die Frage nach der Kontinuität des Ödipusstoffes in der oralen Tradition ist eben auch eine methodologische und läßt sich aus der Sicht der neueren Mär-chenforschung, zugegebenerweise etwas provokant, auch so stellen: könnte die Kategorie der Schicksalsmärchen nicht auch ohne den von Aarne und Thompson konstruierten Typ 931 auskommen? Geht er nicht zu sehr an der lebendigen Erzählwirklichkeit vorüber?

Das engagierte Eintreten des Altmeisters der griechischen Märchenforschung, Georgios Megas, für die Kontinuität des Ödipusstoffes in der griechischen oralen Tradition von der vorsophokleischen Antike bis in den neuzeitlichen südosteuropäischen Märchenraum hinein ist vielleicht dahingehend abzuwan-deln, daß Ödipus bei aller Veränderlichkeit seiner lebensgeschichtlichen Ein-zelheiten, wie sie die altgriechische Mythologie in Ansätzen vermuten läßt, hauptsächlich in seiner Eigenschaft als Exempelheros für die Unentrinnbarkeit des Schicksalsspruches in der neuzeitlichen oralen Tradition noch greifbar ist; diese mündliche Überlieferung scheint jedoch von einer literarischen Tradi-tion durchwirkt und gestützt zu sein, die in der mittelalterlichen Judasvita ihre gültige Ausprägung gefunden hat und sich in literarischen, volksliterarischen und oralen Nachahmungen auch im griechischen Sprachraum durch die Jahr-hunderte bis in die Gegenwart zieht. Daß die Vorlage zur mittelalterlichen Ju-dasvita mit hoher Wahrscheinlichkeit wieder eine griechische gewesen ist, die sich auf die Ödipusmythographie der Byzantiner stützt, beweisen der Reich-tum und die vielfältigen Wechselbeziehungen dieser literarischen und oralen Ödipustradition im griechischen Kulturbereich. Wenn unter Kontinuität auch Wandel und Fortentwicklung verstanden wird, Lösung und Neuformung nach neuen Gegebenheiten, so ist die Ödipusüberlieferung im weiteren Rah-men des griechischen Schicksalsmärchens noch lebendig. Mit anderen Worten: jener Vorrat an Motiven und Motivkombinationen, der im Altertum den Ödi-pusmythos hervorgebracht haben mag, ist auch noch in den neugriechischen Erzählungen von den Schicksalsfrauen anzutreffen.

Michael Meraklis

EINE ALTGRIECHISCHE UND EINE NEUGRIECHISCHE
MÄRCHENWILDSAU

Allgemein bekannt ist das Märchen, das im Typenverzeichnis nach Aarne-
Thompson unter der Nummer 302 den Titel trägt: »The Ogre's (Devil's) Heart
in the Egg (Des Unholds oder des Teufels Herz im Ei)«. Der Inhalt des Märchens wird von Thompson folgendermaßen beschrieben: »The youth who can
turn himself into a lion, ant etc. Sometimes the ogre's heart in the egg appears
alone (Der junge Held, der sich selbst in einen Löwen, eine Ameise etc., verwandeln kann. Manchmal erscheint auch nur das Herz des Unholds in dem Ei
für sich allein).« Zu diesem Märchentyp gibt es auch zwei Nebentypen: 302A
und 302B. Im ersteren wird der Held von seiner Stiefmutter in das Land des
Drachen geschickt; seine Stiefmutter ist eine Hexe. Der Junge entdeckt ihre
böse Absicht durch das Urias-Brief-Motiv. Er erfährt auf diese Weise auch den
Lebenssitz des Drachen, den er vernichtet. Der Lebenssitz befindet sich gewöhnlich im Körper von Bienen.

Im Nebentyp 302B verfolgt man die Abenteuer des Helden, dessen Leben von
seinem Schwert abhängt. Ein König des Nachbarlandes begehrt die Gattin des
jungen Helden und schickt eine Alte, sie ihm zu rauben. Die Alte stiehlt das
Schwert, zerstört es, nimmt die Frau mit und geht weg. Der Freund des Helden
erfährt, was jenem zugestoßen ist; gewöhnlich erfährt er es durch das Lebens-
zeichen. Er findet das Schwert und stellt es wieder her, so, daß es seine ursprüngliche Eigenschaft zurückerhält. Er erweckt den Helden zum Leben und
rettet dessen Frau (Mot. E142, E711.10). Zu diesen zwei Nebentypen hat
Thompson noch zwei weitere, sozusagen nationale Typen gestellt, einen griechischen mit der Nummer AT 302A* und einen isländischen: AT 302B*.

Uns interessiert hier der griechische Typ, dessen Inhalt Thompson sehr sum-
marisch wiedergibt: »Kampf mit wilden Tieren, in denen sich die Tauben mit
der außerkörperlichen Seele des Teufels befinden«, mit dem einzigen Verweis
auf Johann Georg v. Hahn, den ersten Herausgeber, schon im Jahre 1864, von
neugriechischen Märchen. Er war auch ein Anhänger der Lehre der Brüder
Grimm über die Herkunft der Märchen. Nun sind in Griechenland schon über
sechzig Varianten dieses Typs bekannt, so daß Megas eine ausführliche Zusammenfassung davon geben konnte (Laographia 25, 242): »Die Seele des
Mohren (oder des Teufels) in drei Tauben im Bauch einer wilden Sau. Ein tap-
ferer Bursche, wie im Typ AT 650, besiegt einen Drakos und wohnt in dessen

Turm zusammen mit der Prinzessin, die er darin antraf. Der Mohr aber besiegt ihn im Kampf und raubt ihm die Frau. Drachen, die den Burschen als ihnen überlegen anerkannt haben, erkennen an den Zeichen, die er ihnen hinterlassen hat, daß er gestorben ist. Sie machen sich auf den Weg, ihn aufzufinden. Sie erwecken ihn wieder zum Leben, und der Bursche erfährt von seiner Frau, wovon die ›Kraft‹ des Mohren abhängt. Er wird als Schäfer in den Dienst eines Popen aufgenommen und führt die Schafe dorthin, wo die wilde Sau grast. Während des Kampfes bekommt der Bursche Kraft durch Brot und Wein, die ihm die Tochter des Popen anbietet. So zerstückelt er die Sau und die Tauben in ihr. Zugleich aber zerplatzt auch der Mohr.« Megas fügt hinzu, der Typ sei oft mit den Typen AT 301B, 303, 304, 531, 552, 650, 667 verbunden.

Der Kenner der Varianten dieses Märchens ist von ihrer Übereinstimmung, die das wilde Tier betrifft, in dem die Tauben, das heißt die Seele des Teufels, wohnen, beeindruckt: es ist durchweg eine wilde Sau. So bildet der Kampf mit der Wildsau das Hauptmotiv dieses griechischen »Oikotyps«. Nur ein einziges Mal ist die Bestie zu einer lahmen Kuh geworden, aber dies meines Erachtens ganz zufällig. Megas hat also durchaus Recht, wenn er in seiner Zusammenfassung ausschließlich von einer Wildsau spricht.

Dagegen gibt es eine andere Ausnahme, die Megas noch nicht kannte. Sie befindet sich in einer Märchensammlung, die erst viel später veröffentlicht wurde (Kalliope Moussaiou-Boujioukou: Märchen aus Liwissi-Makri. Athen 1976. In griechischer Sprache). Diese Ausnahme ist, wie ich glaube, *nicht* zufällig. Es handelt sich um eine Variante aus dem südwestlichen Kleinasien, in der die Sau Wächter oder Herrscher eines *Ortes* ist, *an dem* sich die Tauben befinden. Der Sinn des Kampfes ist, daß der Herrscher dieses Ortes vernichtet und danach der Ort erobert werden muß, so daß man sich der Tauben bemächtigen kann.

Man könnte nun dahingehend argumentieren, die körperliche Trennung und Absonderung der Sau von den Tauben sei die Folge einer sekundären Rationalisierung des Erzählers, dem es unglaubwürdig schien, daß lebendige Tauben im Bauch eines Tieres hausen sollten. Nun ist allgemein bekannt, daß im Märchen sehr häufig solche rationalen Unstimmigkeiten auftauchen. Obwohl die Märchenerzähler mit Vergnügen die Rolle übernehmen, eine Welt des Traumes und des Wunders zu beschreiben, so versuchen sie doch aus der Gewohnheit des alltäglichen Denkens heraus, diese Traum- und Wunderwelt nach den Richtlinien der Logik zu korrigieren. In unserem Fall scheint mir ein solcher Denkprozeß aber nicht annehmbar; denn es gibt noch einen anderen Grundsatz, der meines Erachtens die Darstellung der Sau für sich allein, ohne ihre

Verschmelzung mit den Tauben, bestimmt hat: nämlich ihre Rolle als Herrin eines Ortes. Diese Rolle ist auch in einigen der Varianten zu erkennen, in denen die Sau die Tauben in sich trägt. Ich gebe ein Beispiel von der Insel Syra in der Ägäis: »Als Janni zum erstenmal mit den Schafen ausziehen wollte, da sagte ihm der Schäfer: ›Hör zu, was ich dir sage, damit du nicht zu Schaden kommst. Du darfst nicht jenseits jener Grenze weiden; denn dort haust eine Wildsau, die dich und die Schafe frißt.‹ ›Sehr wohl!‹ antwortete Janni, trieb jedoch seine Schafe geradewegs dorthin. Sobald ihn die Sau gewahr wurde, stürzte sie sich auf ihn und wollte ihn fressen. Da kämpften sie miteinander solange, bis sie vor Müdigkeit nicht mehr konnten, und dann setzten sie sich einander gegenüber, um auszuruhen...« Als Janni die Sau bei der dritten Runde tötet, scheint das Entnehmen der zwei Tauben aus ihrem Bauch unerwartet zu sein, da die Rolle der Sau als Wächter über den Ort ausgespielt ist. Doch: »Darauf schnitt er ihr vorsichtig den Bauch auf, nahm die beiden Tauben heraus und schlachtete die eine; in demselben Augenblick rief der halbe Mensch: ›Ach! Weh mir, mein halbes Leben ist weg! Der einen Taube muß etwas zugestoßen sein.‹ Die andere Taube aber nahm Janni mit sich und schlachtete sie vor dem halben Menschen, so daß dieser starb« (Johann Georg von Hahn: Griechische und albanesische Märchen, II. Leipzig 1918, 419). Es ist klar, daß diese Episode die eigentliche Bedeutung und den eigentlichen Sinn von Grenze und Landesherrschaft aufhebt, obwohl genau darum gekämpft worden ist.

So erscheint die wilde Sau in doppelter Gestalt: sie ist einerseits ein märchenhaftes Wesen, das in sich die lebendigen Tauben, die Seele des Drakos birgt, und ist andererseits Herrin und Hüterin eines Ortes, was sozusagen auch ihre wirkliche und geschichtliche Bedeutung ausmacht: denn Wildschweine sind, als Bedrohung der Ernte, eng mit dem Ackerbau verbunden. Deswegen hat man sie von jeher gejagt, und abenteuerliche Kämpfe mit ihnen spielen seit jeher als Heldentaten im Leben lokaler Heroen in der Mythologie vieler Völker eine Rolle. Daß das Wildschwein im Mythos und im Märchen als Herrin, beziehungsweise als Herr eines Ortes auftritt, den es vorher mit Gewalt unter seine Herrschaft gebracht oder verwüstet hat, ist weiter nicht verwunderlich. Es handelt sich da um eine sehr gängige Umkehrung der Motive im Märchen, wie auch im Leben: wer sich etwas aneignet und widerrechtlich in seine Gewalt bringt, was einem anderen gehört, tritt bald als Eigentümer und Beschützer des von ihm Geraubten auf.

Dieser doppeldeutige Charakter der Märchenwildsau läßt sich an der Variante aus Kleinasien am klarsten zeigen. An die Stelle des ungeheuerlichen Gegners des Helden tritt in dieser Variante der »Blinde«. Die Königstochter kann den Blinden dazu bewegen, ihr zu sagen, wo sich seine Kraft befindet: »Meine Kraft ist auf einem hohen Berg, in einer Höhle. Darin ist ein Käfig; der enthält drei Tauben: eine schwarze, eine rote und eine weiße. Die schwarze ist mein Zauber, die rote ist meine Kraft und die weiße ist mein Augenlicht. Niemand kann jedoch dorthin gehen, wo es sie gibt; denn da ist ein wildes Tier, wie eine Sau, und das bewacht den Ort. Deshalb kann niemand den Ort betreten.« Der Junge wollte hingehen, nachdem ihm die Königstochter alles mitgeteilt hatte, was ihr der Blinde gesagt hatte. Er begab sich in eine Stadt, um Arbeit zu suchen. Der Pope des Ortes fragte ihn: »Kannst du als Schäfer arbeiten?« Der Bursche antwortete: »Das ist genau meine Arbeit.« Da nahm ihn der Pope mit nach Hause und sagte zu ihm: »Morgen früh will ich dir neunzig Ziegen geben. Du kannst sie überall hinführen, wohin du willst; nur auf diesen Berg dort darfst du sie nicht hinaufführen!« In der Frühe gab ihm der Pope neunzig Ziegen, auf daß er sie hüte. Der Bursche zog geradewegs auf den Berg hinauf, wo jenes Wildtier hauste. Er vernahm ein fürchterliches Brüllen, das von der Spitze des Berges herunterkam. Da sah er auch die Sau, die ihn fragte: »Was suchst du hier, innerhalb meiner Grenze? Hier kann sich nicht einmal ein fliegender Vogel nähern.« Die Sau begann herunterzusteigen, während der Bursche sich gegen sie richtete. Sie wurden handgemein. Gegen Abend waren sie beide todmüde. Sie gingen auseinander. Die Sau ging weg; der Junge kehrte mit den Ziegen in die Stadt zurück. Als der Pope und seine Frau die Ziegen sahen, bestaunten sie sie und sagten zu sich: » Wo hat er sie nur weiden lassen?« »Morgen früh«, sagte der Pope, »will ich mitgehen, um herauszubekommen, wohin er die Ziegen geführt hat. Es kann sein, daß das wilde Tier verendet ist; und wir wissen es noch gar nicht!« Am nächsten Tag hat der Pope Gelegenheit, die Tapferkeit des Burschen zu bewundern, wie der die Sau beim dritten Kampf tötet. Dann wirft er das Tier hinab, setzt seinen Fuß auf eine Klaue der Sau, reißt an der anderen, so daß er sie mitten entzweireißt, wie eine Henne. Den einen Teil wirft er nach Osten, den anderen nach Westen. Dann holt er die Ziegen wieder zusammen und übergibt sie dem Popen. Er selbst geht in die Höhle und findet den Käfig mit den Tauben. Er wird sie eine nach der anderen töten, was nach und nach auch die Vernichtung des Blinden mit sich bringt. Diese Variante aus Kleinasien scheint mir besonders wichtig, weil sie den Anfang eines Verschmelzungsprozesses zeigt, in dem zwei ursprünglich voneinander unabhängige Motive kontaminiert, zusammengezogen, werden: der Kampf mit dem wilden Tier und die Existenz der außerkörperlichen Seele. Letzteres ist nicht nur ein Motiv, sondern war der weitverbreitete Glaube eines archaischen Denkens; Frazer gibt dazu mehrere Beispiele. Seitdem aber dieses Thema der »external soul« auch im Kunstmärchen, in dem eigene ästhetische Regeln, vor allem die der Steigerung und Intensivierung der Handlung, gelten, Karriere gemacht hat, wurde die außerkörperliche Seele zur »soul hidden in a series of coverings« (Mot. E715). Ein solches unnatürliches und gekonntes Sichzurückziehen der außerkörperlichen Seele in das Innere mehrerer Körper bringt zum Beispiel ein serbisches Märchen (Wuk, Nr. 9), in dem »eine Alte, die der Drache gefangenhält, auf Anstiften des Helden dem Drachen seine Stärke abfragt. Der Drache, nachdem er sie mehrmals geneckt, sagt ihr endlich die Wahrheit: daß in einem fernen See ein Drache lebe, in dem ein Eber, in diesem ein Hase, in diesem eine Taube, in dieser ein Sperling und in diesem seine Kraft seien...« (Hahn, 447). Das Interessante ist, daß auch hier der Held sich beim Kaiser als Schäfer verdingt, gegen die Warnung des Kaisers die Schafe am See weidet und den Drachen zum Zweikampf fordert. Die Zwischengeschichte mit dem Kampf ist der der griechischen Variante ziemlich ähnlich, unterscheidet sich jedoch von der kleinasiatischen Variante in den oben besprochenen Punkten.

Als das Thema der »external soul«, zum Motiv geworden, begann, künstlerisch verfügbar zu werden, wurde es im griechischen Oikotyp in das fruchtbare Feld versetzt, das die wilde Sau besitzt und in dem sie grast. Diese stabile und in so großem Umfang verwirklichte Vereinigung oder besser Verschmelzung der zwei Grundzüge, wobei der Träger der Taubenseele immer eine wilde Sau ist, setzt übrigens eine ziemlich alte Tradition des Saumotivs voraus.

Und so ist es: dieses Motiv findet sich schon in der altgriechischen Mythologie. Ich beschränke mich hier auf ein Beispiel, das ich den Vitae des Plutarch entnehme, und zwar dem Abenteuerkreis des Theseus. Theseus ging von der Peloponnes nach Athen, um der Stadt eine organisierte und mehrere Bevölkerungsschichten einbeziehende Staatsform zu geben. Unterwegs nach Athen vollbrachte er eine Reihe von Heldentaten, unter anderen die der Bekämpfung der wilden Sau. Plutarch schreibt: »Die Sau aus Krommyon, die man auch die Graue nannte, war kein verderbtes Tier, sondern kriegerisch und schwer zu bekämpfen. Dieses Tier vernichtete er nebenbei im Kampf, damit es nicht so aussah, als tue er alles nur erzwungen (von den Räubern). Außerdem glaubte er, daß der tugendhafte Mann Verbrecher nur von sich abwehren, die tapfere und kräftige Bestie dagegen als erster angreifen und sich mit ihr auf einen Kampf einlassen muß. Einige sagen, die von Theseus getötete Graue sei eine mörderische und sittenlose Räuberin gewesen, welche sich in Krommyon aufhielt, und man habe sie Sau genannt besonders wegen ihres ausgelassenen Lebens« (cap.9). Beiläufig weise ich auf die Tatsache hin, daß auch die von Plutarch erwähnte Sau doppeldeutig erscheint, erst als Räuber und dann als Wächter einer Gegend, und das hat sie mit der neugriechischen Sau gemeinsam. Zweideutig ist sie auch als geschichtliche Existenz: eine Räuberin, die man wegen ihrer Sittenlosigkeit Sau nannte. Letzteres kann für den fast mythischen Zeitraum, in dem Theseus gelebt zu haben scheint, einen Hinweis auf mutterrechtliche Zustände bilden. Dafür gibt es mehrere Belege, besonders aus Kleinasien und der Ägäis (Johannes Toepffer: Amazonen. RE, I, 2, Sp. 1754). In diesem Zusammenhang ist es vielleicht nicht uninteressant zu erwähnen, daß die meisten Varianten von AT 302A* aus der Ägäis stammen und daß auch diese neugriechische Wildsau in hohem Grade vermenschlicht erscheint, und zwar im wesentlichen Teil der ganzen Begebenheit, nämlich im Zwiegespräch zwischen Wildsau und Burschen. Jedesmal, wenn die vom Kampf erschöpften Gegner auseinandergehen, um sich auszuruhen, findet folgendes, nur in Feinheiten abgewandeltes Zwiegespräch statt: »Höre, Janni, wenn ich einen recht fetten Sumpf hier hätte und mich darin wälzen könnte, so wollte ich nicht Wildsau heißen, wenn ich dich dann nicht fräße!« Und jener sprach darauf: »Wenn ich einen warmen Laib Brot und eine Flasche Wein hätte und beides verzehren könnte, so wollte ich nicht Janni heißen, wenn ich dich dann nicht totschlüge!« Darauf gingen sie für diesmal auseinander (Hahn, 420). In vollständigeren Varianten will auch die Wildsau etwas fressen, während der Junge darüberhinaus noch erotische Wünsche ausspricht: »Wenn ich mich in einem Sumpf wälzen und drei Rohrwurzeln kauen könnte, dann würde ich dich schnell in vier Stücke zerrissen haben!« Der Jüngling aber erwiderte: »Wenn ich meiner Frau drei Küsse geben könnte und drei Zwiebäcke zu essen und drei Schluck Wein zu trinken hätte, so solltest du bald verendet sein!« (Hahn, 444). Und anderswo der Bursche: »Wenn ich die Tochter des Popen hätte, daß sie mir Zwiebäcke gäbe und ich sie zweimal küßte...« (Boujioukou, 253), und noch kühner: »Es möge sein, daß ich die Königstochter nackt am Oberkörper sähe...« (aus Kleinasien). Schließlich bleibt zu bemerken, daß die Sau auch im modernen griechischen Schimpfregister die bösartige und gemeine Frau bedeutet. Also könnte man eventuell auch einen menschlichen Bereich als verbindenden Grundzug zwischen der altgriechischen und der neugriechischen Märchenwildsau ansprechen.

Was die ursprüngliche Selbständigkeit des Saumotivs, ohne das Zusammenvorkommen mit der Tauben-Seele, anbetrifft, so lassen sich noch weitere Zeugnisse beibringen, zum Beispiel aus dem Märchen vom Starken Hans

69

(KHM 90 u. 166). Ich führe den Text eines ebenfalls von der Insel Syra stammenden Märchens an (Hahn, 23): »In dieser Gegend lebte aber auch ein Schäfer, und eines Tages, kurz vor Ostern, gingen ihm seine Lämmer durch und liefen bis auf das Feld, wo der Turm stand und wo das Gras am fettesten war. Als das der Schäfer sah, geriet er in große Angst, weil er fürchtete, daß sie der Drakos gewahr würde und sowohl die Lämmer als ihn selbst fressen könnte. Er lief also von Versteck zu Versteck und lockte die Lämmer; aber sie hörten nicht und grasten bis zum Turme. Als der Hans den Hirten gewahr wurde, stieg er vom Turm und rief ihm zu: ›Fürchte dich nicht, denn der Drakos ist erschlagen; du kannst nun ruhig auf dem Felde weiden, doch mußt du mir dafür täglich Milch und Butter bringen.‹« Der Kampf des Helden mit dem Drakos und dessen Bekämpfung war ja vorangegangen. Es sei hinzugefügt, daß dieser Zweikampf für dieses Märchen typisch ist und daß die Ausstattung rund um den Drakosturm der des griechischen Oikotyps AT 302A* gleicht.

An den letzten Worten des Starken Hans können wir auch den Sinn des Zwiegesprächs zwischen Sau und Jüngling und, noch deutlicher, den Sinn des Angebots des Popen an den Helden verdeutlichen: der Held fordert eine Belohnung für die Überwältigung der Bestie von Seiten jener, die von dieser Tat Nutzen haben werden, und das sind die Ackerbauern, die im griechischen Oikotyp 302A* durch den Popen, das heißt durch eine führende Persönlichkeit der Gemeinschaft, vertreten werden: der Pope beobachtet die Kampfszene heimlich und erfährt so das vom Burschen dringend Benötigte. Das gibt er ihm auch, so daß dieser seine Heldentat vollbringen kann, und den Nachbarn die fettesten Felder wieder zugänglich werden. Sowohl im Märchen vom Starken Hans als auch im griechischen Märchen von der Wildsau ist der landwirtschaftliche Hintergrund des Geschehens offenbar, das heißt eine seßhafte Akkerbauwirtschaft, in die eine sekundäre, gebietsweise begrenzte Wirtschaftsform von wandernden Viehzüchtern eingelagert ist.

Ich gebe nun auch die einschlägige Textstelle aus dem Grimmschen Märchen vom Starken Hans wieder: »Am anderen Morgen ging Hans hinab in den Garten, der war ganz verwildert und stand voller Dörner und Gebüsch. Und wie er so herumging, sprang ein Wildschwein auf ihn los; er gab ihm aber mit seinem Stab einen Schlag, daß es gleich niederfiel. Dann nahm er es auf die Schulter und brachte es hinauf; da steckten sie es an einen Spieß, machten sich einen Braten zurecht und waren guter Dinge.« Wie Hahn bemerkt, bietet ebenfalls J. W. Wolf (Deutsche Hausmärchen, Stuttgart. 1851, 269) Anklänge an das Schäfertum des Starken Hans und seinen Saukampf, indem der Held als Schäfer gegen das Verbot seines Herrn die Schafe auf die Weide der Riesen treibt und diese erschlägt (Hahn, 448). Der beharrliche Ersatz der Drachen, Riesen, etc. durch die Wildsau im griechischen Oikotyp zeigt, daß letzterer die tatsächliche, ursprüngliche Bedeutung der Begebenheit auffallend gut bewahrt hat.

Zum Schluß möchte ich noch einen Schritt weitergehen. Man hat den Starken Hans sehr früh in Zusammenhang mit Herakles gebracht. So schreibt zum Beispiel Hahn, dessen leidenschaftliche Neigung, die Themen der neugriechischen Märchen auf die altgriechischen Mythen zurückzuführen, nicht ganz unberechtigt gewesen zu sein scheint, auf Seite 446 folgendes: »Den zahlreichen Varianten zufolge gehört das Märchen vom Starken Hans zu den allerverbreitetsten. Die starke Gestalt des griechischen Märchenkreises entspricht dem hellenischen Herakles und germanischen Tor-Siegfried insofern, als sie, gleich jenen, der siegreiche Bekämpfer der Riesen und Ungetüme und meist ein ebenso großer Esser und Trinker ist.«

Für jeden aber, der die altgriechische Mythologie einigermaßen kennt, ist Theseus das zweite Gesicht des Herakles. Dies läßt sich auch an der Theseus-Vita des Plutarch nachweisen. Wie ich an anderer Stelle angeführt habe, läuft diese Beziehung Theseus-Herakles durch die ganze Heldenvita wie ein Leitmotiv hindurch, eine symbolische und zweideutige »Konkurrenz« der beiden großen Gestalten, die die zukünftigen Zusammenstöße der beiden von ihnen gegründeten großen Staaten gleichsam schon vorwegnimmt. Darüberhinaus ist die enge Beziehung von Ideologie, Themen und Motiven zwischen Theseus- und Heraklesmythos offenkundig und klar ersichtlich.

Doch fassen wir zusammen: das Motiv des Kampfes mit der wilden Sau findet man im griechischen Oikotyp AT 302A* mit dem Motiv der »external soul« verschmolzen, mit Ausnahme einer Variante, in der die beiden Motive nacheinander vorkommen. Zuerst erschlägt der Held die Bestie, dann erst tötet er die Tauben, die nicht im Bauch der Wildsau, sondern an einem von ihr bewachten Ort zu finden sind. Diese Variante hat den ursprünglichen Zustand vor dem Zusammenschluß der beiden Motive bewahrt und hat uns dazu geführt, den Kampf des Helden mit der Wildsau als ein selbständiges Motiv zu untersuchen. Wir konnten es einerseits im alten Mythos von Theseus und andererseits im Märchen vom Starken Hans aufspüren. Weiter haben wir gesehen, daß man sehr früh schon dieses Märchen in einen Zusammenhang mit dem Heraklesmythos gebracht hat. Herakles ist aber das alter ego des Theseus und hatte ebenfalls mit einem gewaltigen Wildschwein zu kämpfen: hat er doch den Eber aus Erymanthos verjagt und ihn dann sogar lebendig gefangen.

Das Motiv des Kampfes mit der wilden Sau, das wir bald selbständig, bald mit dem Motiv der außerkörperlichen Seele verschmolzen, bald in märchenhafter, bald in sachlicher, wirklichkeitsnaher Darstellung und Begründung angetroffen haben, führt eine bemerkenswerte zeitliche Kreisbewegung aus, die, wie es scheint, nicht zufällig ist. Sollen wir noch einmal wieder über das »Wunder« der Kontinuität, der ununterbrochenen Überlieferung sprechen? In solchen Fällen vermeide ich es gewöhnlich, die wunderbare Seite dieser Beständigkeit und Fortdauer zu betonen. Diese Kontinuität aber existiert, um eine des öfteren bestrittene ethnologische Einheit der Griechen durch die Jahrhunderte zu bestätigen, die vor allem auf die Tatsache zurückzuführen ist, daß grundsätzliche soziale und ökonomische Strukturen jahrhundertelang unverändert geblieben sind; wie eben auch die ethnologischen Grundlagen, trotz des wiederholten Hereindringens vieler Völker in den griechischen Raum, unverändert geblieben sind.

Konstantinos Tsangalas

DAS ORPHEUS- UND ARIONMOTIV IM ANTIKEN MYTHOS UND IN EINEM NEUGRIECHISCHEN MÄRCHEN

Das Motiv von der Musik, die wilde Tiere zähmt, so daß sie dem Musiker willig dienen, finden wir zuerst im altgriechischen Mythos. Der erste antike Tierzauberer ist Orpheus; es wird aber auch ein zweiter erwähnt, und zwar der berühmte Arion von Methymna auf Lesbos, eine historische, jedoch legendär gewordene Gestalt. Orpheus war nicht nur ein Meister der Magie und ein großer Weiser, sondern auch ein so tüchtiger Musiker, daß er mit seinem Gesang und Saitenspiel Pflanzen und Tiere bezaubern konnte. Tiere, darunter auch Vögel und Fische, sammelten sich um ihn, um ihm zu lauschen; und die wilden Tiere wurden zahm und lagen neben dem Herdenvieh. Selbst Kerberos, den dreiköpfigen Höllenhund, hat Orpheus mit seiner Musik besänftigt und die Erinnyen zu Tränen gerührt. Über den Sänger und Musiker Arion, der um 600 v. Chr. gelebt hat, wird uns von Herodot, aber auch von Plutarch, Ovid, Aelian und Lukian die folgende Sage überliefert: Arion war in Italien als Dichter und Sänger ein reicher Mann geworden. Auf der Rückfahrt von Tarent nach Korinth aber wurde er von den Matrosen des Schiffes wegen seines Geldes überfallen. Er bat, ihn doch noch einmal freizulassen, um ein letztes Lied zu singen. Die Matrosen erfüllten seine Bitte, und Arion sang und spielte sein Abschiedslied. Danach sprang er plötzlich über Bord und wurde von einem Delphin, beziehungsweise abwechselnd von mehreren Delphinen, die herbeigeschwommen waren, um seiner Musik zu lauschen, auf ihren Rücken sicher nach Tainaron, dem südlichsten Kap der Peloponnes, getragen. Die Matrosen wurden von Periandros, dem Tyrannen von Korinth, der inzwischen von Arion von dem Überfall erfahren hatte, bestraft. Der musikliebende Delphin wurde unter die Sterne versetzt[1] und ist als Sternbild am nördlichen Himmel zu sehen. Herodot erwähnt im 1. Buch seiner »Geschichten« (1.24), daß es noch zu seiner Zeit ein Kupferstandbildchen in Tainaron gab, welches Arion auf einem Delphin reitend darstellte.

Albin Lesky glaubt sogar, daß sich die oben erwähnte Sage aus diesem von Herodot bezeugten Bildwerk entwickelt haben könnte[2]. Jedoch davon unabhängig sollte man die Sage, meiner Ansicht nach, als eine weiterentwickelte Form des Mythenmotivs von Orpheus und seiner zauberhaften Musik betrachten.

Wie dem auch sei, sicher ist, daß das erwähnte Motiv von Orpheus und die Sage von Arion gemeinsam in neugriechischen Märchen zu finden sind; und zwar in einem sehr interessanten und vielleicht bis heute den Märchenforschern noch nicht bekannten Märchen, dem Erotokritosmärchen. Dies Märchen ist aus der Handlung des Erotokritosgedichtes entstanden. Dies Erzählgedicht von 10052 Versen, eines der bedeutendsten Werke der neugriechischen Literatur, hat der kretische Dichter Bitzentzos Kornaros ungefähr um 1645 auf Kreta geschaffen.[3] Es hat zum Thema die Liebesgeschichte von Erotokritos und Aretusa. Kornaros hatte als Vorbild für dieses Gedicht den damals sehr verbreiteten französischen Ritterroman des späteren Mittelalters »Paris et Vienne«[4]. Nikólaos Politis jedoch, der Vater der griechischen Volkskunde, hatte schon früher bemerkt, daß Kornaros im letzten Teil seines Erotokritosgedichtes Episoden aus einem bestimmten Märchen mit dem Titel »Kassides« (Der Grindkopf) verwendet hatte[5], dessen Varianten in Finnland, Italien, Rumänien, bei den slawischen und manchen anderen Völkern bekannt sind[6]. Der griechische Byzantinist Emmanuel Kriaras hat später mehrere Episoden des Erotokritosgedichtes in einem anderen Märchen mit dem Titel »Tsiftsóglu« aus Ainos in Ost-Thrazien und in einem dritten Märchen aus Chanià auf Kreta gefunden[7]. Kornaros also hatte in seinem Erotokritosgedicht Volksmärchenmotive seiner Zeit verwendet. Das Gedicht ähnelt aber nicht nur einem in Versen geschriebenen Märchen, sondern auch, besonders in seinen politischen (fünfzehnsilbigen) Versen, dem echten erzählenden Volkslied. Wegen der reizenden Liebesgeschichte, der Ähnlichkeit mit dem Märchen und dem Volkslied und aus anderen Gründen wurde das Erotokritosgedicht als Volksbuch in vielen Volksausgaben, besonders auf den Inseln, aber auch an manchen Orten des Festlandes, sehr verbreitet. Nach der ersten (1713) und der zweiten (1737) Ausgabe in Venedig folgten mehrere Volksausgaben in Venedig und in Athen, so daß »Erotokritos« ein beliebtes Lesestück der einfachen Leute wurde. Unter dem Titel »Neuer Erotokritos«, 1815 in Wien gedruckt, ist es auch außerhalb Griechenlands, besonders in Rumänien, sehr bekanntgeworden. Das lange Erzählgedicht wurde von den einfachen Leuten nicht nur gelesen, sondern größtenteils auch auswendig gelernt und als Volkslied gesungen. Man sang es nicht nur auf Kreta, wo es mit einer Melodie aus der kretischen Volksliedtradition versehen unter Begleitung der Lyra, Kretas Volksmusikinstrument, gesungen wurde, sondern auch auf anderen Inseln, wie zum Beispiel auf Naxos. Das Erotokritosgedicht ist, besonders auf den Inseln, ein so beliebter Volkslesestoff geworden, daß man auf den Kykladen und anderswo Kindern auch den Taufnamen Erotokritos gab. Es ist also nicht zu verwundern, daß ein unbekannter, befähigter Märchenerzähler aus der Handlung dieses Erzählgedichtes eine Volkserzählung, ja ein Märchen mit allen charakteristischen Merkmalen des echten Volksmärchens geschaffen hat. Es handelt sich freilich um einen Fall von »gesunkenem Kulturgut«.

Im Erotokritosmärchen gibt es viele Episoden aus der Handlung des erwähnten Erotokritosgedichtes, aber auch viele andere Episoden, Märchen- und Mythenmotive, die in der Handlung des Gedichtes nicht zu finden sind. Dies Märchen ist sehr interessant sowohl für die Philologen und die Erforscher der neugriechischen Literatur als auch für die Märchen- und Erzählforscher. Der Märchenerzähler, der aus dem Inhalt des Erotokritosgedichtes die erste Fassung des Erotokritosmärchens gebildet hat, muß natürlich das Gedicht entweder gelesen haben, wenn er lesen konnte, oder einem anderen Leser des Gedichtes zugehört oder zumindest eine ausführliche Zusammenfassung der Handlung des Gedichtes gehört haben. Wahrscheinlich wurde die erste Fassung des Märchens bei seiner mündlichen Überlieferung allmählich verändert, so daß wir doch mit mehreren Märchenerzählern rechnen können, die mehr oder weniger und in verschiedenen Zeiten zur endgültigen Fassung des Erotokritosmärchens beigetragen haben. Jedenfalls ist es für die Erzählforschung recht reizvoll, wie der unbekannte Märchenerzähler, oder besser gesagt der Märchenschaffer, weil nicht jeder Märchenerzähler neue Märchen schafft, das Erotokritosmärchen aufgebaut hat. Er hat Orts- und Personennamen und Zeitangaben, aber auch Elemente und Episoden des Gedichtes, die dem Zeitgeist fremd waren, ausgelassen und Motive und Episoden aus überlieferten Mythen und Märchen hinzugefügt und so ein lebendiges echtes Märchen geschaffen. Ich hatte das Glück, dies Märchen vor vielen Jahren zu entdecken und aufzunehmen.

In meiner Kindheit hörte ich oftmals das Erotokritosmärchen in meiner Heimat Palamas Karditsa in West-Thessalien, und zwar von einem Märchenerzähler, der über ein großes Repertoire an Märchen und anderen Erzählungen verfügte. Er hatte aber nicht die geringste Ahnung von der Existenz des Erotokritosgedichtes.Davon hatte auch ich damals noch keine Ahnung. Von diesem Gedicht habe ich erstmals im Gymnasium gehört, und später als Student habe ich es ganz gelesen. So stellte ich fest, daß es eine enge Beziehung, viele Ähnlichkeiten, aber auch große Unterschiede zwischen dem Gedicht und der Märchenfassung gibt. Das Erotokritosmärchen habe ich zweimal zu verschiedenen Zeiten von dem oben erwähnten Märchenerzähler aufschreiben lassen und später wieder zweimal von ihm auf Tonband aufgenommen. Ich habe feststellen können, wie das Märchen bis zu diesem Märchenerzähler gelangt ist. Mein Vater, er war der Märchenerzähler, hatte das Märchen in demselben Dorf Palamas von einem anderen Märchenerzähler namens Charalampos Mawros im Jahre 1935 gehört. Dieser Mawros, der auch keine Ahnung vom Erotokritosgedicht hatte, sagte, er habe das Märchen vor dem Jahre 1922 von einem Soldaten beim Militär gehört. Das Militär spielte ja eine bedeutende Rolle in der Verbreitung von Märchen und Liedern, weil die Soldaten aus ganz Griechenland zusammenkamen und dort neue Lieder und Märchen hörten, die sie dann in ihre Heimatorte mitnahmen. Noch weiter zurück verlieren wir jedoch die Spuren unseres Erotokritosmärchens.

Es ist höchst bedauerlich und wundert uns freilich, warum andere Märchenforscher und Märchensammler dieses reizvolle Märchen nicht oder noch nicht registriert haben. Ich glaube, der Grund liegt darin, daß eine große Anzahl von Märchen in Griechenland, zumindest in der Vergangenheit, während der Blütezeit des Märchens, nicht von Fachleuten, sondern von Volks- und Mittelschullehrern und von Studenten aufgezeichnet wurden[8], die vielleicht deshalb das Erotokritosmärchen nicht aufgezeichnet haben, weil sie glaubten, es sei kein Märchen, sondern nur eine gewöhnliche Erzählung, die die Handlung des bekannten Erotokritosgedichtes wiedergibt. Solche Erzählungen aber, welche als »gesunkenes Kulturgut« aus der Handlung irgendeines Werkes der Hochliteratur entstanden sind und bei ihrer mündlichen Verbreitung mit allen charakteristischen Merkmalen des Volksmärchens versehen wurden, sind meiner Meinung nach gerade darum noch interessanter und sollten auch als Märchen betrachtet und erforscht werden. Die Märchenforscher sollten sich auch mit den Wechselbeziehungen zwischen Hochliteratur und Volkserzählung deswegen beschäftigen, weil hinter diesen Wechselbeziehungen immer der erzählende und schöpferische Mensch zu finden ist. Der Mensch aber sollte im Mittelpunkt aller volkskundlichen Forschung stehen.

Im Rahmen dieses Buches werde ich freilich nur eine Episode aus dem Erotokritosmärchen auswählen und behandeln, und zwar jene, die das oben erwähnte Motiv aus dem Orpheusmythos wie auch aus der Sage von Arion widerspiegelt:

Nachdem Erotokritos, der Held des Märchens, tagelang hungrig und durstig in einer endlosen Wüste umhergeirrt war und sich verlaufen hatte, brach er erschöpft zusammen und war bereit zu sterben. In diesem Augenblick fiel es ihm ein, vor seinem Tode ein letztes Lied auf der Geige über seine Liebe zu spielen. Er spielte aber so schön, daß sich nach kurzer Zeit riesige Schlangen, Krokodile, Löwen und andere wilde Tiere um ihn scharten, sich setzten und die Ohren spitzten, um seiner berückenden Musik zu lauschen. Zwei riesige Schlangen, so dick wie ein Baumstamm und vierzig Meter lang, schlichen sich sogar bis zu ihm heran und legten sich zu seinen Füßen. Erotokritos berührte sie prüfend, strich mit der Hand über ihre Rücken; aber wunderbarerweise wurden sie nicht böse und griffen ihn nicht an. So kam er darauf, daß die wilden Tiere von seiner Musik zahm geworden waren und ihn retten wollten. Also lud er seine Sachen auf den Rücken der ersten Schlange und setzte sich wie ein Reiter auf die zweite. Die Schlangen fingen an zu kriechen, zuerst langsam, bis sich ihr Reiter an ein solch sonderbares Reiten gewöhnt hatte. Dann aber wurden sie schneller und schneller und rasten dahin, während die anderen Tiere folgten. Die Schlangen trugen den erschöpften und halbtoten Erotokritos bis zu einem Wald. Neben einer Wasserquelle im Schatten der Bäume legten sie ihn hin, und so haben sie ihn vor dem sicheren Tode gerettet. Die Schlangen und die anderen Tiere sind dann im Urwald verschwunden. Jedesmal aber, wenn Erotokritos auf seiner Geige spielte, um seine Traurigkeit wegen der Trennung von seiner geliebten Aretusa zu vergessen, sammelten sich alle wilden Tiere aus dem Urwald, setzten sich zu seinen Füßen und lauschten seiner wunderbaren Musik. So ist Erotokritos König des Urwalds und der Tiere geworden...

Dieser Episode nach zähmt Erotokritos durch seine Musik die wilden Tiere, wie Orpheus. Erotokritos ist sich jedoch zuerst der wunderbaren Kraft seiner Musik gar nicht bewußt, sondern er entdeckt sie später zufällig. Diese Kraft hat nichts mit Zauberei, sondern mit dem außergewöhnlich schönen Geigen-spiel von Erotokritos zu tun. Die sprichwörtliche Redensart: »Er kann mit sei-ner Geige vom Tode erwecken«, die man noch heute als bewußte Übertrei-bung auf irgendeinen sehr tüchtigen Musiker anwendet, gebraucht auch der Märchenerzähler für dieses Märchen und meint damit Erotokritos, ohne an den Wirklichkeitsgehalt dieser Redensart oder an irgendeine magische Kraft zu denken. Das Motiv der Erweckung eines Toten zum Leben durch die Musik finden wir freilich in vielen Fassungen des Märchens vom »Unibos« (BP II. 6). In diesem Märchen tötet der Bauer seine Frau und erweckt sie wieder zum Le-ben durch Musik. Leopold Schmidt bemerkte, daß es sich hier um keine wirk-lich magische Heilung handelt, man möchte vielmehr dabei von einer Parodie der Musik-Magie sprechen[9]. Wie dem auch sei, der Ritt des Märchenhelden Erotokritos auf den von seiner Musik gezähmten riesigen Schlangen und seine Rettung erinnern eher an die Sage von Arion als an den Mythos von Orpheus. Man kann allerdings an dieser Stelle zwei Motive auseinanderhalten: erstens die Versammlung und Zähmung wilder Tiere durch wunderbare Musik[10] und zweitens den Ritt des Musikers auf den von seiner Musik gezähmten Tieren und seine Rettung. Das zweite Motiv ist wohl eine Weiterentwicklung des er-sten, so wie die Sage von Arion eine Weiterentwicklung des Motivs der zauber-haften Musik aus dem Mythos von Orpheus ist. Es gibt allerdings ein sehr be-kanntes und in vielen Ländern verbreitetes Märchenmotiv, nach dem ein Mensch auf dem Rücken eines ungewöhnlichen Reittieres, eines Lammes, Ad-lers, Fisches usw. in Sicherheit getragen und gerettet wird[11]. Dies Motiv erin-nert an den Mythos von Phrixos und Helle. Die beiden Geschwister waren nach dem Mythos Kinder des Königs von Theben. Ein goldhaariger Widder sollte sie vor ihrer bösen Stiefmutter retten und durch die Luft nach Kolchis tragen. Helle stürzte über den Dardanellen ins Meer, das seitdem nach ihr »Hellespontos« genannt wird. Bei solchen Motiven von ungewöhnlichen Reit-tieren ist jedoch nicht die Rede von zähmender Musik, sondern nur von Tie-ren, die einen Menschen aus anderen Gründen, wie zum Beispiel aus Dankbar-keit, auf ihren Rücken nehmen und retten. Im Erotokritosmärchen finden wir aber eine Kombination beider oben genannten Motive. Rose bemerkt in seiner »Griechischen Mythologie« (297): »In Erzählungen des Typus KHM 110 (Der Jude im Dorn) kommt der Held in den Besitz eines Bogens oder Ge-wehrs, die nie ihr Ziel verfehlen, sowie einer Fiedel oder eines anderen Musik-instruments, das jeden tanzen läßt, der es hört. Die erstere Form erinnert an die Geschichte des Kephalos, die zweite nicht nur an Orpheus und Amphion, sondern auch an Arion.« Nach einem Märchen aus meiner unveröffentlichten

Märchensammlung müssen Schweine wie auch deren Besitzer, ein Pfarrer, bis zur Erschöpfung tanzen, solange der Schweinehirt auf seiner Hirtenflöte spielt. Meiner Ansicht nach hat jedoch das Märchenmotiv von dem zauberischen Musikinstrument, das durch seinen Klang Menschen und Tiere zum Tanzen zwingt[12], weniger mit dem Orpheus- und Arionmotiv zu tun. Eine engere Verwandtschaft zu diesem Motiv, ja eine Abstammung davon, weist die oben erzählte Episode aus dem Erotokritosmärchen auf, welches trotz seiner Herkunft aus dem Stoff eines neugriechischen Gedichtes auch altgriechische Mythen- und Sagenmotive enthält, die in dem Gedicht selbst nicht zu finden sind.

Ich habe zuvor erwähnt, daß ich das Erotokritosmärchen von demselben Erzähler zweimal (1963 und 1964) habe aufschreiben lassen und daß ich es wieder zweimal (1973 und 1975) auf Band aufgenommen habe. In der letzten Aufnahme finden wir aber eine merkwürdige Episode, die in meinen früheren Aufnahmen oder Aufzeichnungen nicht zu finden ist. Diese Episode hat mit unserem Arionmotiv eine enge Beziehung. Da Erotokritos innerhalb von vierundzwanzig Stunden ins Exil gehen mußte: »setzte er sich auf ein von ihm selbst angefertigtes Floß und ließ sich von den riesigen Wellen des Meeres tragen, ohne zu wissen, ob er überhaupt einen Hafen werde finden können. Enttäuscht, erschöpft und mit letzter Kraft spielte er auf seiner Geige eine traurige Melodie. Während er aber spielte, schwammen große Fische, Delphine, herbei, um seiner Musik zu lauschen. Sie stießen und schoben sein Floß, bis Erotokritos schließlich das Festland erreichte«. Für uns stellt sich nun die Frage: hat der Märchenerzähler bei allen früheren Aufnahmen und Aufzeichnungen vergessen, diese Episode zu erzählen, oder hat er sie nur bei der letzten Aufnahme frisch erfunden und sie ins Märchen eingefügt? Der Märchenerzähler selbst, mit dem ich kürzlich darüber sprach, kann diese Frage nicht mehr beantworten. Seine Antwort war: beides sei möglich. Es sei inzwischen soviel Zeit vergangen, daß er sich nicht mehr daran erinnern könne, ob er diese Episode von dem anderen Märchenerzähler gehört oder ob er selbst sie erfunden habe. Er sei aber sicher, daß er die Episode von der Zähmung der Schlangen, von dem Ritt des Helden auf ihren Rücken, und so weiter, von dem anderen Märchenerzähler gehört habe, der nur die ersten zwei bis drei Volksschulklassen besucht habe. Jedenfalls könne sich ein Märchenerzähler frei bewegen und einige Märchenepisoden auslassen und andere hinzufügen, weil er der aphentis, der Herr des Märchens sei. Nach weiteren Fragen und Gesprächen bin ich aber daraufgekommen, daß dieser Märchenerzähler irgendwann in den letzten Volksschulklassen von der Arionsage gehört hatte. Er erinnerte sich jedoch nicht an den Namen von Arion und konnte die Sage nicht fehler- und lückenlos erzählen. Also müssen wir doch mit dem Einfluß auch der schriftlichen Überlieferung, beziehungsweise mit einem unbewußten Einfluß von der Schule her auf den Märchenerzähler rechnen. Ich glaube, daß vielleicht auch halbvergessene Erinnerungen und ins Unterbewußtsein verdrängte Vorstellungen beim Erzählen eine Rolle spielen und daß die Episode von den Delphinen doch vom Schulunterricht herstammt. Die Zähmung der Schlangen und der Ritt des Helden auf ihren Rücken aber sind wohl Mythen- und Märchenmotive, die sowohl der schriftlichen als auch der mündlichen Überlieferung angehören können. Sie sind entweder aus der einen oder aus der anderen von diesen Quellen in das Erotokritosmärchen eingeführt worden.

Abschließend können wir sagen, daß es eine gewisse Wechselwirkung, einen Austausch zwischen der mündlichen und der schriftlichen Überlieferung, zwischen dem Volksmärchen und der hohen Literatur, gibt. In dieser Richtung sollten wir weiterforschen. Schriftsteller und Dichter verwenden oft Mythen-, Sagen- und Märchenmotive in ihren Werken. Motive daraus gelangen wieder in die Volksmärchen zurück, verändern sie oder lassen neue Märchen entstehen. Jedenfalls kann der Stoff eines Märchens aus verschiedenen Quellen herkommen, weil es einem schöpferischen Märchenerzähler ziemlich gleichgültig ist, aus welcher Quelle er die Motive und Episoden für seine Märchen schöpft. Hauptsache ist für ihn das Erzählen!

Detlev Fehling
DIE ALTEN LITERATUREN ALS QUELLE DER NEUZEITLICHEN MÄRCHEN

Wenn die Märchen diskutiert werden, sollte man stets zweierlei gut trennen: die Märchen selbst, und die Theorie (zu Zeiten hat sie an Ideologie gegrenzt), die die Märchen seit den Brüdern Grimm begleitet. Diese Theorie besagt, daß die Märchen einer besonderen Volkskultur angehören (daher: Volksmärchen), daß diese Volkskultur vor der literarischen Kultur besondere Vorzüge besitze, endlich, daß die Märchen seit uralten Zeiten mündlich überliefert worden seien. Ich pflege diesen Komplex von Vorstellungen die romantische Märchentheorie zu nennen, denn sie ist in der Tat ein Kind der Romantik des vorigen Jahrhunderts. Wenn nun an dieser Vorstellung Kritik geübt wird, dann ändern sich die Märchen selbst nicht. Und wer sie um ihrer selbst willen liebt, braucht sich keine grauen Haare darüber wachsen zu lassen, selbst wenn sich diese Theorie als gänzlich falsch herausstellen sollte. Wer aber die Märchen dadurch entwertet, degradiert sieht, der zeigt, daß es ihm von vornherein mehr um diese romantische Vorstellung geht als um die Märchen selbst.

Wie in der Wissenschaft überwiegend üblich, nehme ich »Märchen« nicht als vagen Allgemeinbegriff für beliebige Geschichten, die Übernatürliches enthalten, sondern in dem spezifischen Sinne dessen, was man genauer die europäischen Volks- oder Zaubermärchen nennt, wie sie in den Sammlungen der Brüder Grimm und in anderen Ländern in ähnlichen, mittlerweile klassisch gewordenen Sammlungen vorliegen. Eine solche Sache läßt sich nicht abstrakt definieren, denn sie ist durch eine Vielzahl heterogener Merkmale gekennzeichnet, ist eine spezifische Einrichtung einer bestimmten Kultur.

Es gehört ebenfalls zu einer solchen Sache, daß man nicht einfach behaupten kann, es müsse sie immer und überall gegeben haben und geben. So sagt denn auch Max Lüthi in seinem Handbüchlein des Märchens[1], daß man zumal die Geschichten der Naturvölker gar nicht gut »Märchen« nennen könne, denn sie seien ganz anderer Art. Das heißt mit anderen Worten, daß diese Völker, natürlich in jedem Teil der Welt verschieden, jeweils in ihrer eigenen Tradition ihre eigenen, durch ebenso spezifische Merkmale gekennzeichneten Erzählungsgattungen ausgebildet haben. Wie räumlich, so auch zeitlich. Wir können nicht einfach unterstellen, daß es die Märchen schon immer gegeben haben müsse. Ich will deshalb hier zuerst in Kürze skizzieren, wie es mit der historischen Existenz der Märchen steht. Dabei lasse ich zunächst alles Hypothetische weg und halte mich an die harten Fakten. Harte Fakten kann in diesem Zusammenhang nur heißen: datierte Texte, und so spreche ich hier vorläufig nur von der literarischen Vergangenheit unserer Märchen. Ich gehe den Gang der Geschichte rückwärts. Der Kürze wegen lasse ich alles Orientalische fort.

Da haben wir also zuerst die neuzeitlichen Sammlungen, beginnend 1812 mit der ersten Veröffentlichung der Brüder Grimm. Davor gibt es das ganze achtzehnte Jahrhundert hindurch die französischen Feenmärchen, rein literarische Erzeugnisse. Sie wurden zwar von den Grimms gründlich verachtet (und in der Tat ist manches an ihnen auszusetzen), aber sie gehören eindeutig zu derselben Gattung; es sind immer wieder im Kern die gleichen Geschichten wie die der späteren Sammlungen. Der Unterschied ist mehr stilistisch. Sie sind nicht in dem schlichten Märchenton erzählt, den man seit den Brüdern Grimm für einzig angemessen ansieht. In den letzten Jahrzehnten vor den Grimms gab es übrigens auch deutsche Feenmärchen, sowohl Übersetzungen der französischen als auch eigene Produktionen.

Weiter zurück ist ein einzelnes Werk zu nennen, der Pentamerone von Giambattista Basile, etwa 1635 erschienen, in italienischer, genauer: neapolitanischer Sprache. Es ist eine Zusammenstellung von fünfzig Erzählungen, äußerlich organisiert nach dem Vorbild der Novellen von Boccaccios Decamerone. Dem Inhalt nach aber sind es ganz eindeutig Märchen, wieder weitgehend die gleichen Stoffe wie die späteren Märchen. An Hand der Dornröschen-Geschichte illustriert Heinz Rölleke unten Seite 125 bis 137 die stoffliche Übereinstimmung von Basile bis zu den Brüdern Grimm. Der Stil ist wieder anders; die Geschichten sind mit barocker Rhetorik und barocker Derbheit erzählt.

Ein noch einmal siebzig Jahre älterer Italiener ist noch hinzuzunehmen: Straparola, ebenfalls Verfasser einer Novellensammlung, bei der nun nur noch ein Teil der Erzählungen eng zu den späteren Märchen gehört, eigentlich also die Gattungen Märchen und Novelle schon nicht mehr zu trennen sind. Der Stil ist der gepflegte, objektive Chronistenstil der Novellen, wie ihn auch Boccaccio zeigt.

Ich werde im folgenden die Autoren von Straparola bis zu den französischen und deutschen Feenmärchen vor den Grimms als »die Märchenautoren der früheren Neuzeit« zusammenfassen. Denn bei unserem Gang rückwärts sind wir schon am Ende der eindeutigen Existenz der Gattung des Märchens angelangt (mit Straparola, wie gesagt, sogar schon etwas darüber hinaus). In hoch- und spätmittelalterlicher Literatur gibt es zwar sehr vieles, das uns an die Märchen erinnert, ganze Erzählungen sowohl als auch einzelne Motive, aber die Gattung als solche gibt es nicht mehr. Vielmehr verteilen sich die Parallelen auf verschiedene Gattungen, von der historischen beziehungsweise pseudohistorischen Chronik bis zum Roman, diesem besonders; nicht umsonst haben sich die Romantiker des neunzehnten Jahrhunderts nach dem mittelalterlichen Roman genannt.

Mache ich einen Sprung zurück ins Altertum, so finden wir nur noch im Ausnahmefall eine ganze Erzählung, die zu den Märchen zu gehören scheint, dagegen nicht ganz selten einzelne Motive, die uns an sie erinnern, verstreut über viele Gattungen der antiken Literatur. Diese Motive sind es, die die Frage nach der Beziehung zwischen Märchen und griechischem Mythos entstehen lassen.

Zusammengefaßt ergibt sich, daß wir uns, je weiter wir zeitlich zurückgehen, desto mehr von den Märchen entfernen. Oder, um es nun richtigherum zu sagen: die Entwicklung konvergiert in einigen Stufen direkt auf die Brüder Grimm zu.

Soweit meine Fakten. Und nun das Hypothetische: die Brüder Grimm dachten ja, die literarische Überlieferung zeige nur die halbe Wahrheit. Sie glaubten, die Märchen seien, und zwar in dem Stil, in dem sie selbst sie erzählten, seit vielen Jahrhunderten mündlich von Generation zu Generation weitergegeben worden. Die Übereinstimmungen zwischen Märchen und Literatur deuteten sie so, daß Literaten immer wieder Elemente aus den Märchen ihrer Kindheit in ihre literarischen Werke übernommen hätten. Darüber, wie es dabei zu der merkwürdigen Konvergenz gekommen sei, die ich erwähnt habe, wurde nicht nachgedacht. Heute ist diese Grimmsche Vorstellung umstritten.

Es ist merkwürdig, daß die Anhänger der Vorstellung von der mündlichen Märchenüberlieferung es so gut wie nie für nötig gehalten haben, wirklich hieb- und stichfeste Beweise dafür vorzubringen[2]. Die mündliche Überlieferung wird fast immer einfach vorausgesetzt. Das ist um so seltsamer, als die Forscher niemals geglaubt haben, daß es sie in ihrem eigenen Lebenskreis funktionierend gebe. Schon die Brüder Grimm hatten das Gefühl, nur noch einen letzten Zipfel einer untergehenden Welt zu erwischen, und bis heute sucht niemand die mündliche Überlieferung im eigenen Kreis, sondern möglichst weit weg davon, in anderen Gesellschaftsschichten, Ländern und Zeiten. Ihr Fehlen im eigenen Lebensbereich führt man auf die besonderen Bedingungen unserer Schrift- und Medienzivilisation zurück. Aber das ist nur ein negatives Argument, kein positiver Beweis. Und was die früheren Jahrhunderte betrifft, in denen die mündliche Überlieferung funktioniert haben soll, so wissen sie selbst nichts davon. Vor der deutschen Romantik hat es zu allen Zeiten als selbstverständlich gegolten, daß die Schrift und nur die Schrift in der Lage sei, Altes dem Vergessen zu entreißen.

Es gibt auch einige ganz allgemeine Bedenken gegen die Vorstellung ausgedehnter und stabiler mündlicher Überlieferung. Ich kann darauf nicht näher eingehen und nenne nur einen Punkt: zu allen Zeiten wollen die Menschen ab und zu etwas Neues. Die literarische Mode wechselt immer von Zeit zu Zeit, und das kann im mündlichen Bereich nicht anders sein. Das bedeutet aber, daß bei jedem derartigen Wechsel die existierenden Geschichten unbrauchbar werden. Nur einzelne Motive werden in das Neue übernommen, so wie Märchenmotive vielfach in Science-Fiction-Geschichten vorkommen. Damit fallen aber die alten Geschichten endgültigem Vergessen anheim, denn die Möglichkeit, etwas, das lange vergessen war und kein Interesse fand, wieder hervorzuholen, gibt es nur in der Literatur.

Was nun die eigentlich historischen Argumente betrifft, so muß man leider zugeben, daß es überhaupt fast unmöglich ist, hier irgend etwas Sicheres zu beweisen. Um nämlich mündliche Überlieferung zweifelsfrei nachzuweisen, braucht man zwei Dinge, die sich fast gegenseitig ausschließen: man braucht ein altes Dokument, um überhaupt sicher zu wissen, daß der betreffende Stoff zu einer bestimmten Zeit schon da war; dann aber braucht man den sicheren Beweis, daß später niemand dieses Dokument gelesen hat, denn sonst könnte ja ein viel späterer Leser die Geschichte in Umlauf gebracht haben und für die Verbreitung des Stoffes in jüngster Zeit verantwortlich sein. Wir werden aber an einem Beispiel sehen, daß es doch Beweismöglichkeiten gibt.

Mich hat diese Frage des Beweises immer sehr interessiert, bis ich ihr vor einigen Jahren eine eigene Untersuchung gewidmet habe[3], die von der berühmten Amor-und-Psyche-Erzählung ausgeht. Dabei hat sich mir fast nebenbei ein sehr strenger Beweis *gegen* die mündliche Überlieferung ergeben, der jedenfalls zeigt, daß entgegen der Grimmschen Vorstellung die Märchen im Altertum noch nicht vorhanden waren und als Quelle der Literatur zur Verfügung standen, und daß sie nicht mündlich durch das Mittelalter hindurch an die Neuzeit gelangten. Das will ich hier skizzieren.

Die Amor-und-Psyche-Erzählung ist Einlage in einem größeren, romanartigen Werk. Der Verfasser heißt Apuleius und lebte im zweiten Jahrhundert nach Christus, in der Spätzeit der antiken Literatur. Nach antiken Begriffen ist die Geschichte eine mythologische Erzählung, wie es deren viele gibt. Vom Märchen aus gesehen ragt sie aber dadurch hervor, daß sich in ihr die Parallelen zu den neuzeitlichen Märchen ganz außerordentlich häufen. Nicht nur gibt es einen ausgedehnten Märchentyp, zu dem Jan-Öjvind Swahn über tausend mündliche Varianten zusammengestellt hat, der im Kern dieselbe Handlung enthält, sondern es gibt auch einige einzelne Motive darin, die in den verschiedensten Märchen außerordentlich häufig vorkommen. Die wichtigsten davon sind: das gute Mädchen, das böse, neidische Schwestern hat (in den Märchen oft zu einer Schwester vereinfacht); die unlösbaren Aufgaben, die ihr gestellt werden, darunter das Körnersammeln, das uns aus Aschenputtel so vertraut ist; endlich der Wandernde, der plötzlich vor einem geheimnisvollen Schloß steht, ohne eine Menschenseele darin; und doch stehen für den Wanderer Speise, Trank und Lager bereit.

Nun hat das Buch des Apuleius ein besonderes Schicksal gehabt. Es ist nur in einer einzigen Handschrift, die im Kloster Monte Cassino lag, ins Mittelalter gekommen. Die Mönche haben anscheinend die vielfach lasziven Geschichten des Apuleius doch manchmal ganz gerne gelesen; jedenfalls haben sie das Buch im Lauf der Jahrhunderte zweimal abgeschrieben, offenbar, um es nicht in altertümlicher Schrift lesen zu müssen. Aber sie haben auch wohl ein schlechtes

Gewissen gehabt, denn es ist nichts nach außen verlautet. Kein mittelalterlicher Autor vor Boccaccio im vierzehnten Jahrhundert kennt das Buch. Das heißt aber, daß wir hier genau das Kriterium haben, von dem ich vorhin gesagt habe, daß es zum Beweise nötig und selten verfügbar sei: wir haben das alte Buch, das die Existenz der Geschichte für das zweite Jahrhundert dokumentiert, und wir haben das sichere Wissen, daß dieses Buch jahrhundertelang von niemandem gelesen wurde. Wenn also Apuleius das Märchen neu geschaffen hat und die genannten Märchenmotive erst von späteren Lesern seines Buches unter das Volk gebracht worden sind, dann dürfen sie in mittelalterlicher Literatur niemals vorkommen. Umgekehrt aber, wenn es wahr ist, was die Märchenforscher gemeint haben, daß Apuleius nur ein mündliches Märchen literarisch bearbeitet hat, daß dieses Märchen in mündlicher Tradition durch das Mittelalter hindurch an die Neuzeit weitergegeben wurde, daß ferner auch andere Märchen schon existierten und die genannten Motive wie die bösen Schwestern usw. in ihnen gang und gäbe waren, ja, dann dürfen wir erwarten, auch in der reichen mittelalterlichen märchenhaften Literatur etwas davon zu finden, dann müßten sie wie so viele andere Märchenmotive den Weg in die mittelalterliche Literatur gefunden haben.

Nun, die Tatsachen entscheiden eindeutig gegen die mündliche Überlieferung. Niemals gibt es böse Schwestern, Körnersammeln, geheimnisvolle leere Schlösser, niemals den ganzen Märchentyp Amor und Psyche in der mittelalterlichen Literatur. Auf einen Ausnahmefall, der ohne weiteres seine besondere Erklärung findet, komme ich nachher zurück. Wenn wir nicht annehmen wollen, daß sich alle mittelalterlichen Autoren verabredet haben, gerade diesen Motiven sorgfältig aus dem Wege zu gehen, dann müssen wir folgern, daß es sie einfach ganz grundsätzlich noch nicht gab, daß ihr häufiges Vorkommen in den späteren Märchen tatsächlich erst auf spätere Leser des Apuleius zurückgeht.

Oder kann der Befund auch einfach Zufall sein? Schließlich sind nicht alle Märchenmotive, die es gibt, in mittelalterlicher Literatur belegt. Tatsächlich ist dieser Ausweg nicht möglich, weil es sich eben nicht um irgendein beliebiges, sondern um mehrere der allerhäufigsten Motive handelt. Man suche willkürlich aus einer der klassischen Sammlungen ein halbes Dutzend typische Märchen heraus, und man wird mit Sicherheit mehr als ein Beispiel für sie finden. Ihr Fehlen in der ausgedehnten märchenhaften Literatur des Mittelalters kann wahrhaftig nicht bloßer Zufall sein.

Eine besondere Beobachtung unterstreicht dieses Ergebnis. Es gibt eine Anzahl von Märchen, die in ihrer typischen Form böse Schwestern enthalten, und zu denen es einen mittelalterlichen Paralleltext gibt, der eindeutig dieselbe Kernhandlung enthält und deshalb auch als ältester Vertreter des betreffenden Typs gilt. Sieht man sich diesen Text aber an, so findet man, daß die bösen Schwestern darin fehlen: wie herausoperiert oder, richtiger ausgedrückt, wie erst nachträglich in den Typ eingefügt.

Ich zitiere hier nur das einfachste der etwa vier Beispiele, die ich in der erwähnten Arbeit besprochen habe: es gibt das Märchen von dem Mädchen, dessen Liebster, ein Prinz, in Gestalt eines Vogels zu ihr zu fliegen pflegt. Dieses Idyll wird dadurch unterbrochen, daß die bösen Schwestern oder die böse (Stief-) Mutter des Mädchens das Fenster mit Scherben präparieren, so daß der Vogel sich daran schwer verletzt. Natürlich geht die Geschichte am Ende gut aus. Die mittelalterliche Parallele dazu ist eine Erzählung von Marie de France, einer Autorin des 12. Jahrhunderts, die in französischer Sprache Verserzählungen geschrieben hat, die sehr viele märchenhafte Elemente enthalten, als ganzes aber keineswegs Märchen sind, sondern Rittergeschichten, wie die Zeit sie liebte. Da finden wir nun dieselbe Geschichte. Doch hier sind es nicht böse Schwestern, sondern es ist der alte Ehemann einer schönen, jungen Frau, der von dem Vogel überlistet wird und ihn wieder überlistet. Er hatte sie nämlich, um ihrer Treue sicher zu sein, in einen Turm gesperrt, zu dem der einzige unbewachte Zugang das Fenster war.

Wäre das ein Einzelfall, so würde man die Achseln zucken und von einer untypischen Variante sprechen, wo die Schwestern durch eine andere Figur ersetzt wären. Aber da sich, wie gesagt, dasselbe in mehreren Märchenstoffen wiederholt, muß man folgern, daß es die bösen Schwestern in der Geschichte noch nicht gab, daß umgekehrt erst später der Ehemann durch Schwestern ersetzt wurde. Es kommt hinzu, daß der Ehemann eindeutig die der Situation angemessenere Figur ist, und das bestätigt sogar die Vorgeschichte der Erzählung, die klar zu sein scheint. Es handelt sich bei dem Mädchen im Turm nämlich offenbar eigentlich um ein Novellenmotiv aus dem Bereich der beliebten Ehebruchgeschichten, die zeigen, wie eine junge Frau trotz strenger Bewachung Mittel und Wege findet, zu einem Liebhaber zu gelangen. In dieser Form ist die Geschichte kurz vor Marie de France in einem mittellateinischen Text (Dolopathos) erzählt worden. Marie de France hat den wunderbaren Vogel eingeführt und so das Thema »märchenfähig« gemacht.

Eine zweite Beobachtung liefert weitere, parallele Ergebnisse. Es gibt zwei Fälle, wo ein häufiges Märchenmotiv zwar so nicht bei Apuleius steht, aber wenn man sich den ältesten Text ansieht, in dem es vorkommt, dann ist ohne weiteres erkennbar, daß es sich um eine vom Verfasser vorgenommene Umformung eines Motivs aus Apuleius handelt. Es ist dann also auch hier klar, daß das Motiv in dem betreffenden Text neu entstanden und folglich kein uraltes Motiv aus mündlicher Tradition ist.

Das erste Beispiel dafür ist die in den Märchen so häufige Kombination von bösen Schwestern (einer bösen Schwester) und deren böser Mutter als Widersacher der Heldin. Diese Konstellation ist in der ganzen Weltliteratur vor Basile 1,6 (mit Aschenputtel verwandt) nicht ein einziges Mal belegt, was bei einem so häufigen Märchenmotiv schon sehr merkwürdig ist. Aus dem Vergleich mit zwei Erzählungen Straparolas ergibt sich, daß letzterer in einen mittelalterlichen Stoff, in dem der Mann eine böse Mutter hat, zusätzlich nach Apuleius böse Schwestern des Mädchens eingefügt hat, und daß Basile diese komplizierte Konstellation mit zwei unabhängigen Vertretern des Bösen vereinfachte, indem er die böse Mutter und die bösen Schwestern in der genannten Erzählung dem Mädchen gibt. So ist tatsächlich dieses Kernelement vieler Märchen erstmals im siebzehnten Jahrhundert in Basiles Buch neu entstanden. Statt diesen Zusammenhang, den ich in meiner erwähnten Arbeit[3] (S. 50, Anm. 135) kurz ausgeführt habe, ausführlicher darzustellen, füge ich ein weiteres Beispiel hinzu. Ich sagte vorhin, daß es von dem Fehlen der »Apuleianischen Motive« im Mittelalter eine Ausnahme gebe. Damit hat es folgende Bewandtnis: im 6. Jahrhundert hat ein italienischer Bischof namens Fulgentius in einem Buch über die Deutung mythologischer Erzählungen die Geschichte von Amor und Psyche, genau nach Apuleius, kurz nacherzählt, jedoch nur etwa bis zur Hälfte der Handlung. Im Gegensatz zum originalen Apuleius ist der Fulgentius im Mittelalter nicht unbekannt gewesen; es gibt eine größere Anzahl von Handschriften. Wiederum im 12. Jahrhundert nun gibt es eine anonyme französische Verserzählung, die man nach dem Haupthelden Parthenopaeus nennt. Diese Erzählung hat in ihrem ersten Teil eine bekannte große Ähnlichkeit mit der Amor-und-Psyche-Geschichte. Man hat jedoch bisher nicht beachtet, daß die Ähnlichkeit nur genau so weit reicht wie die Nacherzählung des Fulgentius. Ich habe daraus geschlossen, daß der Parthenopaeus weder auf mündlicher Überlieferung beruht noch natürlich auf Kenntnis des originalen Apuleius, sondern auf Benutzung des Fulgentius.

Nun hat, und das ist der Grund, weshalb ich den Parthenopaeus hier erwähne, dessen Verfasser eine wesentliche Änderung vorgenommen: er hat das Geschlecht der Hauptpersonen vertauscht. Bei Apuleius ist es das menschliche Mädchen, das in das geheimnisvolle Schloß kommt, zu dem sich unerkannt des Nachts der Gott Amor als Liebhaber gesellt, und das später sein Verbot, ihn bei Licht zu sehen, bricht. Im Parthenopaeus ist es dagegen ein junger Ritter (und das ist der Grund der Vertauschung; der Verfasser wollte ja eine Ritterge-schichte schreiben), der in das geheimnisvolle, leere Schloß gelangt; hier ist gleich eine ganze leere Stadt dabei. Zu ihm kommt im Dunkeln die geheimnis-volle Frau, legt ihm dasselbe Verbot auf, das er dann später genau wie Psyche mit einer Lampe bricht. Ich habe damit nur die wichtigsten Vergleichspunkte genannt.

Der Parthenopaeus ist einer der ältesten Ritterromane mit stark märchenhaf-tem Einschlag, wie es die Zeit zu lieben begann, und ist außerordentlich viel ge-lesen worden. Marie de France hat ihn in zweien ihrer Erzählungen benutzt, vor allem in derjenigen vom Ritter Lanval. Auch dort haben wir einen jungen Ritter, eine übernatürliche Geliebte und ein Verbot. Jedoch hat Marie das schwer motivierbare Sehverbot durch ein näherliegendes ersetzt: dem Ritter wird auferlegt, von seiner Liebsten zu schweigen. Diskretion in Liebesangele-genheiten gehört zu den ritterlichen höfischen Tugenden, die Marie und ihrer Zeit besonders am Herzen lagen. Weitere mittelalterliche Texte (wenn man sich wieder an Tatsachen und nicht an Hypothesen hält, alle jünger als der Par-thenopaeus und Marie de France) haben das Verbotsmotiv verschieden abge-wandelt und mit Verwandlungsmotiven verbunden (Schwanenmädchen, Me-lusine). Mit den mittelalterlichen Texten ist eine ausgedehnte und weitver-zweigte Sippe von Volksmärchen verbunden. Unsere Beobachtungen zeigen, daß der Parthenopaeus mit seiner Umformung des Apuleianischen Verbots-motivs der historische Anfangspunkt dieser ganzen Märchengruppe ist.

Durch den Nachweis indirekter Abstammung von Apuleius in den genannten Fällen hat sich die Zahl der Märchenelemente, für die alte mündliche Überlie-ferung nachweislich ausgeschlossen werden kann, so weit erhöht, daß fast alle der ausgebreitetsten, bekanntesten Märchenstoffe irgendwie betroffen sind. Denkt man zugleich daran, daß in jüngerer Zeit auch sonst in vielen einzelnen Fällen die Herkunft von Volksmärchen aus literarischer Quelle aufgedeckt worden ist, so wird ein verallgemeinernder Schluß unausweichlich: die Mär-chen sind tatsächlich erst in der Neuzeit bei eben den frühen Märchenautoren entstanden, bei denen sie zuerst belegt sind. Die zahllosen mündlichen Mär-chen der Folgezeit sind von den gedruckten Märchen dieser Autoren ausge-gangen.

Die Frage »griechischer Mythos und Märchen« gewinnt durch diese Erkennt-nis ein ganz neues Gesicht. Es kann sich nur noch darum handeln, den Einfluß des antiken Mythos auf die neuzeitlichen Märchenautoren zu beschreiben. Doch erst müssen noch ein paar Worte über den Mythos gesagt werden, im

Prinzip nach demselben Schema, das ich bei der Besprechung des Märchens befolgt habe, nur viel knapper. Also zuerst: was ist Mythos? Das sei für die folgenden Erörterungen nur einfach und praktisch und speziell auf die Antike bezogen so definiert: Mythen sind Erzählungen von Göttern und Vorzeithelden. Dann die »harten Fakten«: wie liegt uns der Mythos vor? Das ist leicht gesagt: wir finden ihn verstreut über die ausgedehnte griechisch-römische Literatur aller Jahrhunderte und verschiedener Gattungen vor: als Epos, erzählende Lyrik, Tragödie und anderes mehr, nicht zuletzt in den knappen Nacherzählungen schulbuchartiger Zusammenstellungen.

Der dritte Punkt, die Hypothesen, ist allerdings ein sehr weites Feld; denn es gibt sehr verschiedene Theorien über den Mythos. Vielleicht am meisten diskutiert ist heute die These, daß Mythos typischerweise mit religiösen Ritualen zusammenhänge. In einigen Fällen ist das überlieferte Tatsache, aber wie weit es zu verallgemeinern ist, ist fraglich. Ich bin in diesen Fragen nicht sehr kompetent und möchte hier nur eins behaupten: mir scheint, daß die Forscher, die sich mit dem Mythos beschäftigen, allzu sehr dazu neigen, den wahren Mythos in einer uns nur hypothetisch zugänglichen vor- und nichtliterarischen Form zu suchen, den literarisch vorhandenen aber als etwas davon grundsätzlich Verschiedenes zu betrachten, ihn nicht ernst zu nehmen, sondern ihn nur als Material für die Rekonstruktion des wahren und eigentlichen Mythos anzusehen. Gewiß, in der Literatur wird mit dem Überkommenen frei umgegangen, der Mythos wird je dem herrschenden Zeitgeschmack angepaßt, und oft genug sind durch die ändernde, weiterbildende Tätigkeit der Dichter am Ende ganz neue Geschichten entstanden. Aber wer sagt, daß es im nichtliterarischen Leben des Mythos so anders gewesen sein muß? Denn eine der Funktionen des Mythos ist immer gewesen, das Bedürfnis der Menschen nach Geschichten zu befriedigen. Wenn man fragt, was denn die griechischen Mütter ihren Kindern erzählt haben, wenn es die Märchen nicht gab, so ist die Antwort völlig klar: sie haben ihnen mythologische Geschichten erzählt. Was immer seine sonstigen Funktionen waren, *der Mythos hat bei den Griechen unter anderem die Rolle unserer Märchen gespielt.* Das bedeutet aber, daß auch im mündlichen Gebrauch nicht so grundsätzlich anders mit ihm umgegangen worden sein kann als in der Literatur.

Hierüber mag noch mancherlei Streit möglich sein, aber eins steht vollkommen fest: für die ganze spätere Tradition lag der Mythos allein in der Gestalt vor, wie ihn die erhaltene Literatur bietet. Alles Mündliche, alle heidnischen Rituale wurden vergessen, aber die antiken Autoren wurden, in stark wechselndem Umfang, immer weiter gelesen bis auf den heutigen Tag. Bei der Frage nach dem Verhältnis von Mythos und Märchen handelt es sich allein um eine Frage des Nachlebens der antiken Literatur.

Ein Beweis dafür liegt auch in der Tatsache, daß die antiken Parallelen zum Märchen keineswegs ausschließlich Mythenparallelen sind. Zwar stehen solche natürlicherweise quantitativ im Vordergrund, da der Mythos der gewöhnliche Ort für Geschichten ist, die Übernatürliches enthalten. Trotzdem gibt es eine Menge von Märchenmotiven, die aus Bereichen der antiken Literatur stammen, die mit dem Mythos nichts zu tun haben. So gibt es Komödienmotive im Märchen. Zum Beispiel stammen die Zwillinge, deren zweiter auszieht, den ersten zu suchen, mit ihm verwechselt und am Ende zusammengeführt wird, aus den Menaechmi des Plautus und haben mit dem Mythos nichts zu tun.

Sehr viel haben die antiken Historiker zum Märchen beigetragen, da sie viele unterhaltende und wunderbare Geschichten erzählen, allen voran der älteste von ihnen, Herodot, der zugleich einer der begnadetsten Erzähler aller Zeiten war. Über die Parallelen zwischen Herodot und dem Märchen (und verwandten Gattungen) konnte ein ganzes Buch geschrieben werden[4]. Hier nur ein Beispiel: aus Herodot stammt die Geschichte von dem König, der eines prophezeiten Unglücks wegen seinen Sohn ständig eingesperrt hält, ihn dann unter vermeintlich sicheren Umständen doch hinausläßt, worauf das Unglück sogleich eintritt. Die Geschichte von Prinz und Prinzessin, die im Traum oder auf einem Bild einander sehen und sich ineinander verlieben und dann unter Mühe und Gefahr zusammenkommen, stammt aus einem verlorengegangenen Geschichtsschreiber (Charon von Lampsacus) und ist in dem gelehrten Sammelwerk des Athenaeus der Nachwelt erhalten geblieben. Aus dem antiken Roman stammen alle Motive, die mit Räubern (dort meist Seeräubern) und weiten Reisen zu tun haben. Das Motiv von der inzestuösen Liebe des Vaters zu seiner Tochter, das in die Geschichten von Allerleirauh und dem Mädchen ohne Hände gehört, wenn es auch oft eliminiert wird, stammt aus dem vielgelesenen Roman vom König Apollonius von Tyrus. Ich erinnere auch noch einmal daran, daß die Frau im Turm aus einer mittelalterlichen Novelle ins Märchen gekommen ist (direkt jedenfalls, denn es gibt entfernte mythologische Ahnen).

Unsere Überlegungen haben also zu dem Ergebnis geführt, daß sich die Frage von Mythos und Märchen verwandelt in die Frage nach der Einwirkung antiker Literatur auf die Märchenautoren der frühen Neuzeit. Diese Einwirkung geht auf zwei Wegen vor sich. Einmal gehen die märchenhaften Elemente mittelalterlicher Erzählungen, die Kern vieler Märchenstoffe sind, oft auf Anregungen aus antiker Literatur zurück. Das ist ein noch kaum erforschtes Gebiet, da man die Parallelen immer dem uralten mündlichen Märchen zuschrieb. Die erwähnte Nachwirkung des Parthenopaeus ist ein Beispiel. Zweitens aber haben die Märchenautoren direkt aus der antiken Literatur geschöpft. Sie sind ja alle mit Latein, wenn nicht sogar, wie Basile, mit Griechisch aufgewachsen; und welche ungeheure Rolle im sechzehnten bis achtzehnten Jahrhundert die antiken mythologischen Stoffe spielten, erlebt jeder, der die Statuen eines barocken Parks oder die Malerei der Zeit betrachtet. Die herausragende Rolle, die die Amor-und-Psyche-Geschichte des Apuleius als Lieferant von Motiven spielte, hat wohl damit begonnen, daß Straparola ihre Verwandtschaft mit dem Parthenopaeus und davon beeinflußten anderen mittelalterlichen Texten erkannte und sie so der Klasse der romantischen und wunderbaren Erzählungen zurechnete, in denen er stofflich seine Vorbilder sah. Ihm folgten Basile und die Franzosen. Dies ist meine Antwort auf einen verständlichen Einwand Jan-Öjvind Swahns, in diesem Band Seite 92 bis 102, gegen meine These.

In gewissem Sinne ist alles, was ich gesagt habe, nur eine Vorfrage. Nachdem die Wege klar sind, die die Tradition gegangen ist, ist die eigentliche Hauptfrage die, wie die Märchenautoren aus dem von ihnen benutzten Material durch Auswählen und Umgestalten die typische Welt des neuzeitlichen Märchens geschaffen haben. Denn dies ist eine schöpferische Leistung gewesen, zu der ein Taktgefühl für das gehörte, was in diese besondere Welt, die ihnen vorschwebte, paßte und was nicht. Die Zentralgestalt ist hier Basile, denn er hat die typische Märchenwelt recht eigentlich vollendet.

Ein an sich rein negatives Moment ist hier von großer Bedeutung, vor allem deshalb, weil es der Illusion von dem hohen Alter der Märchen Vorschub leistet: das Märchen duldet nichts, was in einer Geschichte an eine bestimmte geschichtliche Umwelt erinnern würde, sowohl die antike wie die mittelalterliche. Erst recht gilt das natürlich für Neuzeitliches: Gegenstände moderner Technik werden im Märchen als Stilbruch empfunden. Wenn Basile (vor allem in Nr. 5,4) die Geschichte von Amor und Psyche in ein richtiges Märchen verwandelt, dann wird aus der (hier bösen) Göttin Venus eine Hexe, aus Amor der Hexe Sohn; die Rolle der Proserpina übernimmt eine andere Hexe, und die Unterwelt, in der Proserpina aufzusuchen Psyches letzte und schwerste Aufgabe ist, wird ganz eliminiert. In Geschichten aus mittelalterlicher Quelle werden die Ritter und die Turniere, die dort eine große Rolle spielen, beseitigt; nur zeitlose Personentypen (Könige und ihre Familie, Kaufleute, Bauern) sind zugelassen.

Als Beispiel diene noch einmal das Mädchen im Turm. Basile hat diesen Stoff verknüpft mit der Geschichte von dem Kind, das dem Teufel versprochen werden muß, und hat daraus die Geschichte von Petrosinella (Rapunzel) geschaffen[5]. Die dabei in eins verschmelzenden Rollen des eifersüchtigen Ehemannes der einen und des Teufels der anderen Geschichte gibt Basile wieder der unspezifischen Hexe. Dabei nimmt er eine gravierende Schwäche der Motivierung in Kauf: man weiß nicht recht, was die Hexe eigentlich mit dem ihr übereigneten und von ihr eingesperrten Mädchen anfangen will.

Auch die Französin d'Aulnoy hat das Mädchen im Turm einem ihrer Märchen zu Grunde gelegt. Sie ist es, die den Ehemann durch die bösen Schwestern ersetzt hat. Auch das ist motivisch eigentlich eine Verschlechterung. Die Autorin hat aber offenbar die zwecklos bösen Schwestern als dem Märchen angemessener empfunden als den aus immerhin begreiflichen und nicht schlechthin verwerflichen Gründen handelnden Ehemann. Das gleiche gilt für die (Stief-) Mutter mündlicher Versionen.

Das gleiche Prinzip gilt für die Lokalisierung. Die alte Tradition (griechisch-römisch, aber auch schon altorientalisch) ist nämlich, daß die mythischen und märchenhaften Geschichten an namentlich genannten, realen und keineswegs entlegenen Orten geschehen. Daß Psyche bei Apuleius aus einem namenlosen Königreich und von anonymen Eltern stammt, ist untypisch. Für die eigentlich allegorische Gestalt der Psyche gab es natürlich keinen Heimatort, und Apuleius hat nicht gewagt, einfach einen zu erfinden. Die märchenhaften Rittergeschichten des Mittelalters kennen reale und Phantasie-Orte; häufig verwenden sie zwar reale geographische Namen, nehmen aber auf ihre wirkliche Lage keinerlei Rücksicht; da kann zum Beispiel in Ungarn ein Schloß am Meer stehen. Basile verwendet ganz überwiegend Phantasie-Namen; andere Märchenautoren gehen darüber hinaus, indem sie die Orte ganz namenlos lassen. So ist auch hier das Verhalten der Märchen keineswegs aus uralter Tradition zu erklären, sondern aus dem positiven Stilwillen der neu entstehenden Gattung.

Diese wenigen Hinweise müssen hier als Beispiel dafür genügen, wie meiner Meinung nach das Verhältnis der Märchen zum antiken Mythos und zur älteren Tradition überhaupt betrachtet werden muß.

Zum Hauptthema, das ich vorhin »Vorfrage« genannt habe, zurückkehrend, fasse ich zusammen: die Märchen sind als ganze tatsächlich in der Neuzeit und in der Literatur entstanden. Ich finde nicht, daß sie dadurch entwertet werden. Muß denn der Literat schlechter sein als der Erzähler, der nie zur Feder greift? Einige der schönsten Märchen, die ich kenne, stammen von großen Dichtern,

Brentano etwa oder Puschkin. Weiterhin behauptet meine These nicht, daß die Märchen ganz und gar Erfindung der Neuzeit sind. Denn selbstverständlich enthalten sie vieles an einzelnen Gedanken und Motiven, das aus der ältesten Überlieferung der Menschheit stammt. Aber daß diese Elemente auf uns gekommen sind, verdanken wir, daß hoffe ich gezeigt zu haben, nicht mündlicher Überlieferung, sondern allein der Schrift.

Jan-Öjvind Swahn
PSYCHEMYTHOS UND PSYCHEMÄRCHEN

Skandinavische Folkloristen haben sich nicht in größerem Umfang mit Themen beschäftigt, die sich unter den Titel dieses Buches einreihen ließen. Ein oft vorkommendes Untersuchungsgebiet ist für sie dagegen das Verhältnis zwischen der nordischen und der germanischen Mythologie einerseits und der neueren Volkstradition andererseits. Der einzige skandinavische Forscher, der gleichzeitig hervorragender Kenner der altgriechischen Mythologie wie der neueren griechischen Folklore war, war Martin Nilsson; aber seine grundlegenden Arbeiten aus dem Gebiet der griechischen Religionsgeschichte befassen sich nur ausnahmsweise mit den griechischen Volksmärchen. Eher schon holt er sein Vergleichsmaterial aus dem Volksaberglauben. Das ist ein Verfahren, das für die schwedische folkloristische Forschung auf dem Gebiete des Mythos typisch zu sein scheint.

Die Märchenforscherschule des »mythologischen« Typs blieb in den skandinavischen Ländern im großen und ganzen ohne Spuren. Es gab hier im 19. Jahrhundert auch keine eigentliche Märchenforschung. Selbstverständlich aber waren es die Brüder Grimm und ihre Nachfolger, die zur Sammelarbeit auf dem Gebiet der Volksdichtung und des Volksglaubens Anstoß gaben. Dies geschah um 1840; und es ist kein Zufall, daß die Pionierarbeiten auf diesem Gebiet, wie die schwedische Märchensammlung von Hyltén-Cavallius und Stephens aus dem Jahre 1844, die norwegische von Asbjørnsen und Moe aus dem Jahre 1842 und die isländische von Arnason von 1862 mit einer ausdrücklichen Widmung an die Brüder Grimm eingeleitet wurden. Das macht glaubhaft, daß die Auffassung der Herausgeber über den Charakter der Märchen als »verspielte Töchter des Mythos« mit der der Brüder Grimm übereinstimmte. Keiner von ihnen ist indessen dazu gekommen, sich in größerem Ausmaß mit der Analyse der Texte zu beschäftigen, die sie selbst gesammelt, veröffentlicht oder archiviert haben. In seiner Einleitung zu den norwegischen Märchen weist Moe jedoch mehrere Male auf den Zusammenhang verschiedener Märchentypen mit antikem griechisch-römischen und vorchristlichem nordischen Mythos hin, ja sogar auf ihre Abhängigkeit. Es wurde die Aufgabe der nächsten Generation nordischer Folkloristen, sich mit der Systematik, den Kommentaren und der Analyse des Materials zu beschäftigen, das im Laufe des 19. Jahrhunderts gesammelt worden war. Zu diesem Zeitpunkt hatte die mythologische Schule ihre Rolle bereits ausgespielt, sowohl in der Form, die ihr ursprünglich die Brüder Grimm und zum Beispiel für Griechenland Johann Georg von Hahn[1] gegeben hatten, wie auch in der beinahe karikierten Gestalt, die ihr später Max Müller[2] und andere »Mythosophen« verliehen hatten, die in der Motivwelt der Märchen allerlei Symbole suchten und auch fanden. Sie waren sozusagen die Bettelheims ihrer Zeit. Auch englische Anthropologen, wie Lang und Hartland mit ihren polygenetischen Theorien, haben auf die nordische Märchenforschung keinen stärkeren Einfluß ausgeübt. Stattdessen war diese von Anfang an mehr volkskundlich, weniger philologisch und religionshistorisch ausgerichtet, als dies zum Beispiel in Deutschland der Fall war. Diese Anknüpfung an die ethnologische Theorie kann man unter anderem an der folkloristischen Variante der diffusionistischen Methodik ablesen, die am Anfang des Jahrhunderts entstand und die sogenannte »historisch-geographische« oder »finnische« Schule der Volkserzählforschung kennzeichnet. Eine andere Spur dieser Tendenz sehe ich vor allem im beträchtlichen Interesse für die funktionalistische Methode, welches sich seit den vierziger Jahren nachweisen läßt.

Der erste vergleichend arbeitende nordische Volksdichtungsforscher war der Däne Axel Olrik[3]. Mit ihm wurde auch ein Forschungstrend eingeleitet, welcher mit sich brachte, daß die Motive des Mythos und die Gestalten der Mythologie mit Hilfe von Parallelen untersucht wurden, die die Aufzeichnungen der mündlichen Volksüberlieferung des 19. und 20. Jahrhunderts enthielten. Olrik selbst veröffentlichte mehrere ausgezeichnete und teilweise noch immer aktuelle Untersuchungen, zum Beispiel die des Ragnarök[4]. Wichtig war aber auch, daß er als Schüler den Schweden Carl Wilhelm von Sydow bekam, dessen frühe Arbeiten in der Zeit von 1910 bis 1920 beträchtlich von der Schule Olriks inspiriert wurden. Von Sydow interessierte sich besonders für die Eddamythologie[5], die Motivkreise der Sigurdsage[6] und der »Fornaldar-Saga«[7]. Er glaubte beweisen zu können, wie diese »Dichtungen der höheren Stände« die Motive der Prosavolksdichtung aufgenommen und umgeformt haben[8]. Daß daher die neuere Märchentradition besser als die älteren Mythen und Heldensagen die tausendjährigen Vorlagen wiedergab, war von Sydows unerschütterlicher Glaube, da er das Vorhandensein einer beinahe grenzenlosen Stabilität der Volksüberlieferung voraussetzte. Das zeigt er zum Beispiel in seinen Untersuchungen der Quellen der ägyptischen Bata-Erzählung[9].

Den mündlichen Versionen aus dem 20. Jahrhundert hinsichtlich der Ursprünglichkeit und im Vergleich mit literarisch aufbewahrten Varianten aus der Antike oder dem Mittelalter Vorrang zu geben, war eine Kühnheit, die auch vor sechzig bis siebzig Jahren in Schweden auf Ablehnung vieler Philologen und Historiker stieß, die aber heute kaum Widerstand erweckt: hier kann ich als Beispiel Bo Almqvists Analyse der Textstellen bei Snorre nennen, die nicht einmal die isländische, sondern die irische Überlieferung des 20. Jahrhunderts benutzt[10].

Daß ich es gegen Ende der vierziger Jahre unternahm, eine Monographie über das Amor-und-Psyche-Märchen (AT 425)[11] zu schreiben, geht wohl teilweise darauf zurück, daß ich von dem Wunsch meines Lehrers von Sydow beeinflußt war, man solle den Zusammenhang zwischen dem Mythos und dem Volksmärchen studieren. Die eigentliche Herausforderung, die das Thema bot, war aber der Versuch, die »Oekotypentheorie«[12] zu erproben. Über deren Wert als Erklärungsmodell für regionale Variationen der Volksmärchen war ich zu dieser Zeit zutiefst überzeugt. Ich wollte dabei ein Material mit möglichst großer zeitlicher und räumlicher Verbreitung haben, und bei der Wahl des Themas schien mir der Umstand wesentlich zu sein, daß kein anderer Zaubermärchentyp einen so altertümlichen und gleichzeitig mit der neueren Überlieferung so gut übereinstimmenden Text vorweisen konnte wie Apuleius' Erzählung über Amor und Psyche. Meine jugendliche Kampflust wurde noch dadurch gesteigert, daß viele frühere Forscher ersten Ranges zu der Auffassung neigten, daß Apuleius' Text auf die eine oder andere Weise die *Quelle* der mündlichen Volkstradition sein sollte. Das stand in radikalem Widerspruch zu dem, was ich über das Verhältnis zwischen der gedruckten Literatur und der mündlichen Wiedergabe der Märchen und Sagen zu wissen glaubte. Für diesen Glauben hat meine spätere Forschung ausschließlich übereinstimmende Ergebnisse gebracht. Dabei ging es vor allem um Untersuchungen der Märchentypen AT 301, 313 und 327 und ihres Verhältnisses zur Volksliteratur. Gegenwärtig arbeite ich an einer weiteren Märchenmonographie, diesmal aber nicht über einen einzelnen Typ, sondern über ein Motiv und seine verschiedenen Funktionen in unterschiedlichen Typen, nämlich über die »magische Flucht«. Das bedeutet unter anderem, daß ich zur genauen Untersuchung der beiden meist verbreiteten und am häufigsten aufgezeichneten Märchentypen AT 313 und 314 gelangt bin.

Ich kann wohl sagen, daß die Resultate, die jetzt am Horizont zu erscheinen beginnen, in krassem Widerspruch zu den »ewigen« Wahrheiten, die ich in den fünfziger Jahren formulieren zu müssen glaubte, stehen werden. Ich betrachte zwar weiterhin den Oekotypbegriff als ein sehr brauchbares Instrument der Analyse; aber ich bin nicht mehr bereit, ihn um jeden Preis mit irgendwelchen neolithischen Volkswanderungen zu kombinieren. Das, was ich durch meine Arbeit an diesen Typen vor allem gelernt habe, ist die wesentliche Rolle des Mittelalters bei der Ausformung unserer späteren westlichen Volksmärchentradition. Dabei bin ich vielleicht in beträchtlichem Ausmaß von Teilen der Argumentation Linda Déghs beeinflußt worden[13]. Ich meine nun nicht, daß der Typ AT 314, »Der in ein Pferd verwandelte Jüngling«, im Mittelalter geschaffen sein sollte, nein er ist bewiesenerweise viel, viel älter. Ich glaube indessen zeigen zu können, daß dieser Typ, nach dem Beispiel Panzers »Goldener« genannt, der mit seiner Anknüpfung an das Ritterleben und seiner Verankerung in den Motivkreisen des Ritterromans seinen mittelalterlichen Charakter zeigt, daß also dieser Typ als eine »Verlängerung« eines kürzeren und einfacheren Fluchtmärchens entstanden ist, das im großen und ganzen dem Verlauf der Ereignisse im Goldenermärchen entsprach, bis zum Moment der Flucht vor dem Zauberer.

Diese Kurzform, die von früheren Registerautoren als »fragmentarische Aufzeichnung« betrachtet wurde, kommt sowohl in Europa, als Relikt in gewissen geographischen Gebieten, als auch in außereuropäischen Traditionen außerhalb des Verbreitungsgebietes des eigentlichen Goldenermärchens vor. Damit habe ich, was dieses Märchen betrifft, das Vorhandensein einer Entwicklung festgestellt. Sie entspricht ziemlich gut der Entwicklung, die in den »Ehe-Tabubruchs-Märchen« vorkommt, das heißt vor allem in AT 400, 425 und 433: einer Entwicklung von kürzeren, mehr oder weniger allgemeinmenschlichen Formen zu ausführlicheren, die den Typenbeschreibungen in Aarnes Katalog entsprechen. Wir müssen, meine ich, streng unterscheiden zwischen einerseits mehr »primitiven«, ziemlich selbstverständlichen »epischen Schablonen«, einer Art dichterischer Elementargedanken, und andererseits den mehr umfassenden und gar nicht selbstverständlichen Motivkomplexen, in welche die erstgenannten Formen eingehen können. Diese Motivkomplexe sind natürlich nicht nur europäisch oder westlich. Ich möchte als Beispiel erwähnen, daß einer der oben aufgeführten Typen, der des Tierbräutigams, auch in koreanischen[14] und japanischen[15] Typenkatalogen vorliegt, die vergleichbare Parallelen zu den europäischen Untertypen der Amor-und-Psyche-Gruppe oder des König-Lindwurm-Typs bieten. Die europäische Märchenforschung hat sich leider so gut wie ausschließlich nur mit europäischen Märchen beschäftigt; denn erst nach dem Zweiten Weltkrieg ist die Dokumentation und die Registrierung der außereuropäischen Märchen wirklich in Gang gekommen. Die Volksmärchen des Abendlandes und ihre Geschichte zu beurteilen, ohne gleichzeitig den Bestand an Prosavolksdichtung mehr oder weniger entwickelter außereuropäischer Kulturen auszuwerten, muß künftig als zutiefst unbefriedigend betrachtet werden. Die neuen Indizes der außereuropäischen Märchentypen tragen regelmäßig dazu bei, daß die Unterschiede zwischen ihnen und denen Europas immer geringer werden. Es ist aber nicht nur der Mangel an sozusagen lebendigem Studienmaterial außerhalb der Bücherregale und Archivordner, der es für europäische Volkserzählforscher notwendig macht, sich Kenntnisse der Märchen- und Sagenschätze nichteuropäischer Kulturen zu verschaffen, zumal diese immer noch auf eine ziemlich ursprüngliche Weise leben und weitergegeben werden. Neben den rein funktionalistischen Aspekten können diese Kulturen uns auch wesentliche Erfahrungen der historischen Dimension der Tradition vermitteln, zum Beispiel die der Traditionsstabilität als einer undiskutablen Tatsache auch in analphabetischen Milieus. Seit einigen Jahren beteilige ich mich an einem interdisziplinären Projekt, welches sich unter anderem mit den Erzähltraditionen einer sehr isolierten und altertümlichen Volkssplittergruppe im fernen Indien, einer Gruppe des mon-khmer-sprechenden Kammu-Volkes im nördlichen Laos, in Thailand, Vietnam, Birma und Südchina befaßt[16]. Durch Wanderungen und bei den Invasionen anderer Völker wurde es in Enklaven zersplittert. Es ist nun interessant zu beobachten, wie die Märchentraditionen innerhalb dieser Enklaven Jahrhunderte hindurch intakt blieben. Bis zum letzten Jahr erschien ihre Sprache noch nie in Schrift und natürlich nicht im Druck. Diese Fakten müssen für Wissenschaftler, die in der Nachfolge Wesselskis[17] der mündlichen Erzähltradition die Kraft absprechen, ein langes und stabiles Leben ohne Hilfe des gedruckten Wortes zu führen, eine ernsthafte Mahnung sein. Man kann einwenden: die Märchen dieser Völker seien mit den europäischen nicht vergleichbar, ähnlich wie die Märchen der einfachen Leute in den Bauernhütten des antiken Griechenlands mit denen, die Hahn vor 150 Jahren sammelte, nicht vergleichbar waren. Über das Altertum äußere ich mich, wie alle anderen Folkloristen jetzt und immer, nur hypothetisch. Aber über die Märchen, Sagen, Mythen und Memorate bei den Kammu, diesem beinahe ausgestorbenen primitiven Bergvolk im fernen Indien, weiß ich dagegen sehr viel. Gefunden haben wir ausführliche, bis zu fünf-

96

zehn Schreibmaschinenseiten umfassende und gut erzählte Versionen von Dutzenden »europäischer« Märchentypen. Aus unserem Märchenbuch der Kammu[18] kann ich hier das Drachentötermärchen (AT 300) mit seiner typisch europäischen Einleitung in der Form des Andromedamotivs (Mot. S 262: »Periodic sacrifices to a monster«) und mit den Identifikationssorgen des Helden am Schluß genau wie in Europa anführen (Seite 97, 140). Wir finden dort auch zwei verschiedene Versionen des Schwanenjungfraumärchens (AT 400) mit zum Beispiel dem aus europäischer Überlieferung wohlbekannten Motiv, daß der Held, der den Aufenthaltsort seiner verschwundenen Frau endlich entdeckt, sich zu erkennen gibt, indem er seinen Ring in ihr Trink- oder Badewasser einschmuggelt (Seite 43, 134). Wir haben dort (Seite 79, 138) auch zwei vortrefflich erzählte Versionen des Tierbräutigammärchens (AT 425 – 433). Jetzt sagt der Skeptiker vielleicht: haben diese primitiven Stämme diese Märchen nicht von den Thai bekommen, die ja ein Volk mit hoher Kultur und mit intimen Verbindungen zu unter anderem indischer und chinesischer Tradition sind? Genaue Einzeluntersuchungen der Motive in einigen Märchen vom Typ AT 314 auf beiden Seiten der Sprachgrenze haben indes erwiesen, daß die Kammutradition unabhängig von der Thaitradition ist[19]. Das schließt selbstverständlich nicht aus, daß in anderen Fällen eine Beeinflussung wahrscheinlich ist.

Wohin will ich mit diesem Gerede über die Märchen der Kammu im fernen Laos, weit weg von Griechenland und seinen Mythen? Ich will natürlich stark unterstreichen, daß man bei der Beurteilung eines internationalen Märchentyps und beim Studium seiner Geschichte sich nicht nur an Aufzeichnungen halten kann, die auf literarische Quellen zurückzuführen sind. Ich will mit Nachdruck hinweisen darauf, daß das Studium der Beziehungen zwischen nur gedruckten oder auf eine andere Weise literarisch dokumentierten Märchenversionen die Variationen und die Ausbreitung der Volkserzählungen lediglich in begrenztem Umfang erklären kann und überhaupt versagt, wenn es um das Auftreten der Märchen in analphabetischen Kulturen geht. Die Märchenforschung, die bei historischen Konstruktionen die außereuropäische Tradition nicht beachtet, ist »einäugig«. Wenn man außerdem das während des 20. Jahrhunderts in Europa gesammelte Material außer acht läßt, dann muß ich wirklich sagen, daß man völlig im Dunkeln tappt.

Als ich das Programm zu diesem Buch erhielt, war mir klar, daß der Herausgeber sich gedacht hatte, daß eine Art Gladiatorenkampf zwischen mir und Detlev Fehling, dem Verfasser des Aufsatzes unmittelbar vor dem meinen, stattfinden sollte. Denn Fehling hat vor ein paar Jahren meine alte Dissertation über Amor und Psyche einer unverdient ausführlichen Untersuchung unterworfen[20], die nicht gerade zu meinem Vorteil ausfiel. Nun ist es beinahe unmöglich, eine sinnvolle Diskussion zwischen zwei Personen zustande zu bringen, die nicht dieselbe Sprache reden. Hier meine ich nicht unsere beiden germanischen Dialekte, sondern unsere wissenschaftliche Sprache. Unsere grundlegenden Meinungen über den Charakter der Märchen, ihre Lebensverhältnisse und ihre Beziehungen zum gedruckten Wort laufen total auf Kollisionskurs. Außerdem meine ich, daß diese Diskussion bereits entschieden war, da Walter Anderson nach meiner Ansicht schon vor fünfzig Jahren Wesselski mit ziemlich endgültigen Argumenten zurechtgewiesen hat[21]. Fehling indes möge mich entschuldigen, wenn ich ihn als einen Epigonen Wesselskis betrachte.

Dennoch will ich einige Argumente *gegen* Fehling und einige *für* meine eigene Auffassung vorlegen, damit die Leser nicht denken, ich würde das Feld kampflos räumen. Ein paar meiner wichtigsten Argumente gegen Fehling habe ich schon angedeutet: es ist vollkommen unbegreiflich, wie er die Aufzeichnungen aus dem 20. Jahrhundert aus seinem Material ausschließen kann[22]. Gerade mit ihrer Hilfe können wir eine beweiskräftige Kartographie zustande bringen, die die inneren Beziehungen zwischen den verschiedenen Erzählformen zeigt, und die das Zufällige vom wirklich Traditionellen unterscheidet. Für den, der mit der üblichen ethnologischen Diffusionsmethodik arbeitet, ist die »rückwärtsgerichtete« historische Arbeitsweise genauso selbstverständlich, wie sie für Fehling lächerlich scheint. Hier können wir nie einen Kompromiß erreichen. Durch seine merkwürdige zeitliche Grenzziehung braucht Fehling auch keine Stellung zum außereuropäischen Material zu nehmen, da es zum überwiegenden Teil erst während der letzten Jahre aufgezeichnet oder veröffentlicht worden ist. Womit wir nicht behaupten wollen, daß zum Beispiel chinesische und indische literarische Quellen nicht ebenso in die Zeit zurückführen können wie die europäischen. Wir wollen uns einen Augenblick beim Märchentyp AT 315 A aufhalten, »The Cannibal Sister«. Hier gibt es praktisch genommen keine einzige Aufnahme, die älter ist als hundert Jahre. Das Verbreitungsgebiet aber, ohne jeden Zweifel hinsichtlich des Traditionszusammenhangs, umfaßt Teile Asiens, Afrikas und Nordamerikas, und auf eine solche Weise, daß unter anderem afrikanische Negertraditionen in den USA den einheimischen Indianerüberlieferungen begegneten und sie beeinflußten. In Europa ist das Märchen im großen und ganzen unbekannt[23]. Sollen die interessanten und streckenweise schwindelerregenden Perspektiven, die ein solcher Märchentyp aktualisiert, einfach zur Seite geschoben werden als irrelevant, weil dieser in der europäischen Literatur des Mittelalters nicht vorkommt? Nun mache ich für einen Augenblick das für mich an und für sich furchtbare Gedankenexperiment, es hätte sich wirklich so verhalten, daß Apuleius die Amor-und-Psyche-Erzählung selbst geschrieben hat, indem er, wie es in einem gälischen Märchen steht, sie von seiner eigenen Brust gesogen hat. In diesem Falle würde sie zur Gattung der hellenistischen Kleinepik gehören, wie auch folgerichtig die Metamorphosen des Ovid. Wie möchte es nun Fehling erklären, daß nur die Psycheerzählung diese enorme Popularität in der mündlichen Tradition des 19. und 20. Jahrhunderts erreicht hat? Warum entdecken wir dort so gut wie keine Motive aus den Werken des viel öfter gelesenen Ovid?

Fehling hat nie davon gehört, jedenfalls in seinem Buch nicht diskutiert, daß der Ethnologe dazu verpflichtet ist, bei Vergleichen zwischen Kulturelementen das sogenannte Form- oder Qualitätskriterium, das schon Graebner formuliert hat[24], zu erfüllen. Eine volkskundliche Arbeitsmethode erfordert ständige Rücksichtnahme auf dieses Kriterium, und wenn man von dessen Standpunkt aus Fehlings Gedankengänge und Parallelziehungen betrachtet, dann fallen sie bereits vor den Augen eines Neuanfängers in der Ethnologie in sich zusammen. Parallelen im Bereich der Literaturforschung sind *eine* Sache, und beweisbare »genetische« Traditionszusammenhänge zwischen mündlichen Erzählungen unter sich oder zwischen ihnen und literarischen Produkten eine *andere*. Für die Beurteilung eventueller Zusammenhänge spielen hier die festen Motivkomplexe, ergänzt durch charakteristische Einzelmotive, eine entscheidende Rolle[25].

Von den Argumenten für die Richtigkeit meiner eigenen Auffassung, daß also der »Mythos« des Apuleius eine mythologisch dekorierte oder garnierte Volksmärchenversion ist, ausstaffiert, damit sie in den literarischen Kreisen, für welche sie vorgesehen war, salonfähig sein würde, will ich eigentlich nur eine einzige Aussage wiederholen, insbesondere da ich sie als vollkommen unwiderlegbar ansehe. Sie lautet: die Vorlage des Apuleius gehört zu der Form des Märchens, die von mir »Subtyp A«, von Aarne und Thompson in der letzten Auflage jedoch »Subtyp B« genannt wird. Es ist der Untertyp des Märchens, der am weitesten verbreitet ist, und dabei der einzige, auf welchen die sonstigen Untertypen, wie viele man nun als solche immer anerkennen will, zurückgeführt werden können[26]. Folgerichtig betrachte ich ihn als die älteste Form dieses Märchens. Die Frage, wo und wann sie entstanden ist, wird nie beantwortet werden können und ist außerdem eigentlich gleichgültig. Es ist offenbar, daß der wesentliche Teil dieses Motivkomplexes die praktisch genommen in allen Kulturen vorkommende »Tierbräutigamerzählung« ist. Wenn wir das Märchen des Apuleius mit den spätzeitlichen Versionen des Untertyps A vergleichen, die in der mündlichen Tradition vorkommen, zeigt sich, daß diese in einer großen Anzahl von Aufzeichnungen, die von Island und Skandinavien im Nordwesten bis nach Indonesien im Südosten verbreitet sind, ein Abschlußmotiv aufweisen, welches bei Apuleius vollkommen fehlt, nämlich daß die Heldin in einer letzten Prüfung gezwungen wird, am Bett ihres ehemaligen Mannes während seiner Hochzeitsnacht mit einer anderen Frau zu stehen und brennende Fackeln zu halten[27]. Ich bin der Ansicht, daß dieses Motiv bereits in der Zeit des Apuleius in der mündlichen Überlieferung vorhanden war; der Autor hatte vielleicht eine schlechte Version des Märchens gehört oder aus irgendeinem Anlaß das Motiv verworfen und deshalb in seine Erzählung nicht aufgenommen. Wenn nun der Text des Apuleius indirekt oder direkt die Quelle aller dieser Märchen sein soll, die alle dieses gar nicht selbstverständliche Abschlußmotiv aufweisen, wie kann man dann um alles in der Welt erklären, daß dieses Motiv später in die Tradition einging, und noch dazu sowohl in Island wie in Indonesien, in Persien, Schweden, Indien, Italien, in der Türkei und in Rußland? In diesem Zusammenhang legt Fehling ein merkwürdig großes Gewicht darauf, daß das Fackelmotiv in Saxos Geschichtswerk aus dem Dänemark des 13. Jahrhunderts erscheint[28]. Es ist dies tatsächlich der Fall, aber es geht da nur um das in Frage kommende *Motiv*, nicht um das *Märchen* AT 425. Die Erzählung Saxos gehört zum Typ AT 900 (»Drosselbart«), der mit AT 425 überhaupt nichts gemeinsam hat, abgesehen davon, daß dieses Motiv daraus entlehnt wurde, und zwar nur in Saxos Version und in keiner anderen. Wie könnte denn dieses Motiv bei Saxo Grammaticus analphabetische Erzähler in Persien, in der Türkei oder bei den Tontemboanern auf Sulawesi auf dieselbe Weise beeinflussen? Und wie könnte überall *dasselbe*, und nur dasselbe Motiv in einem *anderen* Märchen aufgenommen werden?!

Wenn ich von den Versuchen der Literaturwissenschaftler, wie Wesselskis und Fehlings, mündliche Erzählungen von gedruckten oder literarischen Quellen abzuleiten, Abstand nehme, handelt es sich um das Erklärungsmodell im allgemeinen[29]. Selbstverständlich hat das gedruckte Wort im Laufe der Zeiten die mündliche Tradition oft beeinflußt; ich wäre der letzte, das zu verneinen. Dieser Einfluß ist indessen nie so dominierend gewesen, wie Wesselski und seine Nachfolger geltend machen. Das Problem sieht eher folgendermaßen aus: es geht darum, *die* Überlieferungen abzusondern, die in ihren Einzelmotiven klar zeigen, daß sie wahrscheinlich von gedruckten Märchen beeinflußt wurden, oder die durch ihre Abweichungen von den wohlbekannten und relativ seltenen traditionellen Typen zeigen, daß sie von nichtvolkstümlichen Quellen abstammen. Hinsichtlich dieser Quellen muß man billigerweise voraussetzen, daß sie beim Volk bekannt und verbreitet waren. Hierher gehören eigentlich nur die Flugschriften des 19. Jahrhunderts, ein Teil der Lehrbücher und zum Beispiel die Neuruppiner Drucke. Ich wage es in jedem Falle, mit Entschiedenheit zu behaupten, daß schwedische Bauern weder Fulgentius, noch französische Feenmärchen und nicht einmal die Brüder Grimm als Lektüre hatten. Das einzige Volksmärchenbuch, das in der skandinavischen Erzähltradition klare Spuren hinterließ, war »Contes de ma mère l'oye« von Perrault, und nicht einmal das ganze Buch, sondern vor allem die vier, fünf Märchen, die regelmäßig als Billigdrucke erschienen: Blaubart, Däumling, Aschenbrödel und Der gestiefelte Kater. Die Ursache lag wohl darin, daß gerade diese naiv erzählten Märchen der stilistischen Tradition des mündlichen Erzählens gut entsprachen. Das aber konnte man von dem überlasteten Feenmärchen des 18. Jahrhunderts ganz entschieden nicht behaupten. Was die Feenmärchen angeht, existierte anscheinend ein starker Widerstand seitens der mündlichen Traditionsträger. Denn es ist leicht festzustellen, daß diese Märchenliteratur in Skandinavien, wo ich die Verhältnisse am besten kenne, als sekundäre Volksüberlieferung praktisch unbekannt ist. In diesem Zusammenhang ist die einzige Ausnahme von dieser Regel zu erwähnen, nämlich »La Belle et la Bête«, Madame de Beaumonts eigenwillige Version des Amor-und-Psyche-Märchens. Diese fand in Europa Verbreitung, weil sie in einem Kinderbuch vertreten war, in »Le Magasin des Enfants«, das als Lehrbuch des Französischen benutzt und in mehrere Sprachen übersetzt wurde. Aus dieser Quelle wurden über zweihundert Varianten aufgezeichnet, die man leicht an dem stark veränderten Schluß erkennen kann: nach ihrer verspäteten Rückkehr von einem Besuch daheim küßt die Heldin ihr »Ungeheuer«, das zu einem schönen Mann wird, und damit ist das Märchen zu Ende. Auf welche Weise hat sich diese Buchfassung des Märchens verändert, als es in die mündliche Tradition überging? Dies hing in erster Linie davon ab, ob das Märchen, von welchem »La Belle et la Bête« eine Abkürzung ist, in der früheren Volkstradition bekannt war oder nicht. War Subtyp 425 A (nach Thompsons Meinung, 425 B in meinem Buch), dessen Einleitung den größeren Teil des »La Belle et la Bête« ausmacht, in der Überlieferung eines Volkes vorhanden, dann wurden die Einzelheiten des literarischen Märchens beinahe vollständig nach den Motiven des früheren mündlichen Märchens[30] umgeformt. In den Ländern dagegen, wo Subtyp A nicht traditionell war, wurden die literarischen Motive in größerem Umfang beibehalten. Wir können also feststellen, daß das Vorkommen der traditionellen Form eines

Motivs oder eines Typs die Einführung einer anderen, in Einzelheiten abweichenden Form in die Tradition verhindert. Dies neue Beispiel dafür, daß die Traditionsstabilität eine Tatsache ist, mit welcher man rechnen muß, nicht nur ein Hirngespinst ignoranter Folkloristen, muß natürlich bei der Begegnung zweier mündlicher Traditionen oder des gedruckten Wortes mit der mündlichen Überlieferung in Betracht gezogen werden. So bin und bleibe ich ein unverbesserlicher, reaktionärer Romantiker, der sich hartnäckig weigert, seine diffusionistischen Zwangsgedanken loszuwerden. Aber auch solche Stimmen aus der Vergangenheit scheinen nunmehr mit Aufmerksamkeit rechnen zu können, und das sogar in den allerbesten Kreisen.

Ilona Nagy
DIE GESTALT DES CHARON IN DEN UNGARISCHEN
VOLKSMÄRCHEN

In der griechischen Mythologie spielt Charon eine geringere Rolle als Götter und Heroen. Von ihm berichten keine eigenen Mythen; nichts erfahren wir über sein Leben, über wunderbare Abenteuer oder bemerkenswerte Taten. Als einziger besingt ihn der römische Dichter Apollodorus Mythographus; er lobt »die rohe, blühende Kraft des Charon, des alten Totenfergen«. Charon hat nichts besonderes vollbracht, er erfüllte nur seine Pflicht: er beförderte die Seelen der Verstorbenen über den Fluß, der die Welt der Lebenden von der Unterwelt trennt.

Nach dem Glauben der alten Griechen entfernt sich die Seele im Tode aus dem Körper, bewahrt jedoch als treues Abbild dessen Form. Sie ist körperlos wie der Schatten. Die Verstorbenen erreichen das Ufer des Flusses Acheron, geleitet von Hermes Psychopompos. Dort erwartet sie schon der Fährmann der Unterwelt: Charon. Aber er gestattet das Besteigen des Kahns nur jenen, denen die Verwandten die vorschriftsmäßige Bestattung gewährt haben. Jene, die nicht den Vorschriften entsprechend beigesetzt wurden, müssen hundert Jahre lang umherirren, und erst, wenn diese lange Frist verstrichen ist, dürfen sie im Reich des Hades an ihre letzte Ruhestätte gelangen.

Im alten Griechentum herrschte die Sitte des Einäscherns. Die Asche der Verstorbenen bewahrte man in Urnen auf, die auch unter einem Grabhügel beerdigt werden konnten. Ertrunkenen und jenen, deren Leichnam aus anderen Gründen für die Verwandten und Freunde unerreichbar war, wurde wenigstens ein symbolischer Grabhügel in der Heimat errichtet, der »Kenotaphion«, leeres Grab, genannt wurde, damit Charon zufriedengestellt sein konnte. In den Mund der Verstorbenen legte man ein Geldstück, »Obolos« genannt, mit dem sie Charon die Fährgebühr bezahlen sollten. Den Eingang der Unterwelt hütet ein dreiköpfiger Hund, Kerberos. Des weiteren werden noch folgende Flüsse der Unterwelt erwähnt: erstens Lethe, das Wasser des Vergessens; zweitens Kokytos, der Fluß des Jammers; drittens Styx, die undurchdringbare Grenze der Unterwelt. Wenn jemand auf den Styx geschworen hatte, galt dieser Schwur als der heiligste und unverbrüchlichste. Von der Unterwelt wurde gewöhnlich im Zusammenhang mit der Fahrt eines Gottes oder eines Helden in das Totenreich und seiner Rückkehr erzählt. Gerechte und Sünder hatten in diesen Geschichten nicht das gleiche Los. Für ganz große Frevler, wie Tityos, Phlegyas, Ixion, waren ewige Strafen vorgesehen, besondere Strafen auch für diejenigen, die ihre Eltern schlugen oder den Gast, den schutzsuchenden Fremden verletzten, ferner für die Tempelräuber und die Meineidigen.

Die Mythen von den Unterweltfahrten der Götter und Helden berichten über die dort büßenden Seelen: Oknos dreht an einem nie fertigwerdenden Seil; Tantalos, der sein eigenes Kind den Göttern zur Speise vorgesetzt hatte, steht dort mit ewigem Hunger und Durst bestraft; die gattenmörderischen Töchter des Danaos müssen hier ewig in einem bodenlosen Faß Wasser tragen; Sisyphos, der von steiler Felsklippe die Fremden ins Meer hinabstoßen ließ, muß ohne Ende einen immer wieder zurückpolternden Steinbrocken bergwärts rollen. Die ewige Unerfülltheit, die Fruchtlosigkeit jedweder Tätigkeit ist die Strafe für die Sünder. Indessen sind die guten Verstorbenen zur Insel der Seligen oder zum Elysium unterwegs, wo sie ihren Lieblingstätigkeiten auch nach dem Tode nachgehen können.

Bei der Begegnung des Herakles auf seiner Unterweltfahrt mit Charon hätte es beinahe einen Ringkampf zwischen den beiden gegeben. Charon indessen muß vor dem Helden so erschrocken sein, daß er ihn in den uralten Kahn nahm, der aus Baumrinden zusammengenäht war. Fast ging das schwache Fahrzeug unter der Last des Helden unter.

Auch in der Mythe von Orpheus begegnet uns Charon. Der Held, der wegen Eurydike in die Unterwelt niedersteigt, wird ebenfalls von Charon übergesetzt, und dieser erinnert sich noch gut seiner früheren Fahrgäste, des Herakles und der zwei Freunde Theseus und Peirithoos. Charon wird von dem Lautenspiel des Orpheus so hingerissen, daß er bereit ist, den Kahn zu verlassen, um ihn, ihm folgend, weiter hören zu können. Der Sänger verletzt jedoch die Gesetze der Unterwelt und verliert Charons Wohlwollen.

Aeneas hatte ebenfalls ein Treffen mit Charon. Der Geist seines Vaters Anchises hatte ihm befohlen, ihn mit Hilfe der Sibylle in der Unterwelt aufzusuchen. Aeneas betrat von der Sibylle begleitet durch das Tor von Avernos die Unterwelt. Beim Kokytos trafen sie Charon, der sich von den um den Kahn sich scharenden Seelen jene auswählte, deren Leichnam schon beigesetzt war. Charon wollte Aeneas nicht mitnehmen. Die Sibylle wies ihm jedoch einen goldenen Zweig als Geschenk für Proserpina, die Königin der Unterwelt, vor. Da war Charon zufrieden und nahm die beiden Fahrgäste in seinem Kahn mit.

Psyche, aus der Geschichte von Amor und Psyche, hatte auf dem ihr angeratenen Gang in die Unterwelt in jeder Hand einen Honigkuchen und im Munde zwei kupferne Geldstücke mitgenommen. Mit dem einen Geldstück bezahlte sie auf dem Hinweg, mit dem anderen auf dem Rückweg die Überfahrt. Sie brauchte nur den Mund aufzutun, Charon fand das Geld schon. Psyche durfte sich um niemanden und um nichts in der Unterwelt kümmern, damit ihr die Kuchen und die Geldstücke nicht verlorengingen. Mit dem einen Kuchen besänftigte sie den Höllenhund beim Hineingehen, mit dem anderen beim Herauskommen.

Die griechischen Mythen verraten also nicht allzuviel über Charon, dessen Gestalt in der grau-nebligen Dämmerung über den verzweigten Sümpfen und Flüssen der Unterwelt verschwimmt. Trotzdem hat er ein wichtiges Amt: ohne seinen Beistand können die Verstorbenen ihre letzte Heimstätte nicht erreichen, die in die Unterwelt fahrenden Helden ihre Aufgaben ohne ihn nicht erfüllen. Mit seinem unaufhörlichen Hinundherfahren ist er der Vermittler zwischen den beiden Welten. In dieser Rolle ähnelt er auffallend den sibirischen Schamanen. Die Spuren des Schamanismus bei den indo-europäischen Völkern im Blick, hat schon Mircea Eliade auf die Seelenbegleiterrolle des Psychopompos hingewiesen[1]. Der altaische Schamane bereist während seiner Ekstase nicht nur den Himmelsbereich, sondern auch die Unterwelt: er scheint »die sieben Stiegen oder unterirdischen Regionen senkrecht eine nach der anderen hinabzusteigen. Er wird dabei von seinen Ahnen und sieben Hilfsgeistern begleitet. Nach der Überwindung eines jeden Hindernisses beschreibt er eine neue unterirdische Epiphanie, wobei das Wort *schwarz* fast in jedem Vers vorkommt. Beim zweiten Hindernis kommt anscheinend der Klang von Metallen vor, beim fünften hört er Wogen und das Pfeifen des Windes, beim siebten schließlich, an der Mündung der neun unterirdischen Flüsse, erblickt er den Palast Erlik Khans, der aus Stein und schwarzem Ton erbaut und nirgends zugänglich ist . . . Solche Abstiege zur Unterwelt unternimmt man vor allem,

um die Seele eines Kranken zu suchen ... Natürlich findet die Unterweltsfahrt des Schamanen auch zu dem umgekehrten Zweck statt, nämlich um die
Seele des Abgeschiedenen in das Reich Erliks zu geleiten.« Eliade weist darauf
hin, daß man versucht, diese schamanistischen Unter- bzw. Überweltsfahrten
mit Darstellungen von Visionen in Verbindung zu bringen, die man in tibetanischen und turkestanischen Grottentempeln gefunden hat und die letzten En-
des indischen Einflüssen entstammen könnten[2].

Unserer Meinung nach sollten wir aus der Ähnlichkeit des Charon mit dem in
der Unterwelt der altaischen Völker über einen Fluß setzenden Schamanen
hier keine weiteren Folgerungen ableiten, handelt es sich doch um so allgemeine menschliche Kulturgüter, die auch unabhängig voneinander als Bestandteile
des archaischen Weltbildes hervorgebracht werden konnten. Eine nicht gerade
sympathische, jedoch notwendige Gestalt der mythisch-dichterischen Vor-
stellungswelt ist der Fährmann der Unterwelt. Er taucht in den europäischen
Märchen gleichfalls auf.

Das Märchen von den »drei Haaren aus des Teufels Bart« (AT 461), welches in
dem in Vorbereitung befindlichen ungarischen Märchenkatalog unter der gleichen Nummer den Titel »Des Glückes Glück« trägt, ist im europäischen Mär-
chenschatz sehr beliebt und in verschiedenen Varianten in der ganzen Welt zu
finden. Das Thema der ungarischen Varianten ist folgendes: Christus und der
Heilige Petrus finden Herberge bei einem armen Mann, dessen Frau in Wehen
liegt. Sie sagen voraus, der neugeborene Sohn wird die Tochter eines reichen
Mannes heiraten. Der reiche Mann adoptiert den Sohn des armen; aber als er
von der Prophezeiung hört, will er ihn umbringen. Schließlich soll der Junge
nach allerlei bestandenen Abenteuern, und nachdem er doch die Tochter des
Reichen zur Frau bekam, den Weg zum Glück des Glückes gehen, einem un-
nahbaren, gefährlichen außerirdischen Wesen, um dort etwas abzuholen oder
etwas von ihm zu erfahren. Unterwegs bekommt er noch weitere Aufgaben,
unter anderem die, zu erfahren, wann der Fährmann, der ihn über den Fluß
setzt, endlich von seinem Amte erlöst wird. Mitleidig hilft ihm die Frau oder
Mutter des unheimlichen Wesens, und unter anderem erfährt er: der Fährmann wird erst dann abgelöst, wenn er das Ruder jemandem in die Hand
drückt. Für seine anderen mitgebrachten Antworten wird der Junge überall
belohnt und kommt als reicher Mann nach Hause. Der Schwiegervater benei-
det ihn um sein Glück und macht sich auf den gleichen Weg, um sich ebenfalls
zu bereichern. Als er zu dem Fluß kommt, drückt ihm der Fährmann das Ruder in die Hand, so daß er auf ewige Zeiten dort Fährmann bleiben muß.

In diesem Märchentyp taucht also ein Mann auf, der die Reisenden zwischen zwei Ufern zu befördern hat. Diese Arbeit soll er bis zum Ende der Welt verrichten, falls er keinen findet, den er durch Hingabe des Ruders zur Übernahme dieser Aufgabe zwingen kann. Ein Fährmann ist er, aber ist er mit dem Charon identisch? Trennt der besagte Fluß wirklich die Menschenwelt von der Unterwelt?

Die älteste ungarische Variante des Märchens stammt aus dem Jahre 1855. In dieser wird der Held zum Sonnengott geschickt, um ihn zu befragen, warum er morgens so lustig auf- und abends so traurig untergeht. Er kommt zu einem Fluß, findet einen Kahn und einen Menschen darin, dessen Hintern am Kahn und dessen Hände am Ruder kleben. Der Fährmann läßt ihn vom Sonnengott erfragen, wann er befreit werde. Die Antwort lautet: der Fährmann wird dann erlöst werden, wenn jemand sich in seinen Kahn setzt und er selbst dann schnell »halbert!« schreit. Daraufhin wird der, der sich hingesetzt hat, angeklebt[3]. Die Wohnstätte des Sonnengottes ist angeblich nicht die Unterwelt. Aber in einer anderen, 1857 aufgezeichneten Variante, kommt tatsächlich die Unterwelt vor. Nacheinander von drei Königen mit verschiedenen Aufgaben beauftragt, findet der Held zum Eingang der Unterwelt. Hier hält ein alter Deutscher die Wache, der ihn nur eintreten läßt, wenn er für ihn auskundschaftet, wie lange er noch hier die Wache halten soll. Ein schönes junges Mädchen versteckt den Jungen vor dem Teufel unter dem Bett, und er erfährt die Antworten, nach denen er ausgeschickt ist: eine Quelle wird wieder klares Wasser geben, wenn man aus der Gruft daneben das uneheliche Kind der Königstochter befreit. Ein krankes Mädchen wird geheilt werden, wenn sie aus dem Munde der unter dem Altar wohnenden Kröte die heilige Hostie, die durch ihre Schuld dahin gelangt ist, entnimmt und kommuniziert. Die vor siebzehn Jahren geraubte Königstochter soll beim Teufel bleiben. Der Deutsche, der beim Tore Wache steht, ist ein ungerechter, sündiger Hoher Priester. Er soll so lange dort stehen, bis in der Unterwelt zwei unschuldige Seelen sich einander an den Händen fassen und sich küssen. Daraufhin springt der Junge auf, küßt die Königstochter und verurteilt dadurch den Teufel, den Deutschen am Tore abzulösen und von nun an dort Wache zu halten.

Wenn wir weiter nach dem Märchenmotiv »Überfahrt über einen Fluß« forschen, erhalten wir weitere Varianten: der Held wird von einem alten Weibe über das Meer, ins Reich des Pelikankönigs befördert, dem er so lange dienen soll, bis er dem König geholfen hat, hundert Menschen im Meer zu ertränken. Bis jetzt sind schon neunundneunzig ertrunken.

Der Königssohn kommt zu einem Bach, der sich vor ihm dahinquält und durch ihn vom Glück des Glückes erfragen läßt, weshalb sich in seinem klaren Wasser noch nie ein lebendiges Tierlein fand. Die Antwort lautet: darum, weil noch niemand darin ertrunken ist.

Der Held kommt an einen Fluß und an eine alte Brücke darüber, die zittert und zittert. Dann gelangt er zu zwei Felsen, die sich unentwegt stoßen. Ihre Fragen beantwortet die Sonne so: die Brücke war einst ein alter Mann, der an einem Feiertag geschuftet hat. Zur Strafe wurde er in eine Brücke verwandelt und wird nur dann erlöst werden, wenn er einen Menschen umbringt. Und die Felsen waren tagaus, tagein streitende Geschwister; sie werden erst dann Ruhe finden, wenn sie einen Menschen getötet haben werden. Außerdem hatte der Held noch eine immerfort seufzende Wiese getroffen; diese war früher ein Mädchen, das sich nur allezeit kämmte; zur Strafe muß sie nun unaufhörlich grübeln. Erst, wenn sie einen Menschen töten wird, wird sie von ihrer Qual erlöst werden. Die Brücke und die Felsen beklagen später, daß es ihnen nicht gelungen ist, den Märchenhelden umzubringen. Er hatte ihre Fragen nämlich erst dann beantwortet, als er sich schon weit genug von ihnen entfernt hatte.

Ein altes Weib fährt den Helden über das Meer zur »allwissenden Frau«. Es wird erst dann erlöst werden, wenn es, am Ufer angekommen, schneller aus dem Kahn herausspringt als sein Fahrgast. Der Held zog den kürzeren und mußte im Kahn zurückbleiben.

Der Fährmann über das schwarze Meer muß so lange fahren, bis er einmal schneller hinausspringen kann als sein Fahrgast. In diesem Märchen ist der reiche Schwiegervater derjenige, der verliert.

Der Fährmann rudert den Helden über das Meer zum Teufel und wird befreit, sobald er jemandem das Ruder in die Hand drückt.

Der Junge kommt vor ein großes Wasser, auf dem ein Mann hin- und herrudert. Der Mann setzt ihn in das »allwissende Land« über, wo die alte Menschenfresserin gewisse Fragen beantwortet. Der Ruderer kann den Kahn nicht eher verlassen, als bis er, am anderen Ufer angelangt, sagt: »Ich gehe fort, und du bleibst hier!«

Am Rande eines Waldes kommt der Junge ans Meer und sieht am jenseitigen Ufer einen Palast. Auf dem Wasser rudert ein altes Weib. Der Junge fleht es an, ihn überzusetzen. Das alte Weib warnt ihn: seit dreihundert Jahren hat es viele Menschen übergesetzt, aber kein einziger ist zurückgekehrt; jene Burg nämlich ist die Festung des Drachenkönigs Basarikus. Durch die Tochter des Drachenkönigs erfährt der Junge, das alte Ruderweib könne erst erlöst werden, wenn es ihr gelänge, als erste aus dem Kahn zu steigen. Wer dabei zurückbleibt, kann nicht mehr hinaus.

Der Fährmann über das Wasser zum Lande des »weltweisen Mannes« muß so lange in seinem Amt ausharren, bis er einmal schneller aus dem Kahn springen kann als sein Fahrgast.

Der Fährmann über das Meer darf so lange nicht sterben, bis er jemanden umgebracht hat.

Das alte Weib, das in einer Nußschale auf dem See rudert, nimmt den Jungen zum anderen Ufer mit und bittet ihn herauszubekommen, wie lange es noch hin- und herzurudern hat. Vogel Greif antwortet: bis zum Ende seines Lebens.

Der Märchenheld wird zum König der drei glänzenden Federn gesandt. Viele sind schon dorthin gewandert, keiner kehrte von dort zurück. Eine Frau fleht ihn an, sich zu erkundigen, wann ihre drei Töchter freikommen werden. Die eine Tochter ist das Fährweib, die zweite die Frau des Königs, die dritte die Magd des Königs der drei glänzenden Federn. Die Antwort lautet: das Fährweib wird erst dann frei werden, wenn durch ihre Hand tausend Menschen im Wasser ertrunken sein werden, die beiden anderen Töchter jedoch können nie freikommen.

Während er den Helden über das Wasser fährt, beklagt sich der Fährmann, daß er seit zwanzig Jahren schon fahren muß, und möchte wissen, wann er endlich abgelöst werden wird. Der am anderen Ufer an einem Felsen hausende Feder-Peter beantwortet die Frage: er kann freikommen, wenn er in dem Augenblick, in dem jemand seinen Kahn besteigt, hinausspringt.

Ein altes Fährweib bittet den Helden, der übers Meer zum Vogel Greif unterwegs ist, er solle den Greifen fragen, wie lange es noch die Herren zu fahren hat. Die Frau des Greifen reißt für den Burschen drei Federn aus dem Gefieder des Vogels. Dadurch verwandelt sich der Greif in einen alten Mann und bedankt sich, daß er ihn erlöst hat, und das Meer ist verschwunden.

Paulchen kommt an ein großes Wasser. Dort wohnt in einer kleinen Hütte ein altes Mütterchen, das ihn nur hinüberfahren will, wenn er den Drachen, zu dem er unterwegs ist, befragt, wie das Mütterchen im Gewitter einen Menschen fangen könne. Die Antwort heißt: wenn ihr bei Paulchens Rückfahrt gelänge, ihn und die von ihm entführte Königstochter gefangenzunehmen, hätte sie selbst erlöst werden können.

Von kleinen Abweichungen abgesehen, können die geschilderten, im ungarischen Märchenkatalog registrierten Varianten des Märchens in zwei Gruppen eingeteilt werden. In den Varianten der ersten Gruppe wird der Held nach legendenhafter Einleitung (AT 779 A: Christus und die in Geburtswehen liegende Frau) zum Glückes Glück oder zum Allwissenden oder einer anderen Jenseitsgestalt geschickt, um von ihr Antwort auf verschiedene Fragen zu erhalten. In den Varianten der zweiten, kleineren Gruppe, fehlt im allgemeinen die legendenhafte Einleitung; hier hat der Held den Auftrag, drei Federn eines sonderbaren gefiederten Wesens zu erlangen. Der Fährmann und das Überqueren des Wassers kommen in diesen Varianten in sechzehn Fällen vor, in elf Fällen fehlen diese Motive.

Mit dem Aufzeigen der beiden Motive in ungarischen Belegen wollen wir nur darauf hinweisen, wie weit das in der Märchensprache erzählte Mythologem von der Fassung in den Mythen abweicht, um wieviel reicher es ist und wie sich entfaltet und ausformt, wie es von seinem mythischen Grunde abgelöst und von seiner Ernsthaftigkeit befreit wird. Wir wollten an mannigfaltigen Beispielen nur darstellen, wie begründet unsere Vermutung ist, das im Märchen vorkommende Wasser trenne die Welt der Lebenden und das Reich der Toten voneinander und das Abenteuer des Märchenhelden sei tatsächlich eine märchenhafte Unterweltsreise. In etlichen Varianten wird die Unterwelt auch genannt; in diesen Fällen ist sein Herrscher, den christlichen Vorstellungen gemäß, der Teufel. In dieser Unterwelt wird der Held vom Tode bedroht; nur mit Hilfe der Mutter, der Gattin oder einer Gefangenen des Teufels oder eines anderen Wunderwesens kann er diesem Schicksal entrinnen. In einer der Varianten ist die Herrin des Jenseits ein »menschenfressendes altes Weib«. In mehreren Fällen wird betont, daß von denen, die das Wasser überquerten, bisher noch keiner zurückgekehrt sei. Der Zusammenhang des Wassers, des Meeres oder des Flusses mit dem Tode kommt auch in anderer Weise zum Ausdruck: in ihm findet sich kein lebendes Wesen; es ist also ein lebloses Wasser und kann erst dann lebendig werden, wenn jemand in seinen Fluten den Tod gefunden hat. Dem gleichen Grundgedanken folgen die Varianten, in denen der Fährmann nur unter der Bedingung befreit werden kann, daß es ihm gelingt, Menschen, hunderte, tausende, zu erdrosseln oder im Wasser umzubringen. Leben und Tod sind die großen Gegensätze, und die sonderbaren Mordempfehlungen, die aus dem Jenseits kommen, gehören mit zu den Rätseln des Lebens.

Die Fragesteller, die der Märchenheld unterwegs trifft, erkundigen sich ausnahmslos nach dem Grunde unerklärlicher Erscheinungen oder Bedrängnisse. Meistens erhalten sie die Antwort, daß die jetzige Not die Folge früherer Sünden und die gerechte Strafe dafür ist. Das ist so wie bei den in der Unterwelt leidenden mythischen Sündern. Nur sind die Grenzen in den Märchen nicht so scharf, so streng gezogen: jene Menschen, welche die ihnen zugemessene Strafe erleiden oder auch nur die verschiedenen Notlagen verursacht haben, verbringen die Tage und treiben ihr Wesen nicht unbedingt im Jenseits, sondern oft auch auf dieser Seite des unterirdischen Flusses. Der Fährmann fährt sie sogar über das trennende Wasser hin und her. Damit ist gesagt, daß diese Menschen ihre Strafe nicht immer erst nach ihrem Tode erleiden sollen.

Der Charon der Mythologie ist ein kraftvoller Mann auf der Höhe des Lebens, obwohl sein fortschreitendes Altern schon zu ahnen ist. Gewissenhaft verrichtet er seine Aufgabe, obwohl er daran weder Freude findet, noch sich gegen diese bis in alle Ewigkeit eintönige Tätigkeit wehrt. Dagegen wird die Gestalt des Fährmanns in den Märchen viel abwechslungsreicher dargestellt: meistens ist es ein Mann, manchmal jedoch auch eine Frau, in einigen Fällen ein altes Weib, in anderen ein junges Mädchen. Es bleibt unklar, warum diese Person zwischen den beiden Ufern unentwegt hin- und herfahren muß. Eines aber ist sicher: die ihr aufgebürdete Pflicht bedrückt sie so sehr, daß sie sie loswerden möchte. Der Herr oder die Herrin des Jenseits gestattet auch, die Selbstbefreiung zu versuchen, ja verrät sogar, auf welche Art und Weise das geschehen kann: nämlich dadurch, daß der Fährmann jemanden durch eine List dazu verleitet, des Fährmanns Stelle einzunehmen. Die Gerechtigkeit der Märchen teilt diese Rolle meistens dem Antihelden, dem reichen, geizigen Kaufmann zu; er soll die Arbeit als Strafe übernehmen. In einigen Varianten bleibt jedoch der Held, der Junge, der die Unterwelt durchwandert hat, im Kahn, um für ewige Zeiten dort weiter zu dienen. Der Charon der Märchen wird in diesen Varianten also erlöst. Es gibt eine einzige Variante, in der diese Befreiung für ihn zugleich den Tod bedeutet; in allen anderen Varianten sorgt jedoch die in der Märchenwelt herrschende Gerechtigkeit dafür, daß sein Schicksal von dem des Fährmanns in den Mythen an dieser Stelle wesentlich abweicht. Der Optimismus des Märchens führt den Helden in Richtung zum Leben, zum Licht. Im Märchen hat das dunkle Reich des Hades ein Ende gefunden. Ein Palast ist daraus geworden, oder ein Häuschen auf dem jenseitigen Ufer. In einer der Varianten wird sogar der Vogel Greif, dieses Wesen der Unterwelt, erlöst, und sogar das Wasser verschwindet am Ende und mit ihm die ganze unheimliche Unterwelt.

Im Märchen ist nämlich keine Rede davon, daß der für alle Seelen nach dem Tode bestimmte Aufenthaltsort unbedingt jenseits des Wassers zu sein pflegt. Das Märchen bietet kein Weltbild und kein System in der Art der Mythen; System und Logik der Märchenwelt sind andere als die des Mythos. Das Märchen hat innerhalb seiner eigenen Grenzen die Gestalt des unterirdischen Fährmanns vervollständigt, allerlei mögliche Varianten ausreifen lassen und schließlich die Fährmannsgestalt von der Unabwendbarkeit ihres Schicksals befreit. Im Märchen ist so etwas möglich, weil es nicht an den Glauben, an dessen Welterklärung gebunden ist, ganz anders als in den fest verbindlichen Glaubenssagen und in jedwedem Glaubenssystem. Das Märchen hält sich an seine eigenen Grenzen; das ist auch der Grund, warum von dem Erzähler nicht verlangt werden darf, überhaupt etwas über den Charakter und über das persönliche Leben des unterirdischen Fährmanns zu wissen.

Bei dieser Analyse hier, in der die bei einem einzigen Volke verbreiteten Varianten eines sehr bekannten Märchentyps untersucht werden und in der eine mythologische mit einer Märchenfigur verglichen wird, erhebt sich womöglich die Frage, wie die beiden Gestalten miteinander zusammenhängen und ob der Fährmann des Märchentyps AT 461 mit dem Charon der griechischen Mythologie identisch sein kann. Diese Frage ist mit einem endgültigen ja zu beantworten. Beide sind so identisch, wie das Reich der Verstorbenen und der Grenzfluß zwischen Menschenwelt und Unterwelt in Märchen und Mythen identisch sind. Vielleicht knüpft dieser Märchentyp besonders eng an die griechische Mythologie an, wie zum Beispiel auch das Märchen von Amor und Psyche. Wir erkennen das in der Erzählkunst dargestellte Charonbildnis, und dieses kann uns helfen, die griechischen Mythen besser zu verstehen.

Die Bestandteile der antiken Mythologie leben im heutigen Griechenland ungebrochen weiter. So ist die Gestalt des Charon auch im modernen griechischen Volksglauben wohlbekannt, obwohl mit dem Namen Charon nicht der ehemalige Fährmann sondern der Tod selbst gemeint ist[4].

Daran anschließend können wir nun fragen, in welchen Parallelen des ungarischen Volksglaubens antike Mythologeme weiterleben. Sicherlich nicht zu viele, aber doch einige. Hinweise von Seiten der Archäologie sind da ziemlich aufschlußreich. Die Obolos-Beilagen aus den Friedhöfen des 11. Jahrhunderts bieten in ihrer örtlichen und zeitlichen Verbreitung ein uneinheitliches Bild, einerseits abhängig von den Besonderheiten des frühen Geldverkehrs, andererseits von den Unterschieden in der Tradition. Die Stephanus-Rex-Münzen, welche den Beginn dieses Brauches kennzeichnen, sind in merkwürdiger Gruppierung zum Vorschein gekommen: am häufigsten im Theiß-Mieresch-Körös-Dreieck, der unteren Theiß entlang und im Komitat Nógrád; eine Gruppe fand man auch auf den Friedhöfen des einfachen Volkes im Komitat

Baranya; aus den Gebieten der früheren königlichen Siedlungen, Székesfehér-vár-Stuhlweißenburg oder Esztergom-Gran, sind bis heute nur wenige Exemplare der Stephanus-Münzen bekanntgeworden. In den Gräbern hat man sie meistens im Munde der Toten gefunden, oder, seltener, um den Totenschädel herum. Dieses Brauchtum spiegelt Bestandteile mehrerer Glaubenswelten wider: die antike Vorstellung einer Reise ins Jenseits hat zur Mitgabe von Speise und Trank, oder stattdessen von Geld, geführt, damit der Tote unterwegs nichts entbehren soll. Auf dem Friedhof von Zabola fand man auch auf die Augenhöhlen der Verstorbenen gelegte Geldstücke aus dem 12. Jahrhundert. Auch sind uns volkskundliche Parallelen bekannt geworden: dem Verstorbenen, wenn er schon auf der Bahre lag, bedeckte man die Augen mit Münzen, damit der Blick des Hingeschiedenen nichts Böses anrichten könne[5]. Nach einer anderen Meinung hat sich die Mitgabe des Obolos in Ungarn unter dem Einfluß des byzantinischen Christentums ausgebreitet[5]. Im Ganzen stehen uns in der Volkstradition nur spärliche Angaben darüber zur Verfügung, daß man die Verstorbenen mit Geld versehen hat, um den unterirdischen Fährmann bezahlen zu können. Auf das in den Mund der Toten zu legende Fahrgeld weist in gewisser Weise auch eine Begebenheit im Psychemärchen hin: Psyche trägt nämlich auf ihrem Gang in die Unterwelt die Münzen gleichfalls im Munde verborgen. Unter den ungarischen Begräbnissitten finden wir allerdings eher das Belegen der Augen mit Geldstücken[6]. In einigen Gegenden hat man noch im vergangenen Jahrhundert ein Geldstück und eine Brotscheibe in den Sarg gelegt, damit der Verstorbene bei der Himmelfahrt an den sieben Zollämtern zahlen könne. In katholischen Gebieten wurde die Brotscheibe mit Weihwasser besprengt[7]. Aus der gleichen Zeit stammt folgende Angabe: wenn der Verstorbene ein Erwachsener ist, dann drückt man ihm Geld in die Hand; den Kindern wird ein Kuchenring auf den Arm gezogen, damit sie sich damit in die andere Welt einlösen können.

Obwohl also im ungarischen Volksglauben Charon, der Totenferge, nicht bekannt ist, kann man jedoch eine Anzahl Vorstellungen entdecken von dem ins Jenseits führenden Weg und von einer Gebühr für die Überfahrt. Aber in einer ganzen Reihe ungarischer Volksmärchenvarianten erscheint die Gestalt des Charon, und zwar als der gleiche wie der im griechischen Mythos, jedoch nicht mehr als derselbe: nicht mehr so ernst und dunkel, sondern vielfältig veränderlich, freier, ablösbar, menschlich ausgereifter.

Walter Burkert
VOM NACHTIGALLENMYTHOS ZUM »MACHANDELBOOM«

Ob das Märchen »Von dem Machandelboom«[1] mehr berühmt oder mehr be-
rüchtigt heißen soll, mag man bezweifeln; eindrucksvoll jedenfalls ist diese
Schauergeschichte, so leicht zu merken und dann unvergeßlich in der prägnan-
ten Zusammenfassung, die das Lied des Vogels gibt:

> *Mein Mutter der mich schlacht – Mein Vater der mich aß –*
> *Mein Schwester der Marleenichen – Sucht alle meine Beenichen –*
> *und bind't si in ein seiden tuch Legts unter den Machandelboom.*
> *Kywitt! Kywitt! ach watt ein schoin fugel bin ik.*[2]

Das Märchen wurde 1806 durch Philipp Otto Runge aufgezeichnet, 1808
durch Achim von Arnim veröffentlicht. Bereits in der Erstveröffentlichung ist
darauf hingewiesen, daß das Lied auch in Goethes Faust vorkommt, in der
Kerkerszene, mit der bezeichnenden Anpassung: »Meine Mutter, die
Hur . . .«. Der Text steht, was man 1808 nicht wußte, bereits im »Urfaust« von
1774, und ein Brief Goethes aus dem gleichen Jahr beweist, daß er nicht nur das
Lied, sondern auch die Fortsetzung der Geschichte kannte bis hin zum »Mühlstein der vom Himmel fiel«[3]. Clemens von Brentano, geb. 1778, und Joseph
von Eichendorff, geb. 1788, haben behauptet, Märchen und Lied bereits aus
der eigenen Kindheit zu kennen, auch wenn der Runge-Grimmsche Text Anlaß war, sich dessen wieder zu erinnern. Sicher älter als Runges Aufzeichnung
sind Zeugnisse aus Schottland mit dem Lied der »milchweißen Taube«[4]. Weder der »Faust«-Text noch Runges Aufzeichnung kommen also als einzige
Quelle der Tradition in Frage; es ist verhältnismäßig früh eine mehrsträngige
Überlieferung dokumentiert, was auf mündliche Verbreitung weist.

Die Rungeschen Texte wurden von vornherein als Muster volkstümlicher
Märchen begrüßt; auch der »Machandelboom« wurde im vorigen Jahrhundert
zuweilen Märchensammlern als beispielhaft mit auf den Weg gegeben. Als Ergebnis der Sammeltätigkeit konnte Michael Belgrader jetzt 435 Varianten vorlegen. Jedoch hat die perverse Grausamkeit des Machandelboom-Märchens
auch Scheu und Widerstand erregt. Man solle »dieses Blutrunst-Stück aus der
deutschen Grand-Guignol-Mottenkiste« »doch endlich einmal den Kindern
ersparen«, schrieb jüngst Rudolf Schenda (Fabula 21. 1980, 353). Meine Mutter hat sich strikt geweigert, mir dieses Märchen zu erzählen, das in dem platt-
deutschen Text des Grimm-Märchenbuches mir unverständlich blieb und dar-

113

um die Neugier besonders reizte. Unsere Hausgehilfin allerdings kannte wenigstens den Reim mit dem Schwesterchen Marleenichen.

Eben die Kristallisation im Lied ist eine Eigentümlichkeit dieses Textes, die sich praktisch in allen Varianten hält. Es hat die Funktion eines Merkverses und wirkt damit als stabilisierender Faktor in der Vielfalt der mündlichen Verbreitung. Manche der aufgezeichneten Varianten bestehen nur aus dem Lied. Belgrader betrachtet dies als Relikt, das »übrigbleibt«; doch läßt sich aus dem Lied das Märchen wieder generieren, denn das Lied faßt die wesentlichen Stationen der Handlung zusammen. Was außerhalb liegt, variiert denn auch erheblich, so die Einleitung, die Motivierung und Durchführung des Mordes (Belgrader,32) und die Fortsetzung, die Art der Geschenke und die Bestrafung[5]. Eine Rückverwandlung des gemordeten Knaben kommt nur in einer kleinen Minderheit der Fassungen vor; die Erzählung kann sogar mit der Vogelverwandlung enden, wie auch für Gretchen mit dem »fliege fort«: »ein Märlein endet so«. Und doch ist der Heische-Flug des Vogels eines der festesten Elemente: der Vogel erhält verschiedene Gaben für sein Lied, die er dann lohnend und strafend weitergibt. In der Tat ist das Lied ja stets in die erste Person gesetzt: »Ich bin ein Vogel«. Dies setzt einen entsprechenden Kontext für das Lied voraus, der in der Erzählung als zweiter Teil erscheint.

Im Sinne von Propp und Dundes[6] sehe ich in einer Sequenz von »Funktionen«, in einer Kette von »Motivemen« die charakteristische Grundstruktur einer Erzählung. Im Lied des Vogels sind vier solcher »Motiveme« festgehalten: (1) die Mutter schlachtet den Sohn, (2) der Vater ißt unwissentlich die zubereitete Speise, (3) die Schwester sammelt die Knochen und bestattet sie, (4) ein Vogel entsteht. Belgrader hat in seinem »Episodenschema« (39 – 42) je zwei dieser »Motiveme« zusammengezogen und die Vorgeschichte einerseits, die Fortsetzung andererseits als (I) bzw. (IV) hinzugefügt. Dies allerdings sind eben die variablen Elemente. Nicht auf ihnen, sondern auf den genannten vier »Motivemen« beruht die Identität der vorliegenden Erzählung; daß das Opfer ein Junge ist, wird durch den Kontrast zur Schwester impliziert. Variierende Umkehrungen sind freilich möglich; doch würde ich die Varianten, in denen das Opfer ein Mädchen ist (Belgrader, 147-167), als sekundär betrachten und insbesondere jene litauischen Varianten, in denen eine hexenhafte Mutter nach Kinderfleisch verlangt und den widerstrebenden Vater zum Schlachten zwingt (Belgrader, 183-187, 256), vom eigentlichen Typ abtrennen.

Die Sequenz der vier »Motiveme« ist nun allerdings ganz andersartig als die von Propp herausgestellte Struktur des Zaubermärchens. Während die Proppsche Sequenz ein Abenteuer, ein »Gewinnen« ist, geht es hier um Schlachten, Essen, Knochen-Sammeln und neue Existenz, eine Abfolge, die ich die Opfer-Sequenz nenne und allerdings für sehr alt halte; sie entspricht vor allem der Praxis antiker Opferrituale[7]. Im Corpus der neuzeitlichen europäischen Volksmärchen scheint sie eher ein Fremdkörper zu sein. Die an sich schlicht-reale Abfolge ist in unserem Märchen durch eine besondere, paradoxe »Kristallisation« ausgezeichnet: das Opfer ist ein Menschenkind; die Mutter ist es, die tötet und zerstückelt, der eigene Vater ißt. Im Lied heißt es fast immer klar und unmißverständlich: »Meine Mutter«, wie auch »mein Vater« und »meine Schwester«. Nur eine Minderheit der Versionen freilich wagt es, dies in Erzählung umzusetzen. Meist tritt als Milderung das beliebte Stiefmuttermotiv ein, so auch im Runge-Grimmschen Text. Doch in Gretchens Kerkerlied ist der Mord durch die eigene Mutter tragendes Motiv.

Nun hat man immer gesehen, daß gerade die perverse Grausamkeit dieses untypischen Märchens ihr Gegenstück in klassischen Mythen der Griechen hat. Auch Belgrader spricht bald vom Thyestes-, bald vom Atreus-Mahl, stellt jedoch eine direkte Verbindung in Abrede. Die antike Bezeichnung ist »Thyestes-Mahl«, denn Thyestes ist der Esser, Atreus der Schlächter der Kinder. Dies ist freilich nur eine aus einer eng verbundenen Gruppe peloponnesischer Mythen[8]: Lykaon von Arkadien und Tantalos/Pelops von Olympia gehören dazu, das Stichwort »Pelops und die Haselhexe« ist unter Volkskundlern geläufig geworden. Ganz eng verwandt, doch historisiert ist die Harpagos-Geschichte bei Herodot (1,119), wohl die kunstvollste Fassung der Greuel-Erzählung in klassischer Literatur. Von Herodot sind unzweifelhaft Anregungen in die europäische Volkserzählung eingegangen[9]. Doch was den »Machandelboom« betrifft, sind wir hier auf falscher Spur. Wenn in dieser Gruppe von Erzählungen auch stets der Vater zum Kannibalen wird und den eigenen Sohn verspeist, von der Mutter ist dabei nicht die Rede. Anders ist das in einer zweiten Gruppe griechischer Mythen, die ich die Agrionien-Mythen nenne[10]. Sie gehören ins Kraftfeld des Dionysischen. Hier ist es die bakchantisch rasende Mutter, die das eigene Kind zerreißt. Die »Bakchai« des Euripides bieten das berühmteste Beispiel aus dem Bereich der Tragödie hohen Stils: Pentheus stirbt durch seine Mutter Agaue. Daneben stehen Mythen aus Orchomenos wie aus der Argolis; ein Fest der Ausnahmen und Umkehrungen, »Agrionia«, mit rituellen Antithesen zur Ordnung des Normalen, ist als Hintergrund kenntlich. In dieser Gruppe aber gibt es nur einen Mythos, in dem nach dem Kindermord zusätzlich der Vater zum unwissenden Esser wird; und dies ist zugleich derjenige, der in die bekannteste Vogel-Aitiologie der griechischen

Mythologie ausläuft, der Nachtigallen-Mythos. Er liegt in drei Hauptvarianten vor; in der »Enzyklopädie des Märchens« (I, 125-127) sind zwei davon unter dem Stichwort »Aedon« behandelt worden, nicht jedoch die attische Fassung, die in der antiken Literatur die herrschende ist[11]. Sophokles hat sie in einer verlorenen Tragödie »Tereus« auf die Bühne gebracht; uns blieb die Parodie in den »Vögeln« des Aristophanes. An früheren und späteren Anspielungen in der klassischen Literatur fehlt es nicht; dazu kommen Bildwerke und schließlich die Zusammenfassungen bei den späteren Mythographen. Die ausführlichste literarische Gestaltung ist in den »Metamorphosen« des Ovid zu finden.

Wie oft in griechischen Mythen wird als Vorgeschichte von einem Sexualverbrechen berichtet: König Tereus von Daulis hat Philomela, die Schwester seiner Frau Prokne und wie diese Prinzessin aus Athen, in seine Gewalt gebracht, geschändet und, damit sie nichts verraten kann, ihr die Zunge ausgeschnitten. Doch durch die Bilder eines Gewebes, das sie herstellt, teilt Philomela der Schwester das Verbrechen mit, und beide nehmen nun gemeinsam Rache: Prokne schlachtet den eigenen Sohn Itys und setzt ihn dem Vater zum Mahl vor. Als Tereus zu spät erfährt, was ihm widerfuhr, zieht er sein Schwert und verfolgt die grausamen Schwestern; hier blendet die Erzählung über in den Vogelbereich: Tereus wird zum Wiedehopf, Prokne zur Nachtigall, die unaufhörlich und herzzerreißend um Itys klagt, Philomela aber zur stammelnden Schwalbe. Die Lateiner haben dies verwechselt und den wohltönenderen Namen Philomela der Nachtigall gegeben, was in der abendländischen gelehrten Dichtung sich gehalten hat; so konnte noch Morgenstern Philomele auf die »fliegende Makrele« reimen.

Nicht das Thyestes-Mahl also, sondern der Nachtigallenmythos steht unter allen antiken Mythen dem »Machandelboom« am nächsten. Es ist ein merkwürdiges Zeichen der Verdrängung antiker Tradition in der deutschen Volkskunde, daß diese Beziehung nicht einmal in der an sich so gründlichen Dissertation von Belgrader Erwähnung findet. Im Nachtigallenmythos sind drei der vier in jenem Lied des Vogels zusammengefaßten »Motiveme« vorgegeben, in ihrer notwendigen Reihenfolge und in ihrer spezifischen Kristallisation: die eigene Mutter schlachtet den Knaben, der Vater ißt unwissend, und dann die Verwandlung in den singenden Vogel. Dabei ist der Nachtigallenmythos nicht etwa, was das Dogma von der seit je vorhandenen und unbeeinflußbaren Volkserzählung suggerieren könnte, seinerseits ein Ableger des uralten Märchens; jedenfalls ist es nicht richtig, einfach von einem »Tiermärchen« zu sprechen (Roscher, I 85). Es handelt sich um einen griechischen Mythos im vollen Sinn, eingebunden in die Realitäten der Familien- und Lokaltraditionen: der Vater von Prokne und Philomela, Pandion, ist König von Athen, zugleich in seinem Namen offenbar Exponent eines uns unzulänglich bekannten athenischen Festes »Pandia«; Tereus in Daulis ist zugleich Vertreter der Thraker, was dem Mythos im 5. Jahrhundert eine besondere, für uns nicht ganz durchschaubare Aktualität verlieh; in allgemeinerer Weise erscheint der Mythos bezogen auf den dionysischen Hintergrund der Agrionien-Feste und -Mythen, mit dem Aufruhr der rasenden Frauen bis hin zum äußersten Gegenpol der normalen weiblichen Rolle. Darum macht auch hier die Schwester mit der Mutter gemeinsame Sache, Philomela mit Prokne wie Autonoe mit Agaue.

Denn diejenigen Motive fehlen allerdings im Tereus-Mythos, die im Märchen vom »Machandelboom« mit der Faszination des offenbar Uralten seit langem besondere Aufmerksamkeit auf sich gezogen haben: die Rolle der Schwester, das Sammeln der Knochen, die Baumbestattung. Die beiden letztgenannten Motive sind zentral in dem Werk von Karl Meuli, dessen bahnbrechende Studien verdiente Beachtung gefunden haben. Meuli wurde früh auch schon auf das Märchen vom »Machandelboom« aufmerksam, »dessen Primitivität geradezu unheimlich anmutet«. Alle drei Motive sind rituell fundiert und seit ältesten Zeiten bezeugt. Was das Sammeln der Knochen nach dem Opfer betrifft, genüge der Verweis auf Karl Meulis große Abhandlung »Griechische Opferbräuche«[12] und mein ihm folgendes Buch »Homo Necans« (21-4, 63, 114-7). Knochen-Sammeln und Wiederbelebung spielen ihre Rolle bei primitiven Jägern, in der Antike, in der Edda, in der Volkssage: an die Wildgeistersagen, »Pelops und die Haselhexe«, sei nochmals erinnert. Allerdings zielt dieses Motiv auf Wiederherstellung, nicht auf Verwandlung; die Vogelmetamorphose im »Machandelboom« ist von hier aus gesehen untypisch. Daß die Schwester sich des toten Bruders annimmt, ihn sucht, die Reste sammelt, findet sich in altmesopotamischen, sumerischen Mythen von Dumuzi und Geštinanna so gut wie in altägyptischen um Isis und Osiris; Ugaritisches läßt sich vergleichen. Im Griechischen stellt sich vor allem die Zerreißung des Dionysos dazu, wobei die Schwester Athena das Herz rettet oder aber Rhea, die Großmutter, die Reste zur Wiederbelebung zusammenfügt[13]. Aber auch die Tat der Antigone bei Sophokles ist nicht zu vergessen, auch nicht Elektra mit der Urne, die angeblich die Gebeine des Bruders birgt, im Elektra-Drama des Sophokles. Ritueller Hintergrund ist die Rolle, die der Brauch den Frauen bei der Bestattung zuweist, Waschen und Salben des Toten und dann die Spenden am Grab. So treten die Frauen am Grab denn auch in den Evangelien auf. Der Baumbestattung schließlich galten Meulis Bemühungen in seinen letzten Lebensjahren; auch wenn nur ein Torso zustandekam (Ges.Schr. II. 1083-1118), ist die Fülle des Materials doch überaus eindrucksvoll.

Solche bedeutsamen kulturgeschichtlichen Perspektiven dürfen indessen nicht darüber hinwegtäuschen, daß es sich hier um Motive handelt, die prinzipiell variabel und austauschbar sind, und nur in geringem Maß um tragende Elemente, »Motiveme«. In der Sequenz der vier »Motiveme« geht es hier um den Übergang vom zweiten zum vierten. Sammeln der Reste und Bestattung ist ein naheliegender Abschluß der Greuelmahlzeit, wie ihn zum Beispiel auch die Harpagos-Geschichte bei Herodot gestaltet; wesentlich, doch gleichsam vorgezeichnet durch die Struktur der Kernfamilie, ist die Intervention der Schwester. Ein ganz freies Element aber ist die so besonders auffallende Rolle der Baumbestattung, überhaupt die Rolle des titelgebenden Baumes. In einem Großteil der Varianten fehlt der Baum vollständig, so etwa im Schottischen und Englischen, wo vielmehr die Bestattung zwischen zwei Steinen erfolgt, entsprechend dem Reim bones / stones. Wenn also Belgrader zu dem Ergebnis kommt, das Märchen müsse dem finnisch-estnischen Raum entstammen, weil dort »seine altertümlichen Glaubensinhalte ›Wiederbelebung aus den Knochen‹, ›Baumbestattung‹, ›Bettelumzüge‹ und anthropomorphe Verwandlungen sowohl in früher als auch in jüngster Zeit geglaubt und praktiziert wurden«, so verfällt er demselben Fehler, den er zuvor getadelt hatte, nämlich von den Motiven auszugehen statt von der Gesamtstruktur. Dabei ist nicht nur damit zu rechnen, daß Motive modernisiert werden, sondern auch daß Archaisches wieder aufbricht und zwingende Gestalt annimmt.

Die Sequenz der »Motiveme« mit ihrer spezifischen Kristallisation führt also vielmehr zu der vorläufigen Feststellung: das Märchen, soweit es im Lied des Vogels rekapituliert ist, entsteht aus dem Nachtigallenmythos durch Einfügung der an sich altehrwürdigen Schwester-Rolle mit dem Sammeln der Knochen. Eine weitere wesentliche Verschiebung ist allerdings damit verbunden: während in den erhaltenen griechischen Versionen das Opfer Itys, einmal verspeist, aus dem Bereich des Seienden verschwunden ist, wird seine Verwandlung und Wiederkehr im Märchen zum zentralen Ereignis.

Doch sehen wir genauer zu. Wenn überhaupt ein Zusammenhang zwischen dem griechischen Nachtigallenmythos und dem europäischen Volksmärchen zu vermuten ist, sind dessen literarische Spuren am ehesten in der Tradition lateinischer Texte zu suchen. Denn während das Griechische weithin versank, blieb das Latein und damit ein Grundbestand lateinischer Literatur in der abendländischen Schultradition allgegenwärtig, zumindest etwa tausend Jahre lang, von 800 bis 1800. Von Ovids Metamorphosen war bereits die Rede. Sie haben den Namen Philomela in die Dichtung des Abendlandes getragen; man könnte für möglich halten, daß auch das »Vogelmärchen« letztlich aus diesem Text hervorgegangen ist. Die »Metamorphosen«, zumal dann in illustrierten Bearbeitungen, als »Ovide moralisé«, waren überaus populär.

Doch wichtiger noch, überragender an Autorität war stets Vergil. Nun evoziert auch Vergil den Tereus-Prokne-Mythos in kurzer, doch eindrücklicher Weise in der 6. Ekloge, in der Reihe der Themen, von denen der Silen zu singen weiß (78 – 81):

> *aut ut mutatos Terei narraverit artus,*
> *quas illi Philomela dapes, quae dona pararit,*
> *quo cursu deserta petiverit et quibus ante*
> *infelix sua tecta super volitaverit alis.*

(»Oder wie er von den verwandelten Gliedern des Tereus erzählte, welche Mahlzeit ihm, welche Gabe Philomela bereitet hat, mit welch stürmischem Lauf er in die Einsamkeit eilte, mit welchen Flügeln der Unselige über das Haus, das zuvor das seine war, hinwegflog.«) Solche Verse bedürfen des Kommentars, für Lehrer wie für Schüler; Vergil war ja immer Schulautor *kat' exochen*. Schon die mittelalterlichen Handschriften sind oft mit Kommentaren versehen, die als »Scholien« am Seitenrand um den Text herumgeschrieben werden; die Drucke haben dies noch lange imitiert, bis sich durchsetzte, den Kommentar nur unter dem Textblock zu drucken; die Verbindung von Klassikertext und Kommentar ist bis heute geblieben. Zu den »Bucolica«, um die es hier geht, gibt es aus der Spätantike vor allem zwei Kommentare, einen ausführlichen und hochgelehrten, Servius, und einen knappen und elementaren, den sogenannten Philargyrius. Beide liegen wiederum in verschiedenen Rezensionen vor [14], was hier nicht im einzelnen zu diskutieren ist. Die Drucke seit dem 16. Jahrhundert haben oft verschiedene Kommentare aneinandergereiht und erweitert, doch bildet Servius in der Regel den Grundstock. Blickt man nun zu der fraglichen Stelle in den Servius-Kommentar, so findet man, wie zu erwarten, die notwendige Kurzfassung des Tereus-Prokne-Philomela-Mythos, als erstaunliches Plus aber gegenüber allen erhaltenen griechischen Versionen die Angabe, daß auch Itys, das Opfer, als Vogel weiterlebt, und zwar als *phassa*, Taube; daneben, wie stets, Wiedehopf, Nachtigall und Schwalbe. Da *phassa* ein griechisches Wort ist, das im Lateinischen nur ganz selten belegt ist, muß Servius wohl doch aus einer verlorenen griechischen Vorlage schöpfen. Das seltene Wort ist dann aber durch das geläufigere *phasianus*, Fasan, ersetzt

119

worden, so bereits in den sogenannten Vatikanischen Mythographen (anspruchslose mythologische Handbücher karolingischer Zeit, die ihr Material weithin aus Servius beziehen), dann im Erstdruck des Servius-Kommentars von 1532 und in vielen der folgenden Drucke; gelehrte Standardausgaben haben seit 1600 dann wieder *fassa*, die Taube, gebracht[15]. Überraschend ist, daß eine kommentierte Ausgabe vielmehr *carduelis*, den Distelfink, nennt[16].

Nicht nur mythologische Namen, auch Vögel sind leicht zu verwechseln. Ein unanfechtbarer Kontinuitätsbeweis läßt sich aus Vogelnamen darum kaum führen. Immerhin: sofern der Vogel des »Machandelboom«-Märchens überhaupt identifiziert wird, dominieren nach Belgraders Zusammenstellung drei species: der Kuckuck, die Schwalbe und die Taube. Die Taube, »the milkwhite dove«, dominiert in den altbezeugten schottischen Fassungen mit ihrem lautmalenden »pippety pew«: entspricht sie der *phassa* des Servius? Von der Verwurzelung der Schwalbe im Brauchtum wird gleich zu sprechen sein; sie spielt aber auch im Tereus-Mythos immer eine wichtige Rolle. In ganz Osteuropa herrscht der Kuckuck in den Varianten unseres Märchens vor, sie sind meist explizite Kuckuck-Aitiologien. Gerade der Kuckuck aber tritt in der Vergilerklärung, sei es durch Mißverständnis, sei es als pädagogische Vereinfachung, für den weniger bekannten Wiedehopf, *upupa*, ein, und zwar in dem ältesten deutschen Vergilkommentar, Halle 1722[17]. In Estland schließlich, das als Ursprungsland des Märchens in Anspruch genommen worden ist, kommt auch die Nachtigall vor, einmal auch »Schwalbe und Kuckuck« (Belgrader 247, 255); hier dürfte der Zufall aufhören: die ganze Vogelschar, die hier ihr Wesen treibt, scheint aus den Vergilkommentaren zur sechsten Ekloge aufzuflattern. Ich möchte nicht darauf bestehen, aber der schöne Vogel in Runges Text sieht doch ganz wie ein Fasan aus: *un he had so recht rode un groine feddern, un um der Hals was dat as luter Gold*. Am wichtigsten ist, daß der Servius-Kommentar mit der Verwandlung des Itys in einen Vogel eines jener Verbindungsstücke liefert, die zwischen dem griechischen Mythos und unserem Märchen noch vermißt wurden. Ungezählte Lehrer und Schüler lasen davon in ihrem Vergilkommentar.

Blicken wir schließlich noch in den kurzen, den Philargyrius-Kommentar[14], so präsentiert eine Fassung zu Ecloga 6,78 ein Zitat aus Orosius. Dies ist alles andere als ein entlegener Text: die christliche Weltgeschichte dieses Augustinschülers hat das historische Bewußtsein lange bestimmt, es gibt etwa zweihundert mittelalterliche Handschriften und fünfundzwanzig Drucke vor 1700. Orosius also bringt in seiner Einleitung die obligate christliche Polemik gegen

die heidnische Mythologie, ihren Unsinn und ihre Greuel, darunter als besonders abschreckendes Beispiel auch den Tereus-Mythos, der lapidar abgeschlossen wird mit: *filium parvulum mater occidit, pater comedit:* Mutter
schlachtete, Vater aß (Orosius: Historia adversus paganos, 1,11). Dies also
konnten Schüler finden zur Erklärung des vergilischen Bildes, wie der Un-
glückliche, Verwandelte als Vogel über seinem früheren Hause schwebt.

Wir fassen damit, was die Beziehung von Nachtigallenmythos und »Machandelboom« betrifft, nicht nur die Übereinstimmung in drei von vier »Motivemen«, nicht nur die gleiche Auswahl von Vögeln fürs »Vogelmärchen«, wobei
insbesondere Taube und Fasan neben Nachtigall, Schwalbe und Kuckuck in
die Märchenversionen hineinzuwirken scheinen, wir finden sogar eine nahezu
wörtliche Entsprechung zum Anfang des Vogelliedes. Dabei handelt es sich,
um zu wiederholen, nicht um entlegene Quellen, sondern um den wichtigsten
Klassiker, den alle Lateinschüler im Abendland zu studieren hatten; da die un-
veränderliche Reihenfolge der Ausgaben Bucolica – Georgica – Aeneis war
und ist, dürften ziemlich alle Magister und Schüler wenigstens bis zu den Bucolica gekommen sein. Wie Schüler die Bucolica auswendig gelernt haben,
zeigt hübsch ein lateinisches Gedicht von 1551 aus der Zürcher Lateinschule,
das Heinz Schmitz veröffentlicht hat: beim Schulausflug wird aus den Eklogen
rezitiert[18]. Zwar kann ich vorläufig keine Vergilausgabe nachweisen, in der die
hier herausgehobenen Elemente aus Servius und Philargyrius direkt zusam-
menstehen. Aber daß sie über Jahrhunderte hin den Schulbuben nahegebracht
worden sind, steht fest. Zwar hat man seit dem 19. Jahrhundert festgestellt,
daß der Gymnasialunterricht kaum Spuren im Volksgut hinterläßt; doch ist
die altersspezifische Empfänglichkeit zu bedenken. Die äsopischen Fabeln
sind aus der Schultradition zu Volkserzählungen geworden – sie gehörten zum
Elementarunterricht. Vor der Errichtung des Humboldtschen Gymnasiums
aber war der Elementarunterricht weithin Lateinunterricht, der freilich in Kin-
derköpfen wohl oft wunderliche Verwirrungen zeitigte. In solchen Bereichen
ist, wenn nicht der Ursprung, so doch die maßgebende, vorzeichnende Anregung zum Heischelied des Vogels und damit zum Märchen vom Machandelboom zu suchen.

Was jenes Lied so eindrücklich macht, ist seine Ich-Form. Sie gehört, wie bereits festgestellt, zu seiner Funktion als Heischelied: der Märchentext weist
hier zurück auf einen brauchtümlichen Komplex, der an sich wohlbekannt
und ungemein verbreitet ist, die Bettel-, Heische-, Maskenumzüge, wie sie vor
allem Kinder und Jugendliche zu bestimmten Zeiten des Jahres zu veranstalten

pflegen. Bekanntlich gibt es schon altgriechische Heischelieder, die den modernen erstaunlich ähnlich sind. Wegweisend war ein Aufsatz von Karl Meuli von 1927, der allerdings auf das Uralte, Heidnische zielte: die Heischenden seien eigentlich die in Masken wiederkehrenden Ahnen. Diese Maskentheorie ist neuerdings kritisiert worden und dürfte kaum generell zu halten sein. Doch bleibt die brillante Analyse der Formen und Funktionen von Heischebräuchen. Ihr praktischer Aspekt darf dabei nie übersehen werden: die zu gewinnenden Eßwaren bedeuteten, zumal in weniger satten Zeiten, von selbst einen festlichen Höhepunkt des Jahres. Oft ließen Gemeinden auch ihre Pfarrer Heische-Umzüge veranstalten, desgleichen die Lehrer mit ihren Schulkindern.

Eine Merkwürdigkeit, die bereits in altgriechischen Texten auftritt, dann aber weitum auch im neueren Europa, in Deutschland und Frankreich, England und Irland, ist die besondere Rolle, die einem Vogel bei solchen Umzügen zugewiesen wird. Im Altgriechischen gibt es ein Schwalben- und ein Krähenlied, und Iohannes Chrysostomos bezeugt, daß die Heischenden tatsächlich Schwalben »herumtrugen«, wie es noch heute griechische Kinder tun[19]. Aus England, Irland und vor allem von der Isle of Man ist die Jagd auf den Zaunkönig (wren) bekannt. Die Knaben ziehen mit der kleinen Beute dann durchs Dorf, und jeder Spender erhält ein Federchen. In einem der zugehörigen Lieder soll vom »Kochen und Essen« des Vogels die Rede sein[20]; doch gibt es auch christliche Aitiologien.

Daß christliche Schulmeister die oft derben Heischelieder durch gesittetere Texte zu ersetzen suchten, ist naheliegend und auch sonst bezeugt; nicht selten hatten sie ja solche Umzüge überhaupt zu organisieren. Aber auch Lateinschüler, zumal arme Lateinschüler, haben Heische-Umzüge mitgemacht. Meist haben die Forscher wegen ihrer heidnisch-germanischen Vorlieben darauf weniger geachtet. Ein lebhaftes Bild vom »Chorsingen« auf kalten Plätzen, in Erwartung freundlicher Bewirtung, in Hannover um 1770 enthält der autobiographische Roman »Anton Reiser« von Karl Philipp Moritz (Berlin 1785-90, II 89-91). In einem in Dithmarschen aufgezeichneten Lied, bei dem ein Knabe als »Blaufink« kostümiert den Zug anführt, stellen sich die Bittenden als »arme Scholers von Köllen« vor, also offenbar von der erzbischöflichen Lateinschule. Auch sie konnten nicht darum herumkommen, Vergil zu lesen, zu erklären und zu memorieren.

Um zusammenzufassen: wir finden im Brauchtum den Vogel-Heischezug, sei es, daß ein totes Exemplar, eine Figur oder ein Maskierter mitgeführt wird; wir finden in der Vergil-Erklärung zu Bucolica 6,78 die Mutter, die schlachtete,

122

den Vater, der aß, und die Vogelverwandlung. In der Lateinschule mußte beides, Umzug und mythologisches Relikt, zusammenkommen. Ob dies in Deutschland, in Schottland oder im Baltikum zuerst geschah, ob im 18.Jahrhundert oder schon früher, läßt sich vorläufig kaum erraten; den Vogelnamen nach zu schließen müßte es mehrfache Infiltrationen aus dem klassischen Bildungsgut gegeben haben. Die Voraussetzungen dafür waren fast überall und immer wieder gegeben: deutlich ist die Situation, der Kontext, in dem das Vogellied zustande kam, um dann gleichsam zum internationalen Erfolg zu werden. Es handelt sich dabei kaum um einen realen Heische-Text, das Lied ist mehr abschreckend als werbend. Eher könnte man von einer Art Parodie sprechen. Was das Lied aussagt, ist der äußerste Kontrast zu dem, was betuliche Pädagogik über elterliche Liebe und kindliche Dankbarkeit auszuführen pflegt. Man bedenke nochmals, daß das Lied ja in der Regel nicht von der Stiefmutter spricht, nein: »meine Mutter«, »mein Vater«, Mörder und Fresser, Verbrecher! Dafür ist das Opfer, der Sänger, denn nun auch vogelfrei, und er wird demnächst mit großen Steinen werfen. Wird damit das Märchenlied unstatthafterweise zu einem Mythos über die Zürcher Jugend 1980/1 gemacht? Auch die Empfindungen von Lateinschülern aus früherer Zeit, armen Internatsschülern, aus dem Elternhaus gerissen, oder »Stipendiaten«, von Freitischen kärglich ernährt, könnten wohl in solchen Formen ihren Ausdruck finden. Also ein früher Protest-Song? Manche Versionen des Märchens schwelgen geradezu in dem, was man »schwarze Pädagogik« nennen kann, unsinnige Forderungen und unmenschliche Strenge der sog. Erziehungsberechtigten. In der Tat, dies ist nicht unbedingt ein Märchen, das Eltern gerne ihren Kindern erzählen.

Ein Hinweis noch zum »Schwesterchen Marleenichen«. Der Name taucht in Runges Text merkwürdig unvermittelt auf, während doch die Kernfamilie des Märchens im übrigen namenlos ist: »der Vater«, »die Mutter«, »der Bruder«. Gewiß, der Name ist gestützt durch den Reim auf Beenichen, wie denn in der schottisch-englischen Fassung die »sister Kate« mit »my daddy me ate« sich reimen muß und der Knabe einfach Johnny heißt. Geht man indessen dem Namen Marlene nach, so kommt man auf Maria Magdalena, eine höchst populäre Heilige. Ihr hatte der Herr sieben Teufel ausgetrieben, man setzte sie auch mit der »großen Sünderin« gleich, eine Heilige mit Vergangenheit also; sie war es aber auch, die mit den anderen Marien die Salben kaufte, um Jesu Leichnam zu salben, und der der Auferstandene erschien. Darum spielte Maria Magdalena mit bußfertiger Klage in allen Karfreitags- und Osterspielen eine prominente Rolle, ja drängte die anderen beiden Marien in den Hintergrund. Zugleich wurde Maria Magdalena auch mit Maria von Bethanien identifiziert, und diese ist die Schwester des Lazarus, der im Garten ins Grab gelegt wurde und wieder auferstand. Auch dies wurde im Spiel dargestellt; eine spätmittelalterliche Posse stellt gar einen Erbstreit der Schwester mit dem unerwartet wieder Auferstandenen dar. Fragt man nach den Akteuren geistlicher Spiele, stehen wiederum in erster Linie die Schüler geistlicher Schulen zur Verfügung. Maria Magdalena, Spezialistin für Begräbnis, Totenklage und Auferstehung, könnte also aus geistlicher Schultradition letztlich Vorbild sein für das Schwesterchen Marleenichen, das weint und weint, bis es wundersam getröstet wird. Doch liegt nicht viel an dieser Vermutung, die zudem nur für wenige Fassungen von Bedeutung ist.

Es mag enttäuschen, wenn das »uralte Märchen« sich in einen Zwitter aus Schultradition und Volksbrauch aufzulösen scheint. Zweierlei ist dabei zu bedenken: zum einen ist Volkserzählung, einschließlich Mythos und Märchen, nicht unveränderlich und gleichsam archetypisch seit je vorgegeben und vorhanden, sondern sie besteht als ein Prozeß sprachlicher Tradierung im Erzählen, Hören und Wiedererzählen, als sich wiederholender Lernprozeß. Um- und Neugestaltung, Aufnahme neuer Elemente ist damit immer möglich. Zum anderen handelt es sich bei diesem Prozeß nie um mechanische Übernahme, wie man ein Tonband auf ein anderes überspielt; es gilt auch keineswegs, daß eine Urform sich in fortgesetzten Kopien nur immer verschlechtert, im Gegenteil, es gibt »Zielformen«[21] und »Bestformen«, die nicht von den »Quellen« her zu erklären sind. Darum ist es auch möglich, daß uralte Motive wieder aufgenommen und durchaus richtig eingesetzt und verwendet werden, wie in unserem Fall die Schwesterrolle und das Sammeln der Knochen, in einem Teil der Versionen auch die Baumbestattung. Der griechische Mythos hatte sein Leben im Kontext der religiösen Feste mit ihren Ritualen und in der Beziehung auf Familien- und Ortstradition; in der Schultradition wurde er dann gleichsam selbst skelettiert und aufs Ärmlichste reduziert; doch bleibt eine Struktur, die neues Leben gewinnen kann. So überrascht das parodistische Heischelied mit einer Unmittelbarkeit, die den Hörer gleichsam anspringt: »meine Mutter«. Das Märchen wiederum erwächst daraus nicht automatisch; vorausgesetzt ist vielmehr die besondere Erzähl- und Stilform des Volksmärchens, wie sie besonders Max Lüthi beschrieben hat, jener Stil, der gestattet, das Grausame wie das Groteske und schlechthin Unmögliche als Selbstverständlichkeit zu nehmen, bis hin zum Mühlstein, den ein Vogel wirft.

Geht es demnach um wiederholte schöpferische Neugestaltung in den Geleisen der Tradition, so möchte ich doch nicht gerne mit Lévi-Strauss von »bricolage«[22] sprechen, von »Bastelei«, als ob der kreative »Bastler« irgendwelche vorgegebenen Stücke ohne Rücksicht auf ihre frühere Funktion sich zunutze mache. Erkennbar ist doch in allen Phasen der Überlieferung eine Identität der »Geschichte« in ihrer paradoxen Kristallisation, selbst noch in der reduziertesten, kümmerlichsten Fassung: *mater occidit, pater comedit, in aves mutati sunt.* Es ist die Perversion der menschlichen Kernfamilie, die im Phantasieflug überwunden wird. Griechen haben dies in dionysischen Festen ausgespielt, Kurrende-Sänger mögen dies als Protest-Song in die Nacht geschrien haben, Ammen, Konkurrenten der leiblichen Eltern, raunten es Kindern zu. Es kumulieren sich hier in Mythos, Lied oder Märchen zwei Urängste, die Angst vor dem Gefressen-Werden und die Angst, von den Eltern verlassen und verstoßen zu werden. Dies ist der psychologisch-anthropologische Hintergrund, die »biomorphe« Grundstruktur. Von dieser Dynamik lebt die Erzähltradition, nicht in Gestalt statischer Archetypen oder unsterblicher griechischer Mythologie, auch nicht als kollektive Schöpfung germanischen oder finnisch-ugrischen Volkstums, auch nicht als direkter Abkömmling der klassischen Bildung, sondern als eine Art Geschiebe, ein Konglomerat, das vielen Einflüssen und allen Zufälligkeiten unterworfen ist und doch seine eigenen Sinngestalten mit sich führt, die immer wieder in wechselnden Adaptationen gewonnen werden können. Daß dabei, wie das Christentum, so auch die Lateinschule durchaus zu den Bereichen des Volkstümlichen in Beziehung steht, wird auch der Volkskundler zur Kenntnis zu nehmen haben.

Heinz Rölleke
DIE STELLUNG DES DORNRÖSCHENMÄRCHENS ZUM MYTHOS UND ZUR HELDENSAGE

Unter dem Titel »Dornröschen« wurde das hier in Rede stehende Märchen weltberühmt. Um so auffallender muß es anmuten, daß dieser schöne, bezeichnende und nachmals so berühmte Name im Text der 1810 von Jacob Grimm aufgezeichneten Urfassung[1] der Geschichte gar nicht begegnet. Erst anläßlich der Drucklegung der KHM hat ihn Wilhelm Grimm 1812[2] zu Beginn des Schlußabsatzes eingefügt: »Prinzen, die von dem schönen Dornröschen gehört hatten...«. In der Zweitauflage der KHM 1819[3] heißt es: »Es ging aber die Sage in dem Land von dem schönen, schlafenden Dornröschen.« – Diese scheinbar beiläufige Neuformulierung kann zunächst aufhorchen lassen, hatten die Brüder Grimm mit Sammlung und Edition ihrer Deutschen Sagen doch kurz zuvor in den Jahren 1816 und 1818 erstmals die volksliterarische Gattung »Sage« gleichsam konstituiert. Sollte sich Wilhelm Grimm also bei Verwendung des Begriffs »Sage« an dieser zentralen Stelle des Märchentextes etwas besonderes gedacht haben? Wollte er vielleicht damit dem Leser unauffällig seine Meinung suggerieren, »Dornröschen« sei ursprünglich gar kein Märchen, sondern eine Sage gewesen?

Folgen wir einen Augenblick dieser Spekulation. Wäre die Keimzelle des nachmaligen »Dornröschen«-Märchens tatsächlich eine Sage, so könnte es sich wohl nur um eine aitiologische Erzählung handeln, eine Geschichte also, welche die *Aitia* einer auffälligen Erscheinung, ihre Verursachung erzählt. Eine etwa völlig zugewachsene Ruine, ein von undurchdringlichen Dornen umwachsenes Bauwerk, dessen Funktion nicht mehr erkennbar ist, reizt die Leute, sich eine *Aitia*, eine Ursache dieses Phänomens zu erfinden und zu erzählen. Das wäre in diesem Fall die Geschichte vom Zauberschlaf der Schloßbewohner. Wie wäre eine solche »Dornröschen«-Sage erzählt worden?

Die Beantwortung dieser Frage brauchen wir nicht gänzlich unserer Phantasie anheimzustellen, denn solche Sagen gibt es[4]. Ein junger Hirt verirrt sich zu den Unterirdischen, findet bei seinem Wiederauftauchen seine Herde nicht mehr, glaubt trotzdem, es habe sich nur um wenige Stunden gehandelt, bis er in seinem Heimatdorf erfahren muß, daß es Jahrzehnte waren. Der Sagenheld reagiert auf diese Entdeckung mit Grauen oder Wahnsinn, oft auch mit plötzlichem Tod durch grenzenloses Erschrecken. Das mysterium tremendum et fascinosum ist ihm begegnet; indem er dieses schlechthin Unbegreifliche zu begreifen sucht, ver- oder zerstört es ihn. Hier ist es das Phänomen der Zeitlosigkeit; bei der Geschichte vom Ritt über den Bodensee, die ja genau so katastrophal endet, ist es die Boden- oder Raumlosigkeit. Das heißt: die Verwirrung oder Zerstörung der Grundkategorien von Raum und Zeit durch den Einbruch des Mysteriums erfüllt den Sagenhelden mit Grauen; und, darauf kommt es hier besonders an, auch die auf Schauer und Entsetzen ausgerichtete Erzählhaltung der Sage sowie ein entsprechender Erwartungshorizont des Hörers oder Lesers sind gleichgestimmt.

Das Zentralmotiv der Zeitlosigkeit, des Aus-der-Zeit-Fallens begegnet nicht nur im »Dornröschen«-Märchen und im angesprochenen Sagentypus, sondern vor allem auch immer wieder in der Legende. Etwa in der frommen Geschichte von den 700 Jahre lang schlafenden »Siebenschläfern« oder in der Erzählung, die uns Caesarius von Heisterbach im frühen 13. Jahrhundert notiert hat: ein Mönch meditiert während seines mittäglichen Spaziergangs im Wald über das Psalm-Wort (90. 4) »Vor dir, o HErr, sind tausend Jahre wie ein Tag« – ein sehr gefährliches Meditationsthema, wie sich bald herausstellt. Der HErr zeigt ihm nämlich physisch, was das bedeutet: als der Mönch in sein Kloster zurückkehrt, kennt ihn dort niemand mehr; die scheinbaren Mittagsstunden währten tatsächlich 100 Jahre. Zusamt den jungen Mönchen preist der sich begnadet Fühlende das Wunder, das Gott an ihm getan hat, und verscheidet selig im Herrn. Auch die Legende gestaltet das Mysterium der Zeitlosigkeit, vergleichbar der Sage, mit allem Nachdruck, aber das Finale ist grundverschieden. Legendenheld, Legendenerzähler und Legendenhörer reagieren nicht mit Entsetzen, sondern mit Bewunderung Gottes, dem sogar die Kategorien des Raumes und der Zeit untertan sind. Ähnliches berichtet die Legendenballade von der Kommandantentochter zu Großwardein, die von einem scheinbar kurzen Spaziergang und der Begegnung mit ihrem himmlischen Bräutigam erst nach 120 Jahren zurückkehrt. Als sich die Tatsache enthüllt, ist sie selbst, ist alles Volk aufs höchste erbaut. Sie hat gerade noch Zeit, fromm die Sterbesakramente zu empfangen: »Sobald nun dieses ist geschehn,

> Viel Christen-Menschen es gesehn,
> Ward ihr ohn alles Weh und Schmerz
> Gebrochen ab ihr reines Herz.«
> (»Des Knaben Wunderhorn« I.64)

Was ich in diesem langen Eingangsexkurs andeuten wollte: Sage, Legende und Märchen formen ein und dasselbe Zentralmotiv (nämlich das Herausfallen aus der Kategorie der Zeit) ganz verschieden aus. In Sage und Legende wird gestaunt, werden Entsetzen oder Gotteslob als Antwort auf das gewaltige, unfaßbare Wunder laut. Das Märchen macht nicht das geringste Aufheben um das wunderbare Zentralmotiv; es erzählt gleichsam darüber hinweg. Märchenheld und andere Märchenfiguren sehen keinen Grund, sich beim Erwachen aus hundertjährigem Zauberschlaf zu verwundern, sondern gehen sofort ihren nächstliegenden Beschäftigungen weiter nach, als sei nichts geschehen: die Magd rupft das Huhn zu Ende, der Koch gibt dem Jungen endlich die Ohrfeige, Dornröschen umarmt ihren Erlöser. Der Märchenerzähler und der Märchenhörer halten es genau so: dies holde Wunder gehört zur Märchenwelt, wird in keiner Weise als »das ganz andere« oder gar als »tremendum« registriert.

Ich breche diese Überlegungen ab, die letztlich hinsichtlich des »Dornröschen« darauf hinausliefen, seine Entstehung gleichsam probehalber einmal in einer orts- und zeitgebundenen Aitiologie zu sehen, die beim Weitererzählen ihre direkten Bezüglichkeiten verloren und sich irgendwann zum Märchen gewandelt hätte, wobei aus dem Katastrophenfinale der Sage das übliche Märchen-Happy-End geworden wäre. Und spätestens an dieser Stelle muß nun ganz energisch die Notbremse gezogen werden. Denn wir haben einige Fehler in Kauf genommen, um den gattungsspezifischen Exkurs in Gang bringen zu können. Das Wort »Sage« war gleichsam die verführerische Fußangel, aus der wir uns nun lösen müssen. Dieses Wort bedeutet nämlich im damaligen Sprachgebrauch (auch Wilhelm Grimms) »Gerede, Gerücht, mündlicher Bericht« – es meint in solchem Kontext keinesfalls die volksliterarische Gattung; zum anderen und vor allem aber ist das Wort an dieser Stelle eben eine spätere Zutat Wilhelm Grimms – nichts als eine bloß stilistische Ausschmückung.

Solche Lapsus der Märchendeutung begegnen uns allen immer wieder. Da greift ein Interpret ein Detail aus dem ihm vorliegenden Text heraus und behängt es mit Zentnergewichten, ohne zu prüfen, wie es sich damit genau verhält. Das ist in meinen Augen *der* Krebsschaden auch noch der neuesten Märchenforschung, und es bekümmert mich, daß man ihm augenscheinlich kaum zu Leibe rücken kann. Es ist die Haltung vor allem der psychoanalytisch, aber auch der soziologisch oder auf andere Weise einseitig ausgerichteten Deuter gegenüber den philologischen Grundfragen und dem textkritischen Vorverständnis. Diese Haltung kennzeichnet sich leider oft durch totale Ignoranz.

Ich weiß zwar, daß so eingestimmten Deutern solch scheinbar trockene philologische Beobachtungen und Konsequenzen langweilig oder gar unnütz erscheinen: da reitet man lieber blindlings übern Bodensee. Man hat einen schönen Märchentext vor sich und deutet frisch drauflos. So etwa, wenn Helmut Brackert[5] das Eingangsmotiv in »Hänsel und Grethel« von der »Teuerung im Lande« zum Ausgangspunkt wählt und auf soziale Verhältnisse und Probleme in grauer Märchenvorzeit zu sprechen kommt. Tatsächlich geriet dieses Motiv fast zufällig, und zwar erst 1843, in den Grimmschen Märchentext und stammt aus einer verwandten Geschichte des elsässischen Erzählers August Stöber. Oder wenn gerade jetzt Carl-Heinz Mallet[6] den ganzen ersten Teil des »Schneeweißchen und Rosenroth« als gewichtiges psychologisches Material für die uralte Weisheit des Märchens ausbeutet, obwohl es sich hierbei eingestandenermaßen um eine teilweise freie Erfindung und Kunstdichtung Wilhelm Grimms aus dem Jahr 1837 handelt. Ähnlich gehen Interpreten des Dornröschen in die Irre, die sich auf das Stichwort »Sage« verlassen, oder auch die, die den symbolträchtigen Namen zum Urgestein des Märchens rechnen.

128

Tatsächlich hat ihn Jacob Grimm genau einem Titel der »Blauen Bibliothek« von 1790 nachgebildet.

Ich fasse diese Überlegungen zusammen. Wenn man auf Grundschichten des eigentlichen Volksmärchens rekurriert, darf man nicht blindlings etwa die Ausgabe letzter Hand der Brüder Grimm von 1857 als Textvorlage benutzen, sonst gerät man an vielen Stellen in Gefahr, bestenfalls die Psyche und die Sozialkonditionen Wilhelm Grimms oder seiner Zeit zu interpretieren, wo man sich beredet, man lausche dem Urquell des Volksmärchens. Oder mit den Worten Max Lüthis[7] zum »Dornröschen«: »Man muß sich hüten, jeden einzelnen Zug, alle Dornen und alle Fliegen deuten zu wollen; manche dieser Einzelheiten sind bloßer Schmuck, vom zufällig letzten Erzähler hinzugefügt.«

Wir sind also gehalten, bei unserem Versuch, das Dornröschenmärchen mit Mythos und Heldensage zu vergleichen, den ersten Schritt auch wirklich zuerst zu tun, was die schier unübersehbare Sekundärliteratur zu diesem Märchen bisher fast nie tat: wir haben zu fragen, was um 1800 in mündlicher Tradition von diesem Märchen lebendig war und in welcher Form es sich präsentierte. Und hier stellen wir sogleich zu unserer Verblüffung zweierlei fest, denn es ergeben sich zwei für die Methodik der Fragestellung höchst aufschlußreiche Tatsachen:

1. Weder die Brüder Grimm noch andere Märchensammler haben trotz der eifrigsten Suche irgendeine Parallelfassung zu dem uns bekannten Text in der mündlichen Tradition ausmachen können, und das, obwohl schon die Grimms selbst, erst recht aber die Forscher des 19. Jahrhunderts, etwa eine nordisch-skandinavische Variante förmlich herbeigesehnt haben, weil mit deren Entdeckung fehlende Glieder der hypostasierten Traditionskette vorzeigbar geworden wären. Es bleibt festzuhalten: eines der populärsten Märchen der Weltliteratur war in von uns überschaubaren Zeitläuften *nicht* in der mündlichen Tradition verbreitet, sondern taucht scheinbar unvermittelt und urplötzlich im Kassel des frühen 19. Jahrhunderts auf. Die immer wieder angebotenen Behauptungen, Dornröschen habe seit seiner Entstehung in der Praehistorie, in der Antike, in Indien, bei den alten Germanen oder sonstwo jahrtausende- oder mindestens jahrhundertelang sich in direkter mündlicher Tradition bis ins Hessen des 19. Jahrhunderts fortgeerbt, diese Behauptungen sind in nichts beweisbar und mit höchster Vorsicht zu genießen.

2. Keiner noch so subtilen Untersuchung ist es gelungen, die deutsche Dornröschen-Version von zwei französischen Fassungen des späten 17. Jahrhunderts abzukoppeln und damit sozusagen einen genuin deutschen Überliefe-

rungsstrang an den beiden französisierten Druckfassungen vorbei erweisbar zu machen. Ich nenne aus der Fülle der Literatur hier nur die an sich methodisch vorbildlichen Studien von Alfred Romain[8] aus dem Jahr 1933 und Rolf Hagen[9] aus dem Jahr 1955. Beide bleiben bei ihren eindringlichen Untersuchungen der Grimmschen Dornröschen-Fassung hinsichtlich deren Entstehungs- und Textgeschichte immer wieder an einem entscheidenden Punkt, sozusagen in der philologischen Dornenhecke, hängen, und zwar an der genauen Übereinstimmung des Handlungsablaufs der Grimmschen Fassung von 1812 und zahlreicher charakteristischer Einzelheiten in den späteren, von Wilhelm Grimm ergänzten Fassungen vor allem mit Perraults Märchendichtung aus dem Jahr 1697. Was lag näher, als einen direkten oder indirekten Einfluß anzusetzen? Hagen hat das schließlich auch insofern getan, als er vermutete, Wilhelm Grimm habe bei seinen Überarbeitungen ab 1819 bewußt und recht virtuos auf Perrault direkt zurückgegriffen.

Den Text der Grimmschen Erstauflage von 1812 und erst recht die 1927 von Joseph Lefftz entdeckte handschriftliche Urfassung aber wollte man sozusagen um jeden Preis als genuin deutsche Überlieferung retten. Dazu schien die handschriftliche Notiz Wilhelm Grimms im Handexemplar der Auflage von 1812 auch jedes Recht zu geben, denn er hat als Erzählervermerk festgehalten »Von der Marie«. Diese Marie wurde bekanntlich dank eines kapitalen Mißverständnisses Herman Grimms seit Ende des vorigen Jahrhunderts mit der alten Schaffnerin der Wildschen Apotheke in Kassel identifiziert und von der Märchenforschung kurzweg die »Alte Marie« genannt.

Diese »Alte Marie« war eine hessische Großmutter, für die man weder französische Vorfahren noch das geringste Gran französischer Lektüre oder gar Bildung nachweisen konnte: eine hessische, eine urdeutsche Märchenerzählerin comme il faut, an deren angeblichem Repertoire die ernsthafteren Märchenphilologen nur eines störte und in unaufhebbare Widersprüche verwickelte: die teils stupend wörtlichen Zitate aus Perrault.

Aber zusamt Romain und Hagen beschieden sich alle Dornröschen-Forscher damit, daß nicht sein kann, was nicht sein darf: die »Alte Marie« war eine unbelesene Hessin; ihre Perraultzitate waren zwar nicht zu leugnen, aber auch nicht zu erklären. Aus dieser Antinomie heraus sind die kuriosen und jedenfalls nicht weiterführenden Rösselsprünge der Forscher zu verstehen. Es gelang erst 1975, die Dinge zurechtzurücken[11], und ich habe das im November 1978 auf der Straßburger Tagung der Europäischen Märchengesellschaft vortragen dürfen.

Es steht seither fest, daß Jacob Grimm die Urfassung des »Dornröschen« einer Erzählung der damals knapp 20jährigen Marie Hassenpflug nachschrieb, jener Marie Hassenpflug, die mütterlicherseits aus Frankreich stammte, die in einem ausschließlich durch französische Sprache und Kultur geprägten Haus aufwuchs und ihren Perrault natürlich seit den Kindertagen kannte, aber nicht nur ihren Perrault, sondern auch etwa die Märchen der Madame d'Aulnoy. Wenn wir nämlich zu Beginn der handschriftlichen Urfassung von Jacob Grimm lesen, »Ein König und eine Königin kriegten gar keine Kinder. Eines Tages war die Königin im Bad, da kroch ein Krebs ans Land und sprach: du wirst bald eine Tochter bekommen«, so sucht man dieses Tier bei Perrault vergeblich; es ist vielmehr direkt aus der Dornröschen-Fassung der genannten Madame d'Aulnoy (»La biche ou bois«) aus dem Jahr 1698 eingewandert. Erst 1825 hat sich dann unter Wilhelm Grimms Regie die Metamorphose dieses Krebses in einen Frosch vollzogen, weil der Frosch wegen seiner Verbindung zum kinderbringenden Klapperstorch besser als Geburtsverkündiger zu taugen schien. Jener von Marie Hassenpflug noch als Krebs aus der d'Aulnoy-Geschichte entlehnte Frosch dominiert seither bekanntlich den Dornröschen-Eingang und die Leserphantasie erkennbar.

Mit dieser simplen und – wie ich hoffe – ohne weiteres einleuchtenden Filiation sind die erwähnten Schwierigkeiten, vor die sich Romain und Hagen neben vielen anderen gestellt sahen, mit einem Schlag beseitigt: das Grimmsche Dornröschenmärchen ist ein dem Geschmack des frühen 19. Jahrhunderts angepaßtes und in deutsche Atmosphäre getauchtes französisches Feenmärchen des späten 17. Jahrhunderts, wie es vor allem bei Perrault oder d'Aulnoy begegnet; oder um mich der Formulierung Detlev Fehlings[12] zu bedienen: »Volksmärchen (nach Art der Grimm) sind Feenmärchen, im Geschmack des 19. Jahrhunderts abgewandelt.« Ich würde diese zupackende Formulierung allerdings keinesfalls verallgemeinern wollen, da sie nach meinen Untersuchungen nur für wenige Fälle verifizierbar ist, und ich möchte das damit angesprochene Umerzählen vor allem nicht ausschließlich aufs Konto der Brüder Grimm schreiben. Das meiste scheint doch auf deren unmittelbare Gewährsleute (hier also Marie Hassenpflug) zurückzugehen oder auf die Erzähler, von denen diese ihre Geschichten kannten.

Jacob Grimm wäre bei diesen Ausführungen übrigens keinesfalls so entsetzt wie einige Gralshüter der Mär von der alten Marie oder vom stockhessischen Charakter aller Grimmschen Märchen; hatte er doch ganz unbefangen unter sein Notat geschrieben: »Dies scheint ganz aus Perraults Belle au bois dormant.«[13] Jacob Grimm widerspricht also mit dem ganzen Gewicht seiner Autorität solch gutgemeinten Apologien, wie sie etwa Philipp Stauff[14] besonders herzig formuliert hat: »Wenn aber ein Gelehrter meint, daß unser ›Dornröschen-Märchen‹ eine Rokokogeschichte aus Frankreich sei, wie es in den letzten Jahren sich ereignet hat, so soll man ihn auslachen und ihm sagen, daß das Märchen selber viel klüger sei als er.«

Die Fragestellung unseres Themas kann nun endlich und endgültig präzisiert werden: es geht um den Typus des Dornröschenmärchens, wie er im 17. Jahrhundert in der schriftlichen Tradition auftaucht, nicht aber um die Grimmsche Fassung, wenn ein Vergleich mit Mythos und Heldensage sinnvoll sein soll, denn niemand wird ja im Ernst behaupten wollen, originäre Einflüsse aus Mythos oder Heldenepos hätten noch zwischen 1697 und 1810 oder gar zwischen 1810 und 1857 zukommen können. Eventuelle Bereicherungen dieser Art könnten nur bewußt beigemischt worden sein und verlören damit zunächst für unsere Fragestellung jeden Wert.

Damit sehen wir uns auf die romanischen Fassungen des 17. Jahrhunderts zurückverwiesen, die sich um eine weitere ergänzen lassen: 1637 erschien in der Märchensammlung »Lo cunto de li cunti« des Giambattista Basile eine ähnliche Geschichte unter dem Titel »Sole, Luna e Talia«. Auch hier geht es um einen schier endlos langen Zauberschlaf. Schauen wir uns die Bedingungen, die zu seinem Anfang und zu seinem Ende führen, im Vergleich zu den französischen Fassungen an.

Bei Perrault waren von den acht Nationalfeen nur sieben eingeladen worden (was bei Grimm zu dreizehn und zwölf aufgeschwellt erscheint); die Übergangene rächt sich, indem sie den Zauberfluch ausspricht. Bei Basile wird die Prophezeiung ohne Vorbedingungen von einem Weisen ausgesprochen. Perrault und Grimm erzählen von einer Spindel, Basile von einer in den Finger gestochenen Flachsfaser (aresta de lino), die den Zauberschlaf auslöst. Bei Perrault weckt der Prinz die Schlafende mit einer eloquenten Liebeserklärung, woraufhin sie ihn ohne weiteres in ihr Bett bittet; bei Grimm ist es ein keuscher Kuß; bei Basile pflückt der Prinz hingegen die Früchte der Liebe, ohne die Schlafende zu erwecken. Sie gebiert nach neun Monaten, immer noch schlafend, die Zwillinge Sole e Luna, deren einer einmal statt der Mutterbrust den Zeigefinger erwischt: er saugt die verhängnisvolle Flachsfaser heraus, und Mutter Talia erwacht.

Dies ist also die zweifellos logischere Version. Eine Flachsfaser, die den Schlaf herbeigeführt hat, verliert ihre Wirkung, wenn sie wieder herausgezogen wird.

Was aber haben Liebeserklärung oder Kuß in den jüngeren Fassungen mit dem narkotisierenden Stich der Spindel zu tun?

Weiter: wir sind bei Basile auf eine Spur geraten, die uns überraschend und erfreulich weiter zurückleitet. In dem um 1340 verfaßten Roman »Perceforest« findet sich die Geschichte der Prinzessin Zellandine: drei Göttinnen begaben sie reich bei ihrer Geburt, Themis aber bestimmt, daß ihr die Verhärtung eines Leinenfadens in den Finger fahren werde und daß sie dann so lange schlafen müsse, bis dieser wieder herausgezogen sei. Das Motiv der Faser und die Bedingung der Erlösung stimmen im mittelalterlichen Roman und bei Basile so genau überein, daß man mit direktem Einfluß rechnen muß. Überdies empfängt die Prinzessin auch im mittelalterlichen Roman im Schlaf ein Kind, das ihr dann die Faser aus dem Finger saugt.

Sucht man in der mittelalterlichen Literatur des Abendlandes weitere Parallelen zu den Grundmotiven Prophezeiung (oder Fluch), verhängnisvolles Requisit, Zauberschlaf und totale Abgeschiedenheit des Schloßbezirks, Erlösung durch einen Liebenden – unmittelbar (Perrault, Grimm) oder mittelbar (Basile, »Perceforest«) –, so kann man das Gralsmotiv heranziehen, und zwar insofern als der Gralskönig Amfortas durch einen Stich (mit der Lanze) in ein schier endloses Leiden verfällt, aufgrund dessen die Gralsgemeinschaft hermetisch von der Außenwelt abgeschlossen wird und der Gralsbezirk einen verödeten, wie abgestorbenen Eindruck macht. Erst wenn der von mitleidiger Nächstenliebe erfüllte Parzival den Bereich betritt und mit demselben Speer die Wunde des Amfortas zu schließen vermag, erblüht wieder neues Leben. Besonders hinweisen möchte ich auf die Bedingung der Erlösung, die in ihrer Struktur stark an Basile und »Perceforest« erinnert: die Verstörung und die Erweckung sind mit demselben Requisit verknüpft.

Eine andere Brücke ins Mittelalter zurück wollten die Brüder Grimm schlagen. Sie taten es ihrer Überzeugung und ihrem persuasorischen Ziel gemäß mit wie selbstverständlich anmutender, offenbar keinen Widerspruch erwartender oder duldender Eindringlichkeit und Bestimmtheit: »Die Jungfrau... ist die schlafende Brunhild nach der altnordischen Sage, die ein Flammenwall umgibt, den auch nur Sigurd allein durchdringen kann, der sie aufweckt. Die Spindel, woran sie sich sticht und wovon sie entschläft, ist der Schlafdorn, womit Othin die Brunhild sticht.« [15] Diese apodiktische Äußerung hat eine kleine Bibliothek entsprechender Forschungen und Untersuchungen hervorgebracht, als deren Resümee zu zitieren ist: Odin bestraft seine Tochter wegen deren Ungehorsam (von einem bewußten Vergehen kann hingegen in den Märchenfassungen keine Rede sein). In ihrem Zauberschlaf ist sie von einer Hecke oder von der Waberlohe (diese wohl jüngeren Datums) umgeben. Der Held durchreitet diese und schneidet der Schlafenden den Panzer auf. Sie erwacht, und es erfolgt ein keusches Beilager, wo Sigurd das herausgezogene Schwert (symbolum castitatis) zwischen sich und die Jungfrau legt. Kann man aus solchen Übereinstimmungen schließen, das Märchen sei aus dieser in der »Edda« festgehaltenen Heldensage hervorgegangen? Soll man umgekehrt sagen, das Märchen sei älter als die nordisch-germanische Sagenausgestaltung? Letzteres denn doch wohl auf keinen Fall; es würde so gut wie unmöglich sein, die Motivbrüche und die einzelnen Widersprüche der eddischen Erweckungssage verständlich zu machen, wenn ein entsprechendes Vollmärchen als Vorlage gedient hätte.

Wie steht es mit den antik-mythologischen Parallelen oder Anknüpfungspunkten? Von Schicksalsprophezeiungen, denen etwa die Eltern des Ödipus ähnlich den Eltern des Dornröschens entgehen möchten, wird andernorts gehandelt[16]. Man könnte auch die altgriechischen Sagen von Meleager oder von den Argonauten in Betracht ziehen, wo ähnlich verderbenbringende Verfluchungen wie im Dornröschenmärchen begegnen. Besonders aber wäre doch wohl auf die halb mythische, halb historische Figur des Kreters Epimenides aus dem 6. vorchristlichen Jahrhundert hinzuweisen: er war einer der altgriechischen sieben Weisen, ein Priester und Weissager, der siebenundfünfzig Jahre in der diktäischen Höhle schlief und danach Einzelne und Staaten mit seinen tiefsinnigen Sprüchen und Ratschlägen beglückte. Immerhin hat ihn kein Geringerer als der Apostel Paulus im Titus-Brief (I. 12) als anerkannte Autorität zitiert.

Diesen Bezügen nachzugehen, was sicher lohnend wäre, ist hier nicht der Ort. Stattdessen muß noch ein Blick auf gewisse vehemente Spekulationen über die Namen in der Basile-Fassung geworfen werden. Aus dem Auftreten der Begriffe »Talia«, »Sole e Luna« im Jahr 1637 hat man allgemein ohne jede Rückversicherung geschlossen, hier handele es sich um ein Zeugnis urältester Naturmythie: die Jungfrau sei die Erde, die der Winter in hundertjährigen (i.e. hunderttägigen) Schlaf versenke; der Prinz sei der Frühling, der sie erweckt oder die Bedingung schafft, daß »Sole» und »Luna« ihr lebenspendendes Werk wieder beginnen können (warum der Mond im Winter allerdings schlafen sollte, bleibt unerklärt). Daran knüpft man dann die Beobachtung, daß einmal die dreizehn Mondjahrmonate den zwölf Sonnenjahrmonaten haben weichen müssen; dies sei in den goldenen Tellern unübersehbar gespiegelt. Dabei wird

134

natürlich wieder gänzlich außer acht gelassen, daß dieser Zug weder bei Basile noch bei Perrault, sondern erst 1810 bei Grimm begegnet, wo schlicht die eine beliebte Märchenzahl (sieben) durch eine andere (zwölf) verdrängt und zugleich der typisch biedermeierliche Zug eingebracht wurde, daß die (bürgerliche!) Aussteuer seinerzeit unweigerlich aus zwölf Gedecken bestand[17]. In eins mit solchen philologisch haltlosen Spekulationen erklärte man auch gleich Brunhild als die Nacht, Sigurd als die erweckende Sonne, die Waberlohe als Morgenröte. Indes ist die Vorstellung doch wohl nur schwerlich nachvollziehbar, wie der Tag durch die Morgenröte reiten und damit die Nacht erwecken soll!

Die Anknüpfung über den Namen Talia, der ja ähnlich dem der Persephone auf eine Fruchtbarkeitsgöttin und entsprechende Kulte verweist, gelingt jedoch etwas logischer: sie war eine Tochter des Hephaistos und erwartete von Zeus Zwillinge.

Zeus verbarg die Schwangere vor den Blicken seiner eifersüchtigen Gattin Hera im Schoß der Erde (vergleichbar dem Zauberschlaf bei Basile), bis sie die Zwillinge gebar, nämlich die in Süditalien lange hochverehrten Paliken.

Meine These geht nun einfach dahin, daß der Süditaliener Basile, der ja ein Dichter und hochgebildeter Hofmann der Barockzeit war, durch die mannigfachen Entdeckungen und Hypothesen der italienischen Renaissance natürlich von diesen Mythen und Mythologemen gewußt und sie mit Hilfe der mythologischen Namen ganz bewußt mit dem Grundschema der ihm aus dem Mittelalter überkommenen Dornröschen-Handlung verknüpft hat, *nicht* aber, daß Basile Reste eines antiken Mythos unangekränkelt und widerspruchsfrei in der mündlichen Überlieferung gefunden und getreulich notiert hätte.

Diesem Verfahren ganz ähnlich, haben die Brüder Grimm in die seit 1819 weitgehend vollendete Dornröschen-Fassung Partikel aus der »Edda« eingebracht wie zum Beispiel die Ausgestaltung der Dornenhecke oder das an sich blinde Motiv der Furchtlosigkeit des Prinzen.

Was wir festhalten können, ist meines Erachtens dies: es gibt verblüffend ähnliche Grundstrukturen und Motivparallelen zwischen dem Mythos vom Epimenides, der Heldensage von Brunhild und Sigurd sowie der märchenhaften Geschichte, wie sie seit 1340 im »Perceforest« greifbar ist. Diese Gemeinsamkeiten dürften auf einem sozusagen zeitlos bereitliegenden *Hero-Pattern* basieren, der je nach Epochen- und Gattungsgesetzen verschieden gefüllt wird. Eine direkte Filiation – und somit der Sinn der leidigen Fragen nach Prioritäten und Abhängigkeiten – ist damit bestritten bzw. gegenstandslos geworden.

Statt des im ganzen gesehen doch wohl gescheiterten Versuchs, die Geschichten immer weiter und immer vager in neblige Urzeiten zurückzuprojizieren und sich über unbeweisbare Prioritätsprobleme hinsichtlich Mythos, Heldensage und Märchen fruchtlos zu streiten, sieht man sich eher gehalten, die verschiedenen gattungsspezifischen Ausprägungen dieses *Hero-Pattern* (zu denen, wie eingangs erwähnt, natürlich auch Volkssage, Legende und Volkslied rechnen) in ihren Bedingungen und Eigenheiten zu beobachten.

Demnach wäre zu empfehlen, die verschiedenen Belege weniger im Blick auf ihren hypothetischen Ursprung nach rückwärts zu interpretieren, als sie vielmehr in ihrer jeweiligen Eigengesetzlichkeit, Eigendynamik zu sehen, die sie ihrer immanenten Zielform näherbringen. Das bedeutet speziell fürs Dornröschenmärchen: es geht weniger um Kritik an angeblichen Veränderungen im Lauf der Jahrhunderte als um deren märchengerechte Analyse, was sich ja dank der so gut wie ausschließlich schriftlichen Überlieferung zwischen 1340 und 1857 besonders anbietet.

Unter solchen Voraussetzungen könnte eine Neuinterpretation des Dornröschen-Typus statthaben.

In diesem Rahmen wären denn auch die Gemeinsamkeiten in der Vielfalt zu sehen, die auf ein vielleicht archetypisch verstehbares Grundmuster verweisen, so etwa, daß das Versinken in den Zauberschlaf ebenso wie das Erwachen im engeren oder weiteren Sinn offenbar stets mit Erotik zu tun haben, was Fischart 1570 in das derbe Bild faßte: »Sie hat sich an einem Dorn gestochen wie die Magd, der der Bauch davon geschwoll.« (Es wäre sogar zu überlegen, ob es sich beim Umgang mit Flachsfaser oder Dorn nicht sogar um eine magische Empfängnis handelt.)

Ferner wäre zu beobachten, daß im Durchgang durch den Zauberschlaf nicht nur existenzielle Begegnungen mit dem Urphänomen der Liebe und der Lebensschöpfung verknüpft sind, sondern auch eine ebenso existenzielle Begegnung mit dem Urphänomen des Todes (man denke an Motivparallelen in »Sneewittchen« und vor allem in »Frau Holle«!).

Und wenn dem Epimenides in seinem siebenundfünfzigjährigen Entrückungsschlaf Weisheit, ja die Gabe der Weissagung zuwächst, so liegt die Verwandtschaft mit Art und Ergebnis der Hadesfahrten des Odysseus oder Äneas auf der Hand: der Durchgang durchs Reich des Todes vermittelt tiefste Weisheit. Der vorübergehende Zustand der Zeitentrücktheit bewirkt die Gabe, in die Zeiten vorauszuschauen.

Sigurd und Brunhild, aber auch auf seine Weise Parzival, sind berufen, durch ihre todüberwindende Liebe neues Leben in eine erstarrte Welt oder Gesellschaft zu bringen, und zwar nach einer Periode der durch Vergehen oder Sünde hervorgerufenen todähnlichen Zeitlosigkeit (dies ist übrigens eine typisch mittelalterliche Vorstellung: der Sünder lebt außerhalb der Heilszeit und fällt damit letztlich aus der Kategorie der Zeit heraus).

Die Märchenprinzen schließlich garantieren den fröhlichen Fortgang der Märchenwelt und finden eine im Entrückungsschlaf offenbar mit den Geheimnissen der Liebe und des Todes vertraut gewordene Frau.

Dies sind Grundmuster, auf deren Hintergrund vielleicht auch die Frage nach der Relevanz von naturmythischen Vorstellungen (Aurora, Tag und Nacht; Erde, Sonne und Mond; Sommer, Winter und Frühling) sinnvoll wird – wenn sie nicht verabsolutiert, sondern relativiert gestellt wird.

Ich meine, man sollte sich dieser weiten Horizonte, in denen eben auch und besonders der Märchentyp »Dornröschen« gleichsam zwanglos seinen Platz findet und schön ausfüllt, freuen, statt in enggeführten, letztlich nie beweisbaren absoluten Thesen auf Prioritäten, Abhängigkeiten und damit unnötig festgeschriebene Deutungen abzuheben.

Ich möchte mit dem schönen Wort Wilhelm Grimms[18] schließen, das den ewigen Wandel und die ewige Neuschöpfung anspricht, wie man sie gerade am Typus »Dornröschen« durch viele Jahrhunderte und ebensoviele verschiedene Arten der menschlichen Geistesbeschäftigung so gut beobachten kann: »Was so mannigfach und immer wieder von neuem erfreut, bewegt und belehrt hat, das trägt seine Notwendigkeit in sich und ist gewiß aus jener ewigen Quelle gekommen, die alles Leben betaut, und wenn es auch nur ein einziger Tropfen wäre, den ein kleines, zusammenhaltendes Blatt gefaßt hat, so schimmert er doch in dem ersten Morgenrot.«

Leander Petzoldt

DIE GEBURT DES MYTHOS AUS DEM GEIST DES IRRATIONALISMUS

*Überlegungen zur Funktion des Mythischen in der Gegenwart**

»Die Schamanen kommen«, kündigte im Frühjahr 1982 ein Verlag, der noch unlängst eine dezidiert linke Linie verfolgt hatte, eine Seminartagung in Tirol an, bei der unter dem Ehrenvorsitz von Arnold Graf Keyserling, »indianische Heiler und Ökologen« (wie es in einer bezeichnenden Begriffsverbindung hieß), philippinische Wundertäter und südamerikanische »Schamanen« auftraten, um über indianische Weltsicht und ihre Beziehungen zur Mutter Erde zu sprechen (Trikont). Diese Mischung aus Mythos und Mystik, Magie und Esoterik, die Hinwendung zu tibetanischen Mönchen, indianischen Stammesfürsten und jamaikanischen Barden löste nicht nur bei linken Lesern Irritationen aus. Mehr noch vielleicht waren die mystifizierenden Ankündigungen geeignet, schlichte Gemüter in Erregung zu versetzen: »Indianische Prophezeiungen haben vorhergesagt, daß, wenn zwei bestimmte Sterne ihre Position am Himmel verändert haben, die Zeit für die Indianer gekommen ist, wieder zu reisen und ohne Furcht zu sprechen und ihre Brüder bei allen Rassen zu suchen. Als Antwort auf diese Prophezeiung spricht Rolling Thunder seit mehr als 15 Jahren öffentlich und berichtet von seiner Vision des Lebensplanes des Großen Geistes.« So heißt es über den 65jährigen Chirokesen »Rollender Donner« aus Oklahoma, der sich selbst als »Helfer des Großen Geistes« versteht. Solcherart vage und mystifizierend wird die »Rückkehr des Imaginären« (Buchtitel) oder besser die Hinwendung zu einem neuen Irrationalismus angekündigt. »Wir haben Hunger und Durst nach Bildern und Märchen, in uns brennt die Sehnsucht nach Mythen«, heißt es im Verlagsprospekt, der in einem dialektischen Salto mortale linke Avantgarde und rechten Konservativismus auf einen Nenner zu bringen versucht, und weiter: »Wir fordern für uns nichts Geringeres als eine Metapolitik, wo sich Mythos und Geschichte, Märchen und Leben, Mystik und Revolution miteinander verschmelzen«.Diese Ansammlung von Reizworten, deren jedes für sich allein schon schillernd genug ist und die in dieser Kumulation vollends nichtssagend, um nicht zu sagen widersinnig erscheinen, verraten nichtsdestoweniger ein bewußtes Kalkül auf die Faszination bestimmter Begriffe in den Köpfen bestimmter Leute, für die eine Sache umso klarer ist, je weniger sie sich erklären läßt. Und immer wieder beruft man sich auf Märchen und Mythen. Die Vieldeutigkeit des Mythos kommt dem entgegen; ungeachtet einer wie auch immer gearteten Wesensbe-

138

stimmung läßt sich zunächst feststellen, daß der Mythos bildhaften Charakter besitzt. Er ist Bildersprache und setzt seine Aussagen über die Welt in anschauliche, bildhafte Symbole um. Wie die Biblia pauperum reiht er Bild an Bild und schafft Zyklen. Er erklärt, begründet und beglaubigt. Doch das sind bereits Aussagen über den Mythos, die eine bestimmte Ansicht von dem, was ein Mythos sei, eine Theorie des Mythos, voraussetzen.

Eine solche Aussage ist heute schwierig geworden.

Wir können, um ein naturwissenschaftliches Bild zu benutzen, drei »Aggregatzustände« des Mythischen konstatieren: den Mythos als Text und damit sozusagen als Gegenstand der Philologie; davon abgeleitet die Mythologie »als Auffassung und Lehre von diesem Gegenstand« (Weimann) und schließlich den Vorgang der Mythisierung als fließenden Zustand, der Wirklichkeit in Mythen überführt. Damit ist bereits eine erste Bestimmung dessen gegeben, was Mythos nicht ist: Wirklichkeit. Mythen können sich erst bilden, wenn der Mensch die Periode einer mythischen Integration überwunden und »das Wirklichkeitsgefühl einer Kultur eine bestimmte Strukturierung erfahren hat« (Sloek). Es ist in der Tat überraschend zu sehen, daß die Frage nach dem Verhältnis von Mythos und Realität bereits im Hellenismus gestellt wird. Nach dem Philosophen Euhemeros (4./3. Jh. v. Chr.), dem Vater dieser aufklärerischen Deutung, sind die griechischen Götter geschichtliche Heroen, die durch das Volk idealisiert, d.h. zum Mythos stilisiert worden seien. Hier wird zugleich der Vorgang der Mythisierung beispielhaft dargestellt, die Geburt des Mythos sozusagen, die sich bis in unsere Tage wiederholt. In der phantastischen Überhöhung durch den Mythos werden die Heroen und Götter zur Inkarnation überzeitlich gültiger Normen, zu Archetypen, Urbildern für die Namen, die die Menschen den Geheimnissen des Lebens gegeben haben. Dieser allegorische Gehalt des Mythos wurde im Mittelalter zur geschichtsbildenden Kraft: die mythischen Helden und Götter werden für den Aufbau der empirischen Welt herangezogen; sie bilden das »mythologische Substrat«, das im mittelalterlichen Troja-Roman Aeneas nicht nur zum Begründer Roms, sondern weiterhin zum Stammvater der Franken und Briten werden läßt. So können mythologische Gehalte selbst fern von ihrem Ursprung immer wieder als elementare Leitbilder aktualisiert werden und die ihnen immanente »Macht der heiligen Ursprünge« (Weimann) auf das Abgeleitete übertragen. Hierin zeigt sich nicht zuletzt eine spezifisch gesellschaftliche, d.h. politische Funktion des Mythos; ich habe diese Funktion und ihre Aktualisierung durch politische und weltanschauliche Strebungen an anderer Stelle dargestellt (Petzoldt 1). So kann man die ideologische Wirkung des Mythos als ein charakteristisches Merkmal unserer Epoche sehen. Diese ideologische Wirkung, von Systemtheoretikern wie Durkheim, Malinowsky und Lévi-Strauss als »Legitimation des status quo« beschrieben, stellt sich nach einem jahrtausendealten Muster her. Durch die Rückführung auf ein einmaliges Urzeitereignis, die »mythische Präzedenz«, liefert der Mythos die Rechtfertigung des jeweiligen gesellschaftlichen Zustandes, indem er etwa im Feudalismus die sozialen Gegensätze verschleiert und die gegenwärtige Sozialstruktur beglaubigt (Eickelpasch). Dies ist freilich nur eine Funktion, sozusagen die öffentliche Funktion des Mythos, neben der es unterschiedliche und zum Teil sich widersprechende Funktionen und Begriffe des Mythos gibt. Der Mythenbegriff der Literatur etwa ist ein anderer als der der Ethnologie. Eine Wurzel für die Inanspruchnahme des Mythos in unserer Zeit durch die unterschiedlichsten gesellschaftlichen Gruppierungen mag vielleicht die »Sehnsucht, über den gegenwärtigen Augenblick hinauszugreifen« sein, die Jiri Hajek beschreibt als die Sehnsucht, »den konkreten und vielleicht ganz gewöhnlichen Menschen dieser Zeit und dieser Gesellschaft mit der gesamten Vergangenheit und Zukunft der Menschen zu identifizieren« (Weimann). Daß hier bereits wieder ein neuer Mythos im Entstehen begriffen ist, sei angemerkt.

Doch kommen wir noch einmal auf den Mythos in seinen frühkulturellen Zusammenhängen zurück. Dem Forscher stehen zwei sehr unterschiedliche Zugänge zum Mythos offen. Für den Mythos der klassischen Antike bieten sich uns lediglich schriftliche Quellen (neben einigen Bildzeugnissen) an. Es ist eine Überlieferung »ohne den Kontext des lebendigen Glaubens« (Malinowski[1]), die sich freilich auf die Etymologie des Wortes Mythos berufen kann, und nichts anderes meint als »Erzählung«, »Rede«, »Aussage«. Mythos ist jedoch mehr als dies; in der Reduzierung auf die bloße Analyse von Texten fällt ein wesentliches Merkmal des Mythos fort, das seiner Funktion, seiner Anwendung.

Der Mythos »in seiner lebendigen ursprünglichen Form, ist keine bloß erzählte Geschichte, sondern eine gelebte Realität« (Malinowski[1]). Der Mythos ist deshalb keine rein literarische Gattung wie das Märchen oder die Sage, denn er ist mehr und anderes. Insbesondere durch seine Verbindung mit dem Ritus und seine verschiedenen Funktionen innerhalb der menschlichen Kultur als bildhafte Konkretisierung des Weltbildes einer Gesellschaft umfaßt er sehr viel mehr als das, was eine Literaturgattung umfassen kann. André Jolles spricht denn auch mit Recht nicht vom Mythos, sondern von der »Mythe« als einfacher Form. »Neben dem Urteil, das Allgemeingültigkeit beansprucht«, heißt es bei ihm, »steht die Mythe, die Bündigkeit beschwört«. Im frühen Stadium einer Kultur erfüllt der Mythos, wie Malinowski betont, eine unerläßliche Funktion: »Er gibt dem Glauben Ausdruck, Erhöhung und Gesetz; er sichert und stärkt die Sitte; er bürgt für die Wirksamkeit des Ritus und enthält praktische Regeln für das menschliche Verhalten« (Malinowski[1]). Die Wirksamkeit dieser Funktionen kann für die klassische Antike, ebenso wie im Prinzip für alle vergangenen Kulturen, seien es die des fernen Ostens oder die nahöstliche Kultur des alten Ägypten, nur indirekt, eben über Schrift- oder Bildzeugnisse erschlossen werden. Niemand wird bestreiten, daß solche Untersuchungen weitgehend durch das Erkenntnisinteresse der jeweiligen Wissenschaftsdisziplin prädisponiert sind; der Archäologe wird mit anderen Voraussetzungen an sein Material herangehen als der klassische Philologe, ganz zu schweigen von den Historikern, Soziologen, Psychologen, Theologen.

Bei der Untersuchung gegenwärtig existierender Völker, die sich auf einer archaischen Kulturstufe befinden, eröffnet sich ein einzigartiger Zugang zum Mythenverständnis, zum gelebten Mythos, dessen Analyse durch den Ethnologen sich auf die orale Tradition ebenso wie auf die Anschauung beziehungsweise das Miterleben im Sinne »teilnehmender Beobachtung« stützen kann. »Der Ethnologe hat den Mythenmacher bei der Hand«, sagt Malinowski. Er hat nicht nur den Text, sondern auch die Anwendung; er erlebt nicht nur den Ritus als angewandten Mythos, sondern hört auch den Kommentar dazu und kann daraus seine Schlüsse ziehen. Daß auch der Ethnologe nicht nur Ethnologe, sondern Strukturalist oder Evolutionist ist, zeitigt zweifelsfrei Auswirkungen auf seine Darstellung; daher scheint mir eine Erforschung des Mythos nur im interdisziplinären Rahmen möglich zu sein.

In der Literatur wird der enge Zusammenhang von Mythos und Kult betont; der Kult als praktizierter Mythos entspricht dem Verhältnis von Sein und Denken. Durch die kultische Praxis, den Ritus, wird der Mythos in der gegenständlichen Handlung realisiert; der Mythos wiederum verwirklicht den Ritus in bildlicher Anschauung (Weimann).

Zweifellos ist der Mythos, als Wahrheit begriffen, eine Betrachtungsweise, die außerhalb der empirischen Kausalitäten steht; die mythopoetische Aussage vermittelt ein ganzheitliches Seinsverständnis, das in der Lebensrealität nicht gegeben ist. Unter entwicklungspsychologischem Blickwinkel läßt sich der Mythos als ein früherer Versuch verstehen, die Natur zu erklären. Wir sprechen zum Beispiel von kosmogonischen Mythen, in denen die Schöpfungsgeschichte bildhaft anschaulich dargestellt wird. In einer frühen Kosmogonie aus dem altägyptischen Heliopolis heißt es, Atum (wahrscheinlich »der Vollende-

te«), der höchste Gott, sei in Form eines Hügels aus dem Urwasser aufge-
taucht. Das erinnert stark an die aus den Wassern des Nils auftauchenden
fruchtbaren Hügel nach dem Rückgang der Flut (Blacker/Loewe). In der Wei-
terführung der Weltschöpfungsmythen treffen wir auf die anthropogonischen
Mythen; so heißt es in einem Papyrus aus Hermopolis von dem »Herrn des
Alls«, dem Schöpfergott: »Als ich meine Glieder vereinigt hatte, weinte ich
über sie, und die Menschen entstanden aus den Tränen, die aus meinen Augen
kamen«. Und parallel dazu ergänzt der theogonische Mythos: »Die Götter er-
schuf ich aus meinem Schweiß, aber die Menschheit ist aus den Tränen meiner
Augen«.

Der enge Zusammenhang zwischen Mythos und Religion wird hier
sichtbar; denn der Mythos ist die genuine Sprache der Religion. Die Funktion
des Mythos ist es also, die den Menschen umgebende Welt zu erklären und zu
deuten, er ist Ursprungsgeschichte und Göttergeschichte, wobei freilich zu be-
achten ist, daß er all dieses erst sein kann, wenn das Stadium des Präanimismus
oder des Animismus, in dem die Natur selbst als Sitz göttlicher und dämoni-
scher Kräfte aufgefaßt wird, überwunden ist, ebenso wie der Göttermythos
erst dann entstehen kann, wenn die Gottesvorstellung spiritualisiert wird,
wenn das göttliche Prinzip transzendiert: dies ist das eigentliche mythische
Zeitalter, das wiederum von einer Epoche der allegorischen Ausdeutung der
Mythen gefolgt wird. Es ist die Epoche der Literarisierung der alten Mythen,
wie wir dies deutlich bei Ovid beobachten können, der die vorzeitlichen
Transformationsmythen unter den skeptischen Satz stellt: »expedit esse deos,
et ut expedit esse putemus« (Es ist richtig, daß es Götter geben sollte; laßt uns
also glauben, es gäbe sie). In seinen »Metamorphosen« stellt er die Mythen
ganz unter den Primat des Erzählerischen (Blacker/Loewe). Diese Entwicklung ist freilich nicht als eine Epochenfolge im chronologischen Sinne zu sehen. Der Mythos ist immer latent oder offen gegenwärtig; er ist eng verbunden
mit dem kulturellen Erbe des Menschen und reicht in Tiefenschichten, die rational nicht auslotbar sind.

»Die Mythen der alten Schichten«, beobachtet Arnold Gehlen, berichten »in
monotoner Fülle von Metamorphosen«, und wenn wir einen Band mit indianischen, mexikanischen, australischen oder Eskimomärchen aufschlagen, treffen
wir ständig auf diese Verwandlungsgestalten: »Ein Vogel war es, der die Menschen schuf und alles Leben auf dieser Erde. Tulungersaq hieß er oder Vater
Rabe. Doch zuerst war er in Menschengestalt da. Blind tastete er sich vorwärts,
wußte nicht, was er tat, bis ihm eines Tages klar wurde, wer er war und welche
Aufgabe er zu erfüllen hatte«, heißt es in einem Märchen aus Alaska (Barüske).

142

Er fliegt in die Unterwelt in Gestalt eines Raben und erschafft Erde und Himmel. »Als die Erde fruchtbar und lebendig geworden war, schuf der Rabe die Menschen. Manche erzählen, daß er sie aus Lehm formte, genauso, wie er oben am Himmel eine Gestalt nach seinem Ebenbild schuf«, fährt dieser doppelte anthropogonische Mythos fort.

Der epochale, einmalige Vorgang der Kultivierung wird in fast allen Mythen in einer stereotypisierten Form festgehalten und reproduziert. Es scheint, daß in einem bestimmten (vor-)kulturellen Stadium mangelnde Begriffsbildung die Unterweisung in Form der anschaulichen Erzählung, oft verbunden mit der (rituellen) Handlung, der mimischen Verlebendigung, die einzige Möglichkeit ist, diese Vorstellungen in sich aufzunehmen. So ist der Mythos Erzählung, »aber Erzählung nicht im Sinne eines situationsgebundenen Berichts, der von einer bestimmten Person an eine andere ergeht, sondern sein Inhalt ist stereotypisiert und verselbständigt, der Mythos ist ›Erzählung an sich‹« (Gehlen).

Diese Erzählungen stehen zunächst für sich und geben Entstehungsursachen, mythische Deutungen der Kulte und ihrer Riten nach einem Muster, das sich in frühen Kulturen und bei Naturvölkern in anderen als unseren abendländischen Kategorien bewegt, die ihre eigene Logik besitzen. Sie verselbständigen sich in formaler Hinsicht, so daß man geradezu von mythischen Novellen (Gehlen) sprechen kann. Dabei spielt es auf keiner Stufe der Mythenentwicklung eine Rolle, ob sich die mythischen Interpretationen einander widersprechen. Widersprüche der Mythenversionen werden nicht als solche empfunden und haben keinen Einfluß auf die Gültigkeit des Mythos.

Der Mythos tritt in allen Kulturen zunächst als Kosmogonie und Urstandsmythos auf, der die Schöpfungsgeschichte und darüber hinaus existentielle Menschheitsfragen wie den Tod, die Zeugung, die Herkunft von Gut und Böse beantworten will. Er hat die Qualität und den Glaubensanspruch realistischer Geschichtsschreibung, und erst in der Spätentwicklung, bei Platon und im Hellenismus wandelt sich die Auffassung vom Mythos als absolutem Abbild der Welt zu der einer dichterischen beziehungsweise allegorischen Widerspiegelung der Welt.

Entmythologisierung im allgemeinen Sinne bedeutet aber noch nicht das Ende des mythischen Denkens. Wie das magische Denken keineswegs durch den Rationalismus überwunden, sondern hier und heute ständig gegenwärtig ist, so manifestiert sich auch in der Computer-Kultur des zwanzigsten Jahrhunderts immer wieder mythisches Denken als Antwort oder Widerspruch zum positiven Denken. Und ebenso wie wir eine prinzipielle Affinität der magischen und religiösen Geisteshaltungen konstatieren müssen (Petzoldt 2), haben Wilhelm Wundt, Durkheim, Hubert und Mauß sowie Malinowski den engen Zusammenhang zwischen Mythos und Religion betont. Zweifellos ist das Problem der »Entmythologisierung« im Bultmannschen Sinne zunächst ein theologisches Problem. Die kritische Deutung des mythischen Weltbildes der Bibel verbleibt weitgehend in der wissenschaftlichen Diskussion und hat keinerlei Auswirkungen auf das Weltbild des gläubigen Christen. Und in der Tat weist ja auch die Wissenschaft ihre Mythen auf, etwa den von Arnold Gehlen apostrophierten »›Mythos der Entwicklung‹ vom Mythos zum Logos«, also die so eingängig klingende und konsequent erscheinende Entwicklung des menschlichen Geistes vom mythischen Denken zur Rationalität des reinen Logos, die in unserem Jahrhundert, und nicht nur in der Gegenwart, allenthalben widerlegt wird. »Je mehr nämlich das Handeln von der Einsicht in die objektiven Sachgesetze der Welt bestimmt wird«, schreibt Gehlen in diesem Zusammenhang, »umso unverstehbarer werden die doch noch von starken Instinktresiduen gestützten Kulte und konservativen Verhaltensweisen, die jetzt für die steigende Sachrationalität eine sekundäre Motivierung und Rechtfertigung erfordern: – gerade dann blüht die Mythologie . . . « Oder, um ein anderes Beispiel anzuführen: nirgends wird der Mythos so deutlich als Begleiter der Wissenschaft sichtbar wie in der Psychologie und der Psychoanalyse. Der Mythos von Ödipus mit den Motiven Orakel, Vatermord und Mutterinzest und seine Deutung durch Sigmund Freud ist zum Modellfall psychoanalytischer Forschung geworden und beweist nicht zuletzt die ungebrochene Faszination mythischer Modelle. Eindrucksvoll stellt Freud den Mechanismus dar, bei dem der verdrängte Inzestwunsch zu entsprechenden Träumen führt und die Träume ihrerseits zur Bildung des Mythos veranlassen (Schmidbauer).

So wie im Mythos Entstehungsursachen, Ideen und Begriffe zu einem Weltbild zusammengeschlossen und damit für den Menschen einer früheren Kulturepoche verständlich und begreifbar werden, André Jolles hat dies klar gesehen, wenn er von der Mythe spricht, die »Bündigkeit beschwört«, so ist es für die meisten Menschen des zwanzigsten Jahrhunderts kaum möglich, Wissenschaft »anders als ›mythologisch‹ zu verstehen«, d. h. ein geschlossenes Weltbild dort zu sehen, wo das »offene« der Wissenschaft dem prinzipiell widerspricht. Und die Wissenschaft leistet dem oft genug Vorschub.

Die erklärende Funktion des Mythos spielt auch hier eine Rolle, und unter Berücksichtigung seiner grundlegenden Bedeutung für die Sozialisation des Ein-

144

zelnen wird die Gefahr der Manipulation durch Mythen, die sich zu Ideologien verfestigen, offenkundig.

Alfred Rosenbergs (1893 – 1946) nationalsozialistische Weltanschauungslehre trug den bezeichnenden Titel »Der Mythos des 20. Jahrhunderts« (1930) und wurde in den fünfzehn Jahren bis zum Zusammenbruch des Dritten Reiches über 1 Million mal verkauft. In diesem Werk wird der Machtkampf als welthistorische Entscheidungssituation der europäischen Menschheit im Rahmen eines konsequent nationalsozialistischen Geschichtsbildes interpretiert, in dem der Mythos des Blutes und die Emanationen der germanischen Rassenseele, versetzt mit einer Prise altdeutscher Mystik, eine unheilvolle Mischung eingehen.

Und wie anders wirken Ideologien als durch die scheinbare Geschlossenheit ihres Weltbildes, das alle Menschheitsprobleme zu lösen vorgibt und auch auf die drängenden Probleme der jeweiligen Gegenwart eine Antwort weiß. Es hat den Anschein als gebe es zwei Bewußtseinszustände, die dem mythischen Denken Vorschub leisten. In einem vor- oder frühkulturellen Zustand dient der Mythos der Erklärung der Welt vor dem Hintergrund einer für den Einzelnen nicht durchschaubaren Wirklichkeit. Wie wir aber gesehen haben, führt weder fortschreitende Empirie noch zunehmende Rationalisierung allein zu einem Verzicht auf Mythologien. Gerade die »zunehmende Rationalisierung des Lebens selbst«, ist es, »die zur Mythenbildung drängt« (Gehlen). Oder, wie Horkheimer und Adorno in ihrer »Dialektik der Aufklärung« bemerken, daß »Aufklärung« stets in »Mythologie« umschlägt. Nicht zufällig waren es gerade die Romantiker, die in ihrer Antwort auf die Verstandeskälte der Aufklärer, wie sie es sahen, die Mythenforschung neu begründeten, von der symbolischen Mythendeutung Friedrich Creuzers (1771 – 1858) bis zu den Brüdern Grimm mit ihren Vorstellungen von der dichtenden Volksseele oder den Sagen als Relikten germanischer Göttermythen. Und sicher nicht zufällig werden in unserer Gegenwart, die den unseligen Mythos von Blut und Boden, von Volkheit und Reich überwunden glaubte, neue alte Mythen zu einer Weltsicht komponiert, die in ihrer Irrationalität nicht nur abstrus, sondern gefährlich ist.

Diese Geburt des Mythos aus dem Irrationalen ist ein Phänomen unserer Zeit; die neuen Heilslehrer »brachten der weißen Jugend Babylons die bewußtseinserweiternden Drogen und unterrichteten sie in den Techniken der Meditation, damit die Hirne wieder zugänglich wurden für extralogische Ereignisse. Sie zeigten uns unsere Zerrissenheit und in ihren Worten verspürten wir zum ersten Male wieder, daß die Rhythmen des Lebens einen Sinn haben: die Geburt, die Pubertät, das Erwachsensein, Altern, der Tod . . . Sie lehrten uns in gleicher Weise die Achtung vor den Dämonen und den Göttern und offenbarten uns das tiefste aller Geheimnisse: den Zusammenfall der Gegensätze: Erst, wenn sich die Kräfte des Himmels und der Hölle wieder vereinen, um dem Reich der Mitte – der Erde ihre Reverenz zu erweisen, erst, wenn sich das Spirituelle mit dem Sinnlichen, das Alter mit der Jugend, die Geschichte mit dem Mythos, der Traum mit der Wirklichkeit, die linke mit der rechten Gehirnhälfte, in der Politik das Progressive und das Konservative, erst, wenn sich das Männliche und Weibliche wieder versöhnen, kann die Welt neu beginnen« (Trikont). Dies ist in der Tat ein umfassendes und anspruchsvolles Programm, das alles mit allem verknüpft und für jeden etwas zu bieten scheint. Aber dieser Mythos ist nicht revolutionär. Hier werden, bei bewußter Mißachtung wissenschaftlich-empirischer Kenntnisse, Begriffe mythisiert, das heißt aus ihrem realen Kontext herausgenommen und, als rational unfaßbar und unbegreiflich und von einer unbestimmten Tradition geheiligt, vermittelt. Die mythische Weltsicht spielt oft für die Lebensorientierung von Individuen und Kollektiven eine wesentliche Rolle, und sie vermag infolge ihrer emotionalen und unreflektierten Verankerung im Bewußtsein das Verhalten stärker als intellektuelle Erkenntnis zu beeinflussen. Die wohl klarste und erhellendste Darstellung dieses Vorgangs der Mythisierung, des Übergangs zum mythischen Denken also, hat Roland Barthes, ein Schüler von Lévi-Strauss, gegeben. Er versteht die Mythenanalyse als einen Zugang zur Struktur des menschlichen Denkens. In seinen »Mythen des Alltags« analysierte er Leitbilder und soziale Symbole der französischen Gesellschaft und erkannte sie als ideologischen Mißbrauch der in der selbstverständlichen Attitüde des Natürlichen einhergehenden Realität. Für diese »falschen Augenscheinlichkeiten« verwendete er den Begriff des Mythos und kam zu dem Schluß, daß die gegenwärtige Gesellschaft der »privilegierte Bereich für mythische Bedeutungen« sei. In diesem Buch definierte er den Mythos als eine »Weise des Bedeutens« in einem Mitteilungssystem, die »geschichtlich und intentional determiniert« ist. Der Mythos wird »nicht durch das Objekt seiner Botschaft definiert, sondern durch die Art und Weise, wie er diese ausspricht«. Daraus ergibt sich die freie Verfügbarkeit des Mythischen: alles kann mythisiert werden, die Geburt, das Alter, die Götter, die Dämonen, Himmel und Hölle, Traum und Wirklichkeit, das Linke und das Rechte, das Männliche und das Weibliche; und alles kann in einer Art Metasprache zum mythisch Bedeutenden erhoben werden. Barthes bezeichnet den Mythos weiterhin als »entpolitisierte Aussage«. Das ist insofern richtig, als die Unbestimmtheiten mythischer Schemata das »Reale entleeren«, indem sie seine Komplexität leugnen und es auf einen einfachen und zugleich vieldeutigen Nenner bringen. So wird jede Dialektik unterdrückt, und das mythische Denken bewegt sich in einer geradezu euphorischen Klarheit. Wenn man wie Barthes »politisch« »als Gesamtheit der menschlichen Beziehungen in ihrer wirklichen, sozialen Struktur« versteht, muß man den Mythos in der Tat als »entpolitisierte Aussage« begreifen. Gerade unter diesem Aspekt aber sowie unter Berücksichtigung der Funktion und Wirkungsgeschichte mythischer Konstruktionen und ihrer intentionalen Kraft, muß man dem Mythos eine politische Wirkung zuschreiben. Die Geschichtslosigkeit mythischen Denkens, die auf dem vollkommenen Mangel des historischen Bewußtseins beruht, erlaubt es zudem, Begriffe und Symbole jederzeit frei verfügbar als ideologische Versatzstücke dort einzusetzen, wo sie ihren Zweck erfüllen. Damit verleiht der Mythos, so paradox dies klingen mag, der Geschichte erst einen Sinn. Die scheinbar unpolitische Attitüde, die sich anheischig macht, ihre Anhänger »aus unserem technisch abstrakten Diesseits hin in die Gefilde eines sinnlichen Jenseits« zu führen (Trikont), wird so zu einer eminent politischen Haltung. Sie öffnet, wie jede Verweigerung und wie alle escapistischen Träume, denen, die ein besonderes politisches Interesse haben, den Weg zur Macht. Allein kritisches Bewußtsein und Skepsis gegenüber Aussagen, die ihre Legitimation aus einem überzeitlichen Seinszusammenhang beziehen, die zwar anschaulich, aber begrifflos sind, Harmonie und ein mythisch konstruiertes historisches Kontinuum vorgeben, wo komplexe Sachverhalte und dialektische Widersprüche einer rationalen Klärung bedürfen, vermag den Einzelnen wie die Gruppe vor der Verführung durch den Mythos zu bewahren. Wir sollten jedoch nicht mit dieser, zugegeben kritischen Sicht des mythischen Denkens schließen. Der Hinweis auf den Modellcharakter des Mythos für die soziale Praxis darf nicht fehlen. »Indem der Mythos die bestehende Ordnung traditionalistisch legitimiert und so die Kontinuität der Kultur sowie die Kohäsion und Integration der Gruppe sichert, erfüllt er letztlich eine unersetzbare Funktion«: »Myth . . . is an indispensable ingredient of all culture« (Malinowski 2). Damit dient der Mythos, als Objekt und Funktion, nicht nur den Interessen der Gesamtkultur, sondern auch denen des Individuums. Für den Einzelnen, für die Begegnung des Menschen mit sich selbst, kann das Erlebnis des Mythos von prägender Bedeutung werden. Auf der Suche nach dem Geheimnis unserer Existenz bietet der Mythos Urbilder von starker Eindringlichkeit, Paradigmen menschlicher Existenz und menschlicher Erfahrung, deren Gültigkeit sich durch Jahrtausende hindurch immer wieder neu bewiesen hat.

Einer der wenigen großen Dichter, der einen unmittelbaren Zugang zum Mythos, zur mythischen Phantasie gefunden hatte, war Cesare Pavese, der in den mythischen Dialogen seiner »Gespräche mit Leuko« nicht nur die »altertümlichen symbolischen und wilden Sinngebungen« beschwört (Tagebuch 11.12.1947), sondern die »Hieroglyphe unserer eigenen Erfahrung« erkennt. Im zwölften Dialog »Der Untröstliche« sagt Orpheus, nachdem er Eurydike wiederum und endgültig verloren hat: »Mein Schicksal betrügt nicht. Ich habe mich selber gesucht. Man sucht nichts als sich selbst.«

Hans-Peter Müller
WAS IST MYTHISCHES ERZÄHLEN?
Der altbabylonische Mythos von Adapa und die biblische Geschichte vom Sündenfall

Es soll hier nicht um das Märchen gehen, sondern um eine andere »Einfache Form« (André Jolles), den Mythos. Unser wissenschaftlich-technisches Bewußtsein hat freilich die Mytheninhalte ins Unterbewußtsein beziehungsweise Unbewußte verdrängt; bewußte Schätzung erfährt der Mythos allenfalls noch in ästhetischen Kategorien, die in einer säkularisierten Gesellschaft die religiösen abgelöst haben. Dementsprechend gibt es in der gelehrten Welt eine Fülle psychoanalytischer und literaturwissenschaftlicher Deutungen von Mythen, bei gleichzeitigem Defizit an Mythenvergegenwärtigung. So müssen wir uns dem Problem stellen, wie heute ein aneignendes Verstehen frühantiker Mythen überhaupt möglich ist. Die leitende Frage lautet: was können frühantike Mythen ihrerseits zum Verstehen des Mensch-Seins beitragen? Gibt es so etwas wie ein mythisches Ecce Homo? Wir setzen dabei freilich voraus, daß die Gattung Mythos auch bei uns nicht ganz tot ist. Obwohl keine echten Mythen mehr gebildet werden, repräsentiert die Gattung einen Typ der Wirklichkeitsaneignung, der in unserem Selbst noch immer eine Spur hinterläßt; auch wir fassen Wirklichkeit unbewußt noch in mythischer Weise auf, was sich eben in der bewußten ästhetischen Schätzung des Mythos äußert. Die mythische Wirklichkeitsaneignung nämlich ist für das Mensch-Sein als solches bezeichnend; genauer: mythische Strukturen bezeichnen den Platz, den der Mensch im Wirklichkeitsganzen einnimmt. Sie betreffen also eine Themenstellung, die heute vor allem naturwissenschaftlichem Fragen unterliegt, obwohl sie sich in ihrem Ganzheitsbezug dem wissenschaftlich-technischem Zugriff entzieht.

Ich will nun erstens einen altbabylonischen Mythos nacherzählen, der thematisch der allbekannten biblischen Geschichte von Adams Sündenfall (Gen 3) nahesteht. Mit dieser biblischen Erzählung wird zweitens der altbabylonische Mythos verglichen. Daraus soll sich drittens eine kurze Beschreibung der Gattung Mythos ergeben; vor allem soll zugleich die Bedeutung einer mythischen Wirklichkeitsaneignung für die Anthropologie erörtert werden. So wird die im Thema gestellte Frage, was mythisches Erzählen sei, zur Frage nach uns selbst, nach den späten Hörern dieses Erzählens.

I.

Von den fünf bekannten akkadischen Fragmenten des altbabylonischen Mythos von Adapa[1] legen wir hier nur die Fragmente A und B zugrunde, weil nur sie einen sinnvollen, wenn auch nicht lückenlosen Kontext bilden[2]. Fragment A (BRM IV 3) stammt aus dem Ninive des 7. vorchristlichen Jahrhunderts und gehört jetzt der Yale Babylonian Collection an; das größere Fragment B (Knudtzon 356) ist uns aus der bekannten Amarna-Bibliothek des 14. vorchristlichen Jahrhunderts erhalten. Die Geschichte selbst ist aber offenbar älter: Géza Komoróczy datiert sie wohl mit Recht in die altbabylonische Zeit (1950 bis 1530)[3].

Der Inhalt der Fragmente A und B läßt sich folgendermaßen wiedergeben:

In der unterirdischen Wassertiefe herrscht der Gott Ea; sein Priester und Vertrauter ist Adapa, der menschliche Held der Erzählung. Nun hatte Ea den Menschen Adapa dadurch zugleich erhöht und in die Schranken der Sterblichen verwiesen, daß er ihm zwar »weiten Verstand« und »Weisheit«, nicht aber »das ewige Leben« zugestand. Adapas Aufgabe nun war es unter anderem, den Opfertisch im Ea-Tempel der altmesopotamischen Stadt Eridu zu versorgen. Da sein Schiff aber, wenn wir den Text recht verstehen, noch so primitiv war, daß es nicht einmal über ein Steuerruder verfügte, wird es vom Südwind erfaßt und kentert. Adapa gerät darüber in heftige Erregung: er droht dem Südwind, ihm die Flügel zu brechen; kaum ausgesprochen, geht sein Wort wie der Fluch eines mächtigen Zauberers in Erfüllung. Sieben Tage lang bleibt der Südwind im Lande aus. Daraufhin tritt ein anderer Gott in Szene, nämlich Anu, der himmlische Hüter der kosmischen Ordnung; zugleich wird der Hörer in den Himmel versetzt. Anu fragt Ilabrat, seinen Wesir, warum der Südwind seit sieben Tagen nicht wehe. Als er Ilabrats Bescheid vernimmt, erhebt er sich zornig vom Throne und befiehlt Adapa zu sich. Sodann sind wir wieder bei Adapa auf der Erde. Der wegen seiner Weisheit auch sonst berühmt-berüchtig-

te *Ea scheint nun sogar dem Himmelsgott Anu an Vorwissen überlegen: so weiß er offenbar nicht nur, was im Himmel besprochen wurde; er ist auch über Anus Absichten unterrichtet und trifft für Adapa Vorkehrungen. Durch eine verzaubernde Berührung macht er ihn unkenntlich und läßt ihn im Traueraufzuge einhergehen. Dazu gibt er ihm Verhaltensregeln: an der Pforte Anus werden ihm die Götter Tammuz und Gizzida entgegentreten und nach dem Grund seiner Trauer fragen; jetzt soll er das Verschwinden gerade dieser Götter aus dem Lande beklagen, was ihnen schmeicheln und sie später als Fürsprecher bei Anu gewinnen wird. Vor allem aber: wenn er schließlich vor Anu erscheint, dürfe er zwar ein ihm angebotenes Gewand und Salböl entgegennehmen, nicht aber Brot essen und Wasser trinken; denn es werden Brot und Wasser des Todes sein. Da erscheint auch schon Anus Bote, um Adapa abzuholen. Alles geschieht zunächst, wie der weise Ea es vorhergesehen hat. Adapa kann sich bei Anu herausreden; Tammuz und Gizzida helfen durch ihre Fürsprache. Jedenfalls scheint Anu besänftigt. Ein wenig unvermittelt fragt er, warum Ea »einer unansehnlichen Menschheit das Wesen von Himmel und Erde gezeigt und ihr so ein anmaßendes Herz gegeben« habe. Wird sich sein Zorn nun also gegen Adapas umsichtigen Beschützer richten? Keineswegs; eher verharrt er in Ratlosigkeit. Er fragt, was er mit Adapa tun solle. Dann aber verfügt er es anders, als es Adapa von Ea angekündigt war; nicht Speise und Wasser des Todes, sondern des Lebens läßt er für ihn holen. Adapa aber hält sich strikt an die Weisungen seines Gottes: weder ißt er, noch trinkt er; nur Gewand und Salböl nimmt er entgegen. Anu lacht und fragt nach dem Grund seines befremdenden Verhaltens, hat er doch nichts Geringeres als das ewige Leben ausgeschlagen. Adapa zitiert darauf das Verbot seines Gottes. Kurz darauf bricht die Tafel ab. »Nehmt ihn, führt ihn zurück auf seinen Erdboden!« sind die Schlußworte Anus. Offenbar ist die Handlung nun schnell zum Abschluß gekommen.*

Für die Deutung des Mythos bedarf es einer kurzen Vorbemerkung. Da es dem Erzähler archaischer Texte genügt, den Handlungsablauf von außen, wie mit einem Kameraauge, aufzunehmen, werden die Motive der Handlungen verschwiegen. Mögen dem frühantiken Leser die dabei zugrundeliegenden Bedeutungsmuster auch bekannt gewesen sein, der moderne Interpret tappt weithin im Dunkeln. Vielleicht aber suchten schon die alten Erzähler die Vieldeutigkeit: aus einem instinktiven Gefühl, daß die Wirklichkeit sich dem System unserer Begriffe nicht fügt, sofern sie nicht bereits durch die einfache Rationalität des Erzählens und den prototypischen Rang des Erzählten zu einem sinnhaften Bedeutungszusammenhang gestaltet wird.

Gehen wir also von der Vieldeutigkeit des Mythos als dem Spiegel einer Widersprüchlichkeit des Wirklichen aus! Gerade sie wird in der Geschichte von Adapa thematisch. Ea hat seinen Schützling und Diener nämlich keineswegs betrogen, als er ihm riet, die von Anu angebotene Himmelsspeise auszuschlagen: diese tötet die Irdischen oder gar die Unterirdischen nämlich genau so sicher, wie sie den Himmlischen Leben schenkt. Nach der spätbabylonischen Fassung einer anderen Erzählung, des Mythos von Nergal und Ereschkigal, gibt der gleiche Ea dem Gott Nergal den umgekehrt richtigen Rat, nämlich die in der Unterwelt angebotene Nahrung abzulehnen. Den Freund des antiken Märchens wird es darüber hinaus interessieren, daß in »Amor und Psyche« des Apuleius Psyche den Rat erhält, ein von Proserpina angebotenes verlockendes Mahl nicht anzunehmen. Aber auch der himmlische Anu ist nicht einfach ein Feind des Menschen. Er befindet sich vielmehr selbst in einer Zwangslage: nachdem ein Mensch bis in den Himmel gelangt ist, muß er mit ihm nach den Regeln göttlicher Gastlichkeit verfahren. Da Adapa durch die hilfreiche Voraussicht Eas bis in den Himmel gelangt ist, kann ihm die Himmelsspeise offenbar auch nicht mehr schaden. Darum beschwert Anu sich wegen Ea, lacht aber auch erleichtert, als Adapa sein Angebot ausschlägt; hätte er es angenommen, wäre ja die Grenze zwischen oben und unten verletzt worden.

So ist des Rätsels Lösung, daß die Wirklichkeit, nimmt man sie im Ganzen, keineswegs eine Einheit darstellt: im Himmel gelten andere Regeln als auf Erden, und zwischen himmlischen und irdischen Göttern besteht eine latente Spannung. Adapa aber und Ea, der ihn beraten hat, haben Göttern und Menschen geholfen, die Ordnung, die diese Spannung beherrscht, in einer kritischen Situation aufrechtzuerhalten. Freilich sind es dann doch die Menschen, die für die kosmische Ordnung die Kosten tragen: hätte Adapa die Himmelsspeise genossen, wären sie mit ihm, aber zum Nachsehen der Götter unsterblich geworden. Das Menschenlos ist es nun einmal, in einer widersprüchlichen Welt zwischen einander widerstreitenden Göttern einen kaum gangbaren Weg finden zu müssen. Es wäre vordergründig und dumm, von einer heilen Welt des Mythos zu reden.

II.

Was macht den altbabylonischen Mythos mit der biblischen Geschichte von Adams Fall (Gen 3) vergleichbar? Zunächst einfach dies, daß auch die Geschichte von Adams Fall ein Mythos ist, was eine liberalere Theologie in konsequenter Anwendung der literarischen Gattungslehre auch immer anerkennen wird[4]. Freilich handelt es sich bei Gen 3 anders als bei der Adapa-Erzählung um »frühkulturellen« im Gegensatz zum »hochkulturellen« Mythos. Diese Unterscheidung, in der der Begriff des frühkulturellen Mythos wohl auf Wilhelm Wundts »Mythenmärchen«[5] zurückgeht, ist von dem Heidelberger Alttestamentler Claus Westermann ins Gespräch gebracht worden. Danach unterscheiden sich die beiden Untergattungen so, daß sich im hochkulturellen Mythos, wie im Fall der Adapa-Erzählung, das dramatische Geschehen zwischen mehreren Göttern abspielt, während im frühkulturellen Mythos, wie im Fall von Gen 3, »nur ein Gott oder überirdisches Wesen handelt, der andere Partner des Geschehens aber Menschen sind«[6].

Mythisch sind in Gen 3 denn auch bezeichnende Einzelheiten. Die Erzählung spielt in der Urzeit, in einer Zeit also, deren Geschehen für alles Folgende prototypische, d. h. stiftende und normative Bedeutung hat; sie sichert, legitimiert und deutet insbesondere den Bestand der gegenwärtigen Wirklichkeit: die Lust und den Schmerz im Verhältnis der Geschlechter, die Mühsal der Ackerarbeit, die Feindschaft zwischen der Frau und der Schlange und vor allem die menschliche Sterblichkeit als göttliche Strafe. Mythisch ist darüber hinaus, daß Gott nicht in voller Souveränität über den Handlungsraum verfügt: er wird vom Menschen hintergangen, nachdem die Schlange diesen über Gottes Nebenabsichten aufgeklärt hatte (Gen 3,4); danach muß Gott den Fall eigens untersuchen (3,8); am Ende vollends steckt Angst vor dem gottgleich gewordenen Menschen dahinter, wenn Gott ihn aus dem Paradiese verweist, damit er nach dem Genuß des Erkenntnisbaumes nicht auch noch nach dem Baum des ewigen Lebens verlange (3,2).

Über diese Gemeinsamkeit der Gattungsmerkmale hinaus liegen die Berührungen zwischen dem Adapa-Mythos und der Geschichte von Adams Fall im Bereich der Motivik und der Themen. Schon die Namen der Helden sind auffällig ähnlich, zumal akkadisch a-da-ap nach einer lexikalischen Liste[7] wie hebräisch adam die Bedeutung »Mensch, Menschheit« hat; schon wegen der Ähnlichkeit beider Namen scheint mir unabweislich, daß zwischen beiden Geschichten ein ferner traditionsgeschichtlicher Zusammenhang besteht. Sodann sind ihre Leitmotive einander ähnlich, auch wenn sie verschieden behandelt werden. Ea hat Adapa gleich zu Anfang »weiten Verstand« verliehen, eben dasjenige also, was der Gott des Alten Testamentes dem Menschen, wenn auch erfolglos, vorenthalten will. Beiden Geschichten ist dagegen gemeinsam, daß als Kluft zwischen Gottheit und Menschen die Sterblichkeit befestigt wird. Eine Verfehlung Adapas liegt dann allenfalls im mangelhaften Gebrauch, den er

152

von der ihm verliehenen Weisheit macht: unweise etwa ist der Zorn, zu dem er sich gegenüber dem Südwind hinreißen läßt; ja, von der verhängnisvollen Magie seiner Drohung scheint er selbst überrascht zu sein. Näher bei dem alttestamentlichen Gotteswunsch, dem Menschen die Erkenntnis zu verweigern, ist dagegen Anus Klage, daß der göttliche Magier Ea einem Menschen »das Geheimnis von Himmel und Erde offenbart« habe. Entsprechend ist die Sünde Adams »die Erkenntnis des Guten und Bösen« als solche, die als Erkenntnis des Nützlichen und Schädlichen ebenso wie die Weisheit Adapas zumindest *auch* eine magische Komponente hat, wird sie doch von einem Zauberbaum gewonnen und von der in der magischen Kunst offenbar wohlbewanderten Märchenschlange[8] vermittelt; vor allem bezeichnet Hen 69,8 mit dem ähnlich verwendeten Merismus (polaren Doppelbegriff) des »Bitteren und Süßen« die schwarze und die weiße Magie. Magie ist es denn auch, was dem Menschen zum Sehen die Augen öffnet (Gen 3,5.7) und ihn gottgleich macht (3,5.22). Schließlich: Tod und Leben sind in beiden Mythen zugleich magisch-märchenhaft an Speisen gebunden; Eas Warnung vor den Himmelsspeisen erinnert überdies an Gottes Verbot des Erkenntnisbaumes mit der Todesdrohung (Gen 2,17).

Wichtiger als motivische und thematische Gemeinsamkeiten zwischen dem Adapa-Mythos und Gen 3 aber ist die Ähnlichkeit der Wirklichkeitsauffassung. Sie ist einerseits gattungsgebunden, also allgemein mythisch; andererseits aber macht sie auch die Eigentümlichkeit eben dieser beiden Erzählungen aus, die darin die mythische Gattung besonders eindrucksvoll verwirklichen. Kennt schon der Adapa-Mythos keineswegs eine heile Welt, so kann auch die Geschichte von Adams Fall den Menschen in seiner Welt nur unter Spannungen beheimaten. Freilich verlegt Gen 3 den Hintergrund für die Widersprüche des Daseins statt in eine Spannung zwischen irdischen und himmlischen Mächten in die Brust eines einzigen Gottes. Hat Gott das Verbot des Erkenntnisbaums in bewahrender Absicht ausgesprochen oder mit dem Hintergedanken, den ihm die Schlange unterstellt, ohne widerlegt zu werden? War vollends die Absperrung des Lebensbaums nur ein göttlicher Notbehelf, die Auswirkung einer Zwangslage wie derjenigen, in die auch Anu gerät? Die Geschichte verrät es nicht; sie wahrt auch darin Vieldeutigkeit und Widerspruch.

Angesichts der Gemeinsamkeiten beider Erzählungen dürfen nun aber deren Verschiedenheiten nicht außer acht gelassen werden. Zunächst: die Geschichte von den verbotenen Bäumen ist ebenso wie die anderen Urgeschichten der beiden Pentateuchquellen (Gen 1 – 11) zwar, für sich genommen, mythisch; aber sowohl bei dem älteren volkstümlichen Jahwisten (10. Jahrhundert v. Chr.) als auch in der jüngeren theologisch-gelehrten Priesterschrift (5. Jahrhundert v. Chr.) sind die mythischen Urgeschichten Hintergrund einer weithin unmythischen Heilsgeschichte, die mit Abraham beginnt, zum Auszug aus Ägypten und zum Sinai führt und vielleicht in beiden Fällen mit der Landnahme Israels in Kanaan endete. Zumindest die jahwistische Quelle, der die Erzählung von Adams Fall angehört, verbindet dabei den Rückblick auf einen universalen Mythos mit dem Ausblick auf ein universales Endheil, wonach in Abraham und Israel alle Geschlechter der Erde Segen finden werden (Gen 12,3b). So ist der Mythos, der unter anderem die Sterblichkeit des Menschen als in göttlichem Recht und kosmischer Ordnung begründet erweist, nur Auftakt und Ouvertüre zur Darstellung eines umfassenden göttlichen Heilsplanes, der über den mythischen Prototyp hinausweist, weil er auf die beste aller möglichen Welten erst zugeht. Mithin ist auch die Wirklichkeitsauffassung im Adapa-Mythos zum Teil eine andere als in Gen 3. Darauf führt schon die Verschiedenheit des Handlungsablaufs: anders als Adapa ist Adam seinem Gott ungehorsam; dementsprechend wird Adapa zwar distanziert, aber doch in Gnaden aus der Nähe Anus entlassen, während man Adam aus dem Gottesgarten vertreibt. So liegt für das Alte Testament über der Menschheit als ganzer ein Fluch, während es der eigentliche Sinn der altbabylonischen Erzählung ist, um ein Wort Walter Friedrich Ottos zum griechischen Mythos aufzunehmen, »daß das Paradies nicht verloren, sondern immer offen ist« (Die Wirklichkeit der Götter. Reinbek 1963, 105).

Aber es gibt auch eine glückliche Schuld und ein entlastendes Verhängnis: Adam fällt nicht die Aufgabe zu, in den Widersprüchen zwischen oben und unten, den Dissonanzen des Daseins der Gottheit durch selbstvergessenen Gehorsam gleichsam aus einer Verlegenheit zu helfen und so für die kosmische Ordnung die Kosten zu tragen. Die alttestamentliche Religion preist, aufs Ganze gesehen, keineswegs eine demütig-resignierende Daseinszustimmung, teils weil sie die Unwilligkeit des Menschen zu opferbereiter Unterwerfung nüchtern einschätzt, teils aber auch, weil sie, etwa in der Klage, an Gott die gleichen Maßstäbe anlegt, mit der die Sittlichkeit des Menschen gemessen wird.

Damit aber ist der Ausgang der alttestamentlichen Religion aus der mythischen Frömmigkeit bezeichnet, und wir würden unser Thema verlassen, wenn wir diese Gedanken weiter verfolgten.

154

III.

Was ist nun mythisches Erzählen? Auf die wichtigsten Gattungsmerkmale des Mythos sind wir beiläufig schon aufmerksam geworden. Der Mythos spiegelt in der Vieldeutigkeit seiner Handlung, aber auch thematisch die Widersprüchlichkeit des Wirklichen. Gleichwohl verwandelt sein Handlungsablauf durch die Rationalität einer zeitabschreitenden Erzählung und durch den prototypischen, stiftend-normativen Rang des urzeitlichen Stoffs gegenüber der Gegenwart das vorfindliche Chaos in einen sinnvollen Kosmos, dies aber, ohne über das Chaotische oder auch nur über die Spannungen innerhalb des gewonnenen Kosmos vordergründig hinwegzureden. Hier liegt der Grund für die Ohnmacht, mit der die göttlichen Handlungsträger ihrem Handlungsraum gegenüberstehen: zwar verwirklichen sie einen Willen; aber sie unterliegen auch einem Schicksal, das ihnen im Mythos, und nicht nur in dessen frühkultureller Gestalt, durch den Menschen auferlegt wird. Auch die Ohnmacht der Gottheit ist also ein Spiegel der widersprüchlichen Wirklichkeit; aber sie macht auch ihre Menschlichkeit aus, ihren Anthropomorphismus, der sie den Menschen gegenüber als geschwisterlich erscheinen läßt. Als wollende und schicksalbetroffene Personen sind die Götter den menschlichen Helden des Mythos nahe, die durch die Widersprüche der Welt ihren Weg suchen müssen; die Götter sind zugleich des Menschen Antipoden und seine Weggefährten.

Nun stellt sich die eingangs formulierte Frage in voller Schärfe: kann ein solches Wirklichkeits- und Selbstverständnis vom heutigen Menschen noch verstanden oder gar angeeignet werden? Zunächst hindert uns daran die christliche Prägung unserer Religiosität, die in den letzten Jahrzehnten nicht völlig zu Unrecht als Religion des Auszugs aus jeder mythischen Urzeitorientierung beschrieben worden ist. Vor allem aber widerspräche ein mythischer Existenzentwurf dem neuzeitlichen Postulat einer uneingeschränkten gesellschaftlichen und individuellen Selbstverwirklichung, die als solche eine Mittlerfunktion von Gottesgestalten, vor allem aber einen so demütigen Platz des Menschen, wie ihn Adapa einnimmt, ausschließt. Kann der frühantike Mythos also wirklich etwas zum Verstehen unseres Mensch-Seins beitragen?

Wir wollen darauf mit einer Grundeinsicht aus dem naturwissenschaftlichen Daseinsverständnis unserer Zeit antworten. Naturwissenschaft prägt nun einmal die Grundmuster unseres Verstehens und Verhaltens; nur eine naturwissenschaftlich hinterfragte Hermeneutik kann darum auch aufzeigen, wie heute ein aneignendes Verstehen mythischer Texte möglich ist. Sollte nicht überhaupt auch die Geisteswissenschaft den Maßstab ihrer Wissenschaftlichkeit naturwissenschaftlichem Denken entnehmen? Allerdings müssen wir umgekehrt alles tun, um einer sich dabei etwa einschleichenden Degradierung des Humanums zum technokratisch beherrschbaren Mechanismus entgegenzutreten; wo der Mensch nicht ein letztlich unerklärbares Geheimnis bleibt, lauert diese Gefahr allenthalben.

Lassen wir uns also auf eine naturwissenschaftliche Frage ein, wie sie insbesondere durch den linguistischen Pragmatismus, welcher derzeit im wissenschaftlichen Gespräch ist, nahegelegt wird! Was sind die biologischen Bedingungen einer mythischen Wirklichkeitsaneignung? Wie trägt die mythische Wirklichkeitsaneignung umgekehrt dazu bei, diese Bedingungen zu gestalten?

Der Grundwiderspruch der Wirklichkeit, die doch Wirklichkeit für den in ihr lebenden Menschen ist, besteht in ihrer Lebensfeindlichkeit, insbesondere ihrer Feindlichkeit gegenüber menschlichem Leben: nicht nur muß organisches Dasein sich gegenüber anorganischem ständig zur Wehr setzen; vor allem hat menschliches Dasein, in seiner sittlichen Gestalt personaler Verantwortung, sich gegenüber der Irrationalität des Es, dem Chaos der inpersonalen Dinge, zu bewähren. Hier liegt die biologische Wurzel der in der existentialen Anthropologie so eingehend analysierten Phänomene der Furcht und Angst. Tragischerweise aber fördert nun gerade das wissenschaftlich-technische Bewußtsein, wie es sich aus der Aufklärung entwickelt hat, in bisher ungeahntem Maße die Versachlichung der außermenschlichen und der menschlichen Welt. Eine von uns selbst erst heraufgeführte Es-Welt aus technisch-artifiziellen Gestaltungen verwandelt dabei unseren immer schon problematischen Lebensraum in ein Chaos von noch viel inpersonalerer Dinglichkeit.

Wenn der Mythos gleichwohl den Grundwiderspruch einer gegen den Menschen feindlichen Lebenswelt in einen sinnhaften Bedeutungszusammenhang überführt, so entspricht freilich auch dieser positiven Funktion eine biologische Befindlichkeit. Die Rationalität des erzählten Ablaufs und der prototypische Rang des urzeitlichen Erzählinhalts lassen die Sinnstiftung ja gerade darum gelingen, weil die Wirklichkeit dem Leben im allgemeinen und dem Menschenleben im besonderen gleichsam immer schon eine Nische eingeräumt hat; der Spannungsausgleich, auf den die mythischen Urzeiterzählungen zielen, ist darin ja auch als Metapher für die naturwissenschaftliche Einsicht wahr, daß am Ende die außermenschliche Wirklichkeit nicht umhin kann, dem Menschen einen Platz im Kosmos zu erschließen. An der Neige der Aufklärung mag man freilich fragen, ob ihm dieser Kosmos auch gegenüber den wissenschaftlich-technischen Selbstzerstörungen eingeräumt bleiben wird. Spätestens daran zeigt sich, daß verantwortliche Personalität nicht automatisch aus den biologischen Bedingungen des Mensch-Seins hervorgeht; so könnte heute eine Wiederentdeckung des Mythos zum Schutzwall des Humanums gegen die drohende Verdinglichung des Menschen werden.

Was ist dann also die mythische Wahrheit? Carl Friedrich von Weizsäcker hat die bekannte Definition von Wahrheit als »Angleichung des Begriffs und der Sache« (adaequatio intellectus et rei) von der Angepaßtheit des Menschen an seine ökologischen Lebensumstände her interpretiert (Der Garten des Menschlichen. Frankfurt a. M. 1980, 220-235). Wahrheit erkennende Vernunft droht dabei freilich nun doch in bezeichnender Weise zum bloßen Instrument biologischer Selbstbehauptung zu werden: ein solcher Entwurf läßt zwar die Kontinuität von pflanzlich-tierischem und menschlichem Leben erkennen; aber gerade durch die Minderbetonung eines proprium humanum gegenüber kreatürlichem Dasein kann er auch einer ethisch verhängnisvollen Anpassungsmetaphysik den Steigbügel halten. Wir werden uns vollends schwerlich mit dem monistischen Gedanken befreunden, der menschliches Erkennen als bloßes Epiphänomen organischer, letztlich molekularer Strukturen interpretiert. Der Mensch ist als erkennendes und sein Erkennen reflektierendes Selbst Produkt und doch zugleich Produzent seines Lebensraums. Insbesondere durch die vorwegnehmende Kraft seines Erkennens und durch das seiner Erkenntnisbegabung entsprechende Handeln gestaltet und erweitert er die ihm vorgegebene »ökologische Nische«; durch die schöpferische Aktivität dieses Erkennens und durch die kritische Selbstreflexion des Erkenntnisvorgangs ist er das Gegenüber, nicht ein bloßes Organ des kosmischen Daseins. Und so ist denn Wahrheit auch nicht nur eine Anpassung der Begriffswelt an eine in den Lebensbedingungen aufgehende Sachwelt (adaequatio intellectus ad rem); sie ist zugleich als Wirklichkeit veränderndes Sprachgeschehen eine Anpassung der Sachwelt an menschgemäß-zumutbare, annehmbare Begriffe (adaequatio rei ad intellectum)[9].

Eben diese Wechselwirkung zwischen Produziert-Sein und Produzieren im Verhältnis des Menschen zur Wirklichkeit spiegelt auch der Mythos. Gerade er ist keinesfalls nur ein passiver Reflex auf Vorgegebenes: Anpassung der Sachwelt (res) an menschgemäße Begriffe (intellectus) ist vielmehr auch hier pragmatische Gestaltung, wagemutige Wirklichkeitsverwandlung, deren Wahrheitsrecht am Gelingen des Menschgemäßen zu bemessen ist. Darin nämlich liegt der tiefste Sinn des prototypischen Ranges, den der Mythos der Urzeit gegenüber jeder Gegenwart zuschreibt: in der urzeitlichen Entschlos-

senheit der Welt für den Menschen liegen die Quellen menschlicher Unbe-
dingtheit.

Mit der Betonung der Normativität des Urzeitlichen im Mythos sind freilich
drei Fragen aufgegeben, die wir hier nicht mehr behandeln können: 1. Wie verhält sich eine Anpassung der Sachwelt an menschgemäße Begriffe im Mythos
zu einem ästhetischen Wahrheitsbegriff, der die ästhetische Schätzung des Mythos ermöglicht? 2. Welche Regeln steuern die Faktenselektion, die eine Anpassung der Sachwelt an annehmbare Begriffe als richtig erweist? 3. Was überhaupt bedeutet der Richtigkeitserweis des Menschgemäßen angesichts der Wi-
derständigkeit der Wirklichkeit, wenn Wahrheit realitätsbezogen bleiben und
nicht einfach subjektiver Willkür anheimgegeben werden soll?

Aber ist mit dem Hinweis auf eine Anpassung der Sachwelt an akzeptable Begriffe und auf den prototypischen Rang des dazu geschaffenen Modells schon
das Spezifikum mythischer Wahrheit bezeichnet? Gibt es Erkennen als Assi-
milation der Wirklichkeit nicht überall in Religion und Philosophie, ja sogar
im Experiment der exakten Naturwissenschaft? Und sind prototypische Normen nicht auch außerhalb des Mythischen wirksam, etwa in vergangenheitli-
chen Modellen, auf die politische Utopien zurückgreifen? Was leistet also gerade der Mythos für das Realisieren des proprium humanum?

Wir müssen dazu die Spur dessen verfolgen, was nach dem Erlöschen des Mythos als Typus mythischer Wirklichkeitsaneignung bestehen bleibt. Wenn der
Mythos als produktive Gattung erlischt, bleibt doch die Figur des persönlichen Gottes; sie verbindet die mythische Religion mit den jüdischen, christlichen und muslimischen Geschichtsreligionen. Sie ist es, die auch in den beiden
hier besprochenen Erzählungen dem am Ende unausweichlichen Todeslos des
Menschen etwas Versöhnendes gibt. Eben die Menschenbildlichkeit der baby-
lonischen Götter wie des Gottes des Alten Testaments ermöglichte ja allererst
die mythische Erzählhandlung mit ihren anthropomorphen Motivationen und
menschlich einfühlbaren Widerfahrnissen. Sollte also das aus einer so menschgemäßen Erzählhandlung entspringende Todeslos nicht auch selber mensch-
gemäß sein? Hier nimmt der Mythos die verantwortliche menschliche Person
gegen die chaotische Macht der inpersonalen Todesdrohung in Schutz. Wahrhaftig: ein mythisches Ecce homo, freilich ein Ecce homo im Vorfeld, wenn
man mit Bibel und Christentum auf die beste aller möglichen Welten noch
wartet.

158

Wolfdietrich Siegmund
EIN WEG DURCH MÄRCHEN, MYTHOS, WAHNGEBILDE

Volksmärchen sind für mich Weggeschichten, Sinngeschichten, Begleitgeschichten. Ja mehr noch: das Erzählen selbst ist ein Weg, den ich auch beruflich benutze. Ich bin Leitender Arzt eines Krankenhauses für Neurologie und Psychiatrie und führe dort in therapeutischen Gruppen seit zehn Jahren regelmäßig Märchenerzählstunden durch. Was ich dabei im Laufe der Zeit über Unterschiede und Gemeinsamkeiten zwischen Märchen, Mythos und psychotischen Erlebnissen erfahren habe, möchte ich hier mitteilen. Heutzutage gibt es nur wenige Männer und Frauen, die noch Märchen erzählen können. Um so mehr bieten andere uns tiefenpsychologische und sozialkritische »Märcheninterpretationen« an. Vorweg gesagt halte ich es für selbstverständlich, daß man Volksmärchen auch zur Psychoanalyse, zur Selbsterfahrung, zur Katechese, zur Wunschbefriedigung gebrauchen, wie auch zu sozialer Unterdrückung mißbrauchen kann. Ich bemühe mich indes, Volksmärchen vom Erzähler her, also einfach und ganzheitlich zu verstehen, und bin dabei vor allem auf ihre besondere schöpferische und ordnende Kraft aufmerksam geworden.

Die Hauptsache in diesem meinem Beitrag ist der vielfache Blick auf das Irrationale und Absurde in Märchen, Mythos und psychotischem Geschehen. Doch die scheinbaren Absurditäten, das wird deutlich werden, weisen sinnvoll über die Welt hinaus, weisen hin auf das transzendente unerfahrbare »ganz andere«, auf das Heilige, das Heilung und Heil verheißt. Als Nebenbefund wird vielleicht dem einen oder anderen Leser bewußt werden, daß der unverlierbare und unzerstörbare Seelengrund des Menschen sogar unter den Wirren einer Psychose ganz und unversehrt bleibt. Schließlich muß ich noch klärend vorausschicken: meine Methode ist eine psychologische und nicht eine naturwissenschaftliche. Dem Psychologen aber fehlt bisher, und wahrscheinlich für alle Zeit, der außerseelische Standort für sein Betrachten und Forschen, der »archimedische Punkt«, um objektiv urteilen zu können. Daher sind seine Experimente und Beobachtungen allemal subjektiv-unsachlich, bloß hypothetisch und nie in eine zuverlässige Theorie zusammenzufassen. Ich möchte also nicht den Eindruck erwecken, als wollte ich hier wissenschaftlich Bewiesenes vorlegen, sondern möchte nur psychiatrische Bilder, Gedanken und Ansichten zum besseren Umgang mit Märchen und Mythos beisteuern. Mit meinem vergleichenden Überblick werde ich nicht behaupten, Märchen, Mythos und Psychose seien ein und dasselbe, und auch nicht etwa behaupten, mit bloßem Märchenerzählen könne man Psychosen heilen.

Wie im Traum und in der Psychose tritt im Zaubermärchen und im Mythos eine seltsame Ungereimtheit, ein wunderliches Alles-ist-möglich an die Stelle der Alltagswirklichkeit. Merkwürdig »isoliert« und doch »allverbunden« (Lüthi) geht der Märchenheld durch seine Abenteuer; und so sonderbar es sich anhört, in gleicher Weise geht der Kranke durch seine psychotische Welt. Während aber der Kranke ratlos und angstvoll vor dem Zusammenbruch der Wirklichkeit steht, ehe er sich in ein Wahngebäude hinüberrettet, erlebt der Märchenhörer bei einem guten Erzähler zwar auch eine Art Traumstimmung und, wie der Kranke, die Öffnung der Grenze zwischen Ich und Welt, aber *er* erlebt das als beglückende Wesensgemeinschaft mit der Schöpfung, und ihn erfrischt die Einheit, Ordnung und Ganzheit der erzählten Welt. Beide Erlebnisweisen, einerseits die Weltangst (des Kranken), andererseits das Seinsvertrauen (des Märchenhörers) sind in urtümlichen Mythologien auffallend deutlich ausgeprägt und miteinander verbunden. Diese teilweise Übereinstimmung zwischen Märchen, Mythos und Psychose offenbart, daß das archaisch-primitive Erleben und das magische Sich-der-Welt-bemächtigen zur Begabung und zum Wesen nicht nur des Naturmenschen, sondern des Menschen schlechthin gehören.

Unter Berufung auf ethnologische Befunde untersuchte der Psychiater Alfred Storch in seiner Schrift »Das archaisch-primitive Erleben und Denken des Schizophrenen« (Berlin 1922) die Struktur des Beeinträchtigungs- und Größenwahns, das kosmische Gefühl in schizophrenen Handlungen, die numinose Scheu im Umwandlungs- und Erneuerungszauber des Schizophrenen. Storch deutete die Grenzverwischung zwischen Ich und Umwelt, den Zerfall des Ich-Bewußtseins und die magische Personifizierung von Ich-Bestandteilen als Krankheit und erklärte diese als Emporbrechen archaisch-magischer Seelenkräfte in die obere intentionale Sphäre. Die *formale* Gleichheit zwischen der psychotischen archaisch-primitiven Ich-Offenheit und der zeitweiligen Ich-Offenheit während des Märchenerzählens und -hörens haben die Märchenforscher, soweit ich sehe, noch gar nicht bemerkt. Immerhin sind ihnen schon seit langem *inhaltliche* Parallelen zwischen Mythen, Märchen, Träumen und Psychosen aufgefallen. Friedrich von der Leyen zum Beispiel meinte, Märchen seien in der Urzeit auch aus Träumen hervorgegangen: ». . . man vergißt, daß es eigentlich Träume sind, die man sich erzählt, dadurch werden die berichteten Begebenheiten nur noch seltsamer, bis sich endlich die Schöpfung vollendet, die wir Märchen nennen«[1]. Weiterhin dachte er, vor Zeiten hätten Medizinmänner und Schamanen ihre Drogenrausch-Visionen und ihre ekstatischen Wunder-Erlebnisse zu Zaubermärchen umerzählt[2]. Und schließlich vermutete er, daß auch aus Wahnvorstellungen von Geisteskranken und Epileptikern Motive in die Märchen eingedrungen seien[3]. Indessen hat der Volkskundler Lutz Röhrich zur Vorsicht gemahnt. Zwar hat auch er 1951 auf die inhaltlichen Parallelen zwischen Märchen und Psychosen hingewiesen, auf Geister und Dämonen, Verwandlungszauber und Verwandlungswahn; aber er hat sich dagegen verwahrt, Märchen und Psychose kurzerhand gleichzusetzen: »Vom Überlieferungsmäßigen her gesehen haben die beiden Bereiche wenig miteinander zu tun. Die zahlreichen Parallelen beruhen nicht auf gegenseitiger Entlehnung, sondern die übernatürlichen und wunderbaren Motive von Märchen und Psychopathologie haben im gemeinmenschlichen Unbewußten einen gemeinsamen Urgrund ihrer Bilderwelt«[4]. Röhrich empfahl damals den Volkskundlern, die »vergleichende Heranziehung und Durchsicht psychiatrischen Materials«. Leider hat niemand diese auch anthropologisch wertvolle Anregung aufgegriffen. Lediglich haben vereinzelte Psychiater gemeldet, daß das Märchenerzählen oder Märchenspielen ihren Kranken half, aktiver und kontaktfähiger zu werden[5]. Ähnlich wie zwischen *Märchen* und Psychose der Volkskundler, hat zwischen *Mythos* und Psychose 1955 Heinrich Kranz, der Psychiater, argumentiert. Am besonderen Beispiel der griechischen Mythologie zählte er eine ganze Reihe von in Psychopathologie und Mythologie gleichen Motiven auf, warnte jedoch ebenfalls davor, Mythos und Psychose miteinander zu verwechseln oder das eine aus dem anderen ableiten zu wollen[6].

Mit einer ganz anderen Gefahr haben Psychoanalyse und Tiefenpsychologie zu kämpfen. Deren zur Zeit weitverbreitete und beliebte Märcheninterpretationen kranken daran, daß die meisten sich nur auf eine bescheidene Auswahl von Märchen, gelegentlich sogar bloß auf das eine oder andere von Grimm stützen und an Neurotikern erhobene Befunde verallgemeinern. Ein derartiges Verfahren täuscht über die Kluft zwischen Ausdeuten und Hineindeuten elegant hinweg und beflügelt Hobby-Therapeuten zu einer uferlosen und gelegentlich läppischen Märchendeutungslust. Offenbar hat Max Lüthi guten Grund festzustellen: »Die psychoanalytische Märchendeutung ist im 20. Jahrhundert in ähnlichen Verruf geraten wie die naturmythologische gegen Ende des 19. Jahrhunderts . . . Doch bleibt sie ein wichtiger Teilbeitrag zur Interpretation des Märchens« (Märchen. Stuttgart 1979, 108).

Zwei Krankheitsbilder sollen uns den Zugang zum Grenzbereich zwischen Psychose, Mythos und Märchen eröffnen: Beate, 22-jährig, Kindergärtnerin, gleicht bei der Krankenhausaufnahme einer antiken Todesgöttin. Weltfern

161

und fahl-umdüstert haucht sie: »Bin hier im Lande der Schatten . . .« Wehmütig wittert sie: »Hier riecht alles nach Tod. Hier sind viele Kinder gestorben; die hatte ich alle infiziert. Die lasse ich alle mitfahren auf der Todesbahn und bezahle für niemanden . . .« Als es draußen regnet, seufzt sie: »Ich hätte doch die Bäume nicht ins Wasser stellen dürfen; nun werden die alle ertrinken . . .« Plötzlich ist sie klein, zusammengefallen, ein böses, namenloses, zeitloses Menschenmädchen: »Habe meine Eltern und meinen Bruder und alle die anderen Leute nicht begraben, habe sie so liegenlassen. Hierhergebracht haben mich meine Eltern; das waren aber nicht meine Eltern! Denn ich selbst habe gar keinen Namen, und ich esse Sachen, die mir nicht gehören. Gucken Sie mal, Sie haben hier eine ganz andere Uhrzeit! Ich bin so langsam, aber die Zeit rast so schnell . . .« Schließlich schrumpft sie zu einem Nichts zusammen: »Die Stimmen, die da rufen, die wollen Hilfe von mir haben; aber die Hilfe, die bringe ich ihnen nicht. Denn ich bin selbst tot!« Damit schließt sie die Augen und flüstert dumpf und erschrocken: »Ich bin der Herr, dein Gott!« Beate leidet an einer nihilistischen Depression. Ihrer Primärpersönlichkeit nach ist sie sehr erlebnisfähig, eidetisch begabt und zu Tagträumen geneigt. In ihren gramvollen Todeswahn war sie geraten, als ihr Vater eine Straftat begangen, die Mutter ihr ein Verlöbnis verdorben, eine Mitschülerin sich das Leben genommen und sie selbst den Absprung von zu Hause nicht geschafft hatte.

Frau Helmtrud, 33-jährig, ohne Beruf, lümmelt sich großspurig im Sessel. Bunt angemalt, laut, unter eckig-ausfahrenden Gebärden lacht sie verächtlich und herausfordernd und stellt sich in manieriert-hartem Hochdeutsch als »der Welt größte Brigantin« vor. In Wahrheit überspielt sie den Ich-Zerfall ihrer schizophrenen Katastrophe und flüchtet sich in den Größenwahn, in das, wie sie es nennt: »singende, klingende Welthaus der Sterne. Denn ich bin die Mutter der Fernsehansager in aller Welt. Ich habe sie alle, in jeder Nacht mehrere, zur Welt gebracht; innerhalb einer Stunde waren sie erwachsen. Da handelt es sich um Transite von Khomeini, Reagan, Breschnew und Gaddafi. Ich fliege von Stern zu Stern! Zuerst war ich eine Maus, und dann machten mich die Stimmen zu einer Madonna. Auf der linken Seite sprechen die guten Schriften zu mir, auf der rechten die verkommenen Leute, die Stiere und die Schweine. Als ich beim Merkur ankam, stand der Stier im zehnten Haus, die Jungfrau im ersten. Eben sagt mir eine Stimme: ›Wir werden dir das Herz zerbrechen, wenn du wieder zu den Sternen fliegst!‹«

Auf solche und ähnliche Schrecken und Wunder wie in psychiatrischen Krankengeschichten treffen wir auch in unseren Volksmärchen und in der antiken

Mythologie. Daher fragen wir: Was verbindet Märchen, Mythos und Psychose miteinander und was unterscheidet sie? Und was können wir, Kranke wie Gesunde, von der Einsicht in derlei Zusammenhänge für unser Leben gewinnen? Zunächst werden wir (noch weiter gehend als Shakespeare) der Tatsache innewerden: Es gibt mehr Dinge schon hier auf dieser Erde, als unsere Schulweisheit sich träumen läßt!

Geisteskrank nennt die »Griechische Mythologie« (Robert Graves. Reinbek 1974) achtzehn Männer und neun Frauen[7], dazu auch die Frauen von Argos. Ebenso ist in unseren Volkssagen immer wieder einmal die Rede von Geistesstörung und Geisteskrankheit (Mot: E 265, F 1041.8, G 91, Q 555, T 24.3). Demgegenüber sind mir in den Volksmärchen der Welt wohl Dummlinge, Einfältige, als Nebenfiguren auch Verklemmte und Fehlentwickelte, in zwei Märchentypen (AT 361 und AT 362*) wohl auch Bilanz-Selbstmörder, jedoch nirgends Geistes- oder Gemütskranke begegnet. Im internationalen Märchentypen-Index nach Aarne-Thompson (AT) fehlt jeder Hinweis auf derart Kranke.

Der Psychiater hat in vier großen Krankheitskreisen mit vier besonderen Schwierigkeiten der Kranken zu tun: A) bei der »Geisteskrankheit« Schizophrenie mit der Ratlosigkeit und Gespanntheit angesichts unserer Spaltung der Welt in Gut und Böse, B) bei der »Gemütskrankheit« Cyclothymie mit der depressiven Angst oder der manischen »Flucht nach vorn« vor dem Rätsel von Leben und Tod, C) bei der »Anpassungskrankheit« Neurose mit der entschlußlosen Qual zwischen Ja und Nein und D) bei der »Gehirnkrankheit« Organische Psychose mit dem ohnmächtig-benommenen Schrecken zwischen dem Diesseits und dem Jenseits. Den Grundfragen dieser Krankheiten werde ich in den folgenden vier Abschnitten (A-D) einige Antworten aus Märchen und Mythos gegenüberstellen.

A) Ratlos irrt das Denken des Schizophrenen im Zwiespalt zwischen Gut und Böse hin und her und sucht vergeblich, ihn zu überwinden. Die Frucht vom Baum der Erkenntnis, auch als Lichtschein, Kuß oder Totenspeise in einigen Volksmärchen wiederzuerkennen, schenkte dem Menschen zwar ein helles Bewußtsein, machte ihn aber zugleich anfällig für Zweifel, Irrtum und Verwirrung; denn das Böse ist nicht immer böse und das Gute nicht immer gut! Manche böse Mutter, zum Beispiel die von Hänsel und Gretel, handelt gut, wenn sie die Kinder zur rechten Zeit hinaustreibt auf den Weg zur Selbständigkeit. Die andere Mutter, die selbstsüchtig ihre Kinder mit allerlei Gutem behext, ist in Wahrheit die böse. Der Gesunde vertraut darauf, daß das Böse sich am Ende selbst vernichten wird, wie im Märchen die Hexe, die den Kopf in den Ofen steckt und ihren Tod selbst herbeiführt; der Geisteskranke jedoch, aufgeschreckt und innerlich zerrissen, bohrt tiefer. Ein Kranker hatte seine Schwester erschlagen, damit sie, so verkündigte er: »jung und in Unschuld zu Gott gelangt!« Er hatte die endlos-irre Frage, was denn nun gut sei und was böse, nicht länger ertragen können, und seine entsetzten Mitmenschen sahen, was folgerichtig geschieht, wenn der Mensch sich selbst zum Richter über Gut und Böse macht: eiskalt jagt dann ein Abfangjäger mit einem Fingerdruck mitten im Frieden 269 Menschen erbarmungslos in einen grauenvollen Tod[8]. Von Grausamkeiten erzählt schon der antike Mythos: die Frauen von Argos zerreißen und verzehren ihre eigenen Kinder; Lykaons Söhne kochen eine Suppe aus den Eingeweiden ihres Bruders; Tantalos bringt seinen Sohn Pelops, Prokne ihren Sohn Itys, Harpalyke ihren Sohn, der zugleich ihr Bruder ist, Atreus die fünf Kinder seines Bruders in Stücke zerhackt und gar gekocht auf den Tisch. Der Massenmord im Mutterleib ist ein ähnlicher Wahn, er heißt heute wie damals: »Mein Bauch gehört mir!« Und der Mythos im Märchen, der Vogel auf dem Machandelbaum, singt wieder dazu: »Mein Mutter, der mich schlacht, mein Vater, der mich aß . . .« (KHM 47). Anders grausam, schonungslos gegen sich selbst, hatte eine Schizophrene sich ihr linkes Auge ausgelöffelt, weil es, so sagte sie: »nur böse blickt und andere Menschen zum Bösen verleitet.« Besonders gefühllos sind Mord und Totschlag zwischen Eltern und erwachsenen Kindern. Ich habe sie in der besagten »Griechischen Mythologie« gezählt: Sieben Väter erschlagen ihre Söhne, zwei Väter ihre Töchter, fünf Mütter töten ihre Söhne, zwei davon gleich mehrere, eine Mutter ihre Tochter, vier Söhne ihre Väter, zwei ihre Mütter. Orestes enthauptet seine Mutter sogar. Zwei Töchter bringen ihre Väter um. Ödipus hingegen, Perseus, Althaimenes und Telegonos erschlagen ihre Väter »nur« unwissentlich oder versehentlich. Die antiken Wettrenn- und Rätselprinzessinnen (Marpessa, Atalanta, Hippodameia und die Tochter des Diomedes und die des Antaios) lassen herzlos und kaltblütig die Köpfe ihrer Freier auf Pfähle spießen, an die Hauswand nageln oder ganze Tempel aus ihren Schädeln errichten. Medea schneidet grausam und gnadenlos ihren Bruder in Streifen; unmenschlich roh spaltet Tydeus den Schädel des Feindes und schlurft sein Gehirn aus; böse und brutal schicken Odysseus und Diomedes ihren besten Freund Palamedes auf Schatzsuche an einem Seil in einen tiefen Brunnen und werfen ihn darin mit Steinen tot. Immerhin sind diese erzählten Zügellosigkeiten der antiken Helden im Gegensatz zu den Greueltaten unserer Gegenwart nicht so sehr schändliches Menschenwerk, sondern eher Schicksalszeichen, vergleichbar den Orakeln, die überirdische Macht und Weisheit und zugleich abgründige Dämonie verkünden.

Über die Grausamkeit von Volksmärchen wird viel hinundhergeredet. Aber meine Patienten antworten auf das Erzählen »von dem Machandelboom« nie mit Angst oder Haß; sie sagen, daß die erzählte Grausamkeit milde ist gegen das, was sich Menschen in der Tat zufügen. So gesehen sind Märchen eine Vorübung, um die oft schlimme Wirklichkeit besser zu bewältigen. Auch der andere Vorwurf, Volksmärchen betrieben mit ihrer »Schwarz-Weiß-Moral« boshafte rassistische und sexistische Unterdrückung, beruht auf einer Fehldeutung. In den Volksmärchen siegt gar nicht das, was zu dieser oder jener Zeit Moral oder Mode war, sondern Held oder Heldin siegen, zuweilen sogar gegen die Moral. Wer Volksmärchen für nichts anderes hält als für moralische oder politische Anweisungen, der kennt wahrscheinlich nicht ihre Fülle und Vielfalt und sieht nicht die Freiräume, die ein jedes von ihnen zu je eigenen Lösungen anbietet. Im übrigen spiegeln Märchen und Mythos nicht nur die zugegeben oft grausame Welt wider, sondern sie rufen uns auf, sie zu überwinden. Den schizophrenen Zwiespalt aber zwischen Gut und Böse mildern sie: sie lassen (auch für uns!) durchblicken, daß selbst das Böse dem Leben dient und zu guter Letzt zerspringen wird.

B) Der gemütskranke Depressive kreist sorgen- und angstvoll um das Rätsel von Werden und Vergehen, von Geburt und Tod. Im hypochondrischen Leibwahn, im Verarmungswahn, im Schuldwahn verharrt er verzweifelt auf der Stelle wie der Märchenfährmann, der nie abgelöst wird, wie der Brunnen, der nicht fließt, und wie der Baum, der weder Früchte noch Blätter trägt (KHM 29). Regungslos-gehemmt, gedankenleer und stumm klebt der stuporös Depressive auf seinem Stuhl: wie im antiken Mythos Theseus und Peirithoos auf dem Stuhl des Vergessens in der Unterwelt, dem magischen Stuhl der Volksmärchen (im internationalen Motiv-Index von Stith Thompspn: Mot D 1151.2 und D 1413.5, 6). Zischende Schlangen winden sich um die beiden, und der Höllenhund beißt sie mit scharfen Zähnen. Der Depressive ist bestürzt darüber, daß nichts in dieser Welt von Dauer ist, klammert sich an Personen, Dingen und Orten fest und sträubt sich gegen das Weitermüssen. Verloren hat er des Märchens naive Zuversicht, daß alle Trennung nicht das Ende, daß alles Leben nur Zeitlichkeit vor dem Hintergrund der Ewigkeit ist. 46 verzweifelte Selbstmorde habe ich in der genannten »Griechischen Mythologie« zusammengesucht, darunter einige Doppelselbstmorde und einen Dreifach-Selbstmord, außerdem drei Massenselbstmorde. Pausanias erwähnt sogar Heiligtümer von göttlichen Selbstmörderinnen: von Artemis der Erhängten (VIII, 23,6) und von Helena von den Bäumen (III, 19,10). Das Motiv Selbstmord kommt in Volkssagen recht häufig vor und ist unter zehn verschiedenen Mot-Nummern registriert. In unseren Märchen ist dagegen, wie ich weiter oben schon erwähnte, nur in zwei Typen (AT 361: »Bärenhäuter« und 362*: »Teufels Freundlichkeit«) die Rede von Selbstmord, und selbst da nur vom Bilanzfreitod der Unhelden, keinesfalls von Depressionen. In der Volkssage hinwiederum erscheint der Mensch mehr oder weniger als Bedrückter, Mühseliger, Erschütterter, als seelisch Kranker. Mit Schrecken und Entsetzen, wie in einer depressiven Psychose, erlebt der Sagenheld das Hereinbrechen des Numinosen, des »ganz anderen«, in seine bisherige, geplante Welt. Hinter dem gespenstischen Spuk spürt er die fremde schauervolle Übermacht und seine eigene ohnmächtige Verlassenheit, ja sinnlose Nichtigkeit. In der Drangsal zwischen panischem Schrecken, dämmernder Scheu und grauenvoller Angst kann er sich kaum noch bewegen. Volksmärchen dagegen weisen auf eine völlig andere Art über den Menschen hinaus: sie faszinieren den Hörer mit der Ahnung, daß hinter der Dingwelt eine zwar unfaßliche, jedoch wundervolle, erhabene, gerechte Kraft wirkt, die Gnade und Rettung verheißt. Namhafte Literaturwissenschaftler sagen, daß die Menschen im Volksmärchen zu reinen Figuren geworden sind, die keine Seele haben. Gewiß, im geschriebenen Text ist das so. Aber in jeder Märchenstunde, wenn mündlich erzählt (und nicht vorgelesen!) wird, beobachte ich, daß im Raum zwischen Erzähler und Hörer die »Figuren« des Märchens »beseelt« und lebendig werden! Und so geht denn der Märchenheld erstaunlich sicher, mutig und sehnsüchtig, durchaus »beseelt« und begeistert durch alle Gefahren, »durch Löwen und durch Drachen«, zuweilen bis ans Ende der Welt. Seine Geschichte bewirkt einen Zauber, der das in einer Psychose verschüttete Urvertrauen der Zuhörer wiederbelebt, menschliche Gemeinschaft neu begründet und über gefährliche Stunden hinweghilft. Sogar den Sieg über den Tod bezeugen Märchen verschiedener Typen (z.B. AT 302 B, 303, 311, 312, 516, 550, 612, 665, 666*, 709, 720, 750***, 753, 785, KHM 81). Auch der griechische Mythos berichtet von Totenerweckungen (Semele, Zagreus, Lykurgos, Kapaneus, Tyndareos, Glaukos, Hippolytos, Hymenaios, Orion). Desgleichen kommen des Kronos aufgefressene Kinder unverletzt und munter aus seinem Bauch wieder hervor. Asklepios bringt mit dem Blut der Medusa Tote ins Leben zurück. Rhea sammelt alle Glieder des zerrissenen Dionysos, fügt sie zusammen und belebt sie aufs neue. Der zerstückelte Pelops erhebt sich aus dem Kessel der Wiedergeburt in so strahlender Schönheit, daß sogar ein Gott sich auf den ersten Blick in ihn verliebt. Als Bild

166

der Wiedergeburt gilt in unseren Märchen das »Rotkäppchen«. Wenn jedoch ein »emanzipiertes« Rotkäppchen sich in einer Märchenneufassung mit einem vorausschauend mitgebrachten Taschenmesser aus dem Bauch des Wolfes selbst befreit, so wird der eigentliche Sinn der Geschichte verzerrt. Kranke und Kinder schätzen nämlich am herkömmlichen Rotkäppchen, daß es zum Durchhalten ermutigt und nicht zur Aggression. Gerade der Hinweis, daß auch der gute Mensch in Todesnot gerät, aus der er sich nicht immer selbst befreien kann, sondern aus der er sich retten lassen muß, gibt Kraft zum Ausharren. Eigene Anstrengung und Klugheit nutzen im Dunkel einer endogenen Depression eben nichts, verhindern sogar die Heilung; und ein kampfbereit mitgebrachtes Messer beschwört, wie die Erfahrung lehrt, den Selbstmord geradezu herauf.

In der Depression erlebt der Mensch sich selbst versteinert, verhext, verzaubert. In seinem Wahn sagte mir ein Kranker: »Ein Zauberer hat mich zu einem Baum gewickelt; und meinen Kopf hat er zu einem Vogelkopf gewickelt.« Eine depressive Frau stöhnte und grunzte: »Ich bin der Leibhaftige! Sehen Sie doch hier die Hörner!« Wieder eine andere berichtete: »Im Wartezimmer hatten wir mit einem Mal alle Tierköpfe auf.« Die oft ebenso plötzliche Genesung dieser Kranken zeigt sich an Leib und Seele buchstäblich als Entzauberung, Rückwandlung, Erlösung zum wahren Menschen. In unseren Volksmärchen verwandeln böse und gute, rätselvolle Zwischenwesen: Hexen, Zauberer, Jenseitige den Helden in ein Tier, eine Pflanze, einen Stein; sie müssen ihn aber einer noch stärkeren undurchschaubaren Macht gegenüber wieder freigeben. Hexen und Zauberer sind nie Träger der Märchenhandlung; sie spielen eine mehr dienende Rolle, so als würden sie selbst von einer höheren Gerechtigkeit geführt und in Schach gehalten. Die eigentliche erlösende Macht, wir Christen sagen Gott[9], bleibt im Hintergrund verborgen und unerkannt und setzt am Ende auch den Selbstverwandlungskünsten von Hexen und Zauberern eine Grenze. Das heißt: die namenlose absolute Macht (Gott? Wer sonst?) überläßt den »Zwischenwesen« vorübergehend Zaubergewalt über den Menschen, bis die (göttliche) Allmacht selbst ihn erlöst. Natürlich erscheint Gott im Märchen nicht in Person, wie etwa in der Legende.

Auch im antiken Mythos ist von »unserem« Gott, dem Einzigen und Dreifaltigen, keine Rede; doch ist das göttliche Wirken in den Grundzügen schon vorgezeichnet, freilich noch wirr und unübersichtlich. Im Mythos haben allein die Götter die Zaubermacht, sich selbst und einander und die Menschen zu verwandeln. Allerdings fällt auf, daß die Götter, zum mindesten die homerischen, nicht völlig frei und unabhängig über ihre Verwandlungskunst verfügen und nicht immer allwissend, weise und gerecht erscheinen. Wenn zutrifft, was die Mythographen uns überliefert haben, dann können die Götter mitunter nicht weit genug vorausschauen, verzaubern sich sogar gegenseitig (z. B. Hermes den Dionysos, Ares die Harmonia) und verwandeln sich selbst zuweilen nur gerade noch mit Mühe und Not. Zum Beispiel flieht Zeus, als er Aigina vergewaltigen wollte, vor deren Vater außer Sichtweite, bevor er sich in einen Felsen verwandeln und retten kann. Überhaupt benutzen die Götter der Mythographen (ob auch die des damaligen Volksglaubens?) die Selbstverwandlung vorzugsweise, um sich aus Bedrängnissen in Sicherheit zu bringen oder um mit diesem Trick Unerreichbares zu erlangen. Nemesis verwandelt sich auf der Flucht vor Zeus in einen Fisch, er sich darauf in einen Biber, sie sich in ein wildes Tier, er sich in ein noch wilderes, sie sich in eine Wildgans, er sich in einen Schwan; erst dann kann er sie vergewaltigen. Die Götter vermögen sich zurückzuverwandeln; der von ihnen verzauberte Mensch jedoch bleibt in der Regel für immer verzaubert: Stein, Quelle, Kraut, Baum, niederes oder höheres Tier. So sind denn im Mythos alle Dinge und Lebewesen eigentlich verzauberte Menschen, sind unsere Brüder und Schwestern. Immerhin geben die Götter in einigen Fällen den Verzauberten die menschliche Gestalt zurück: Poseidon der Stute Melanippe, Zeus der Kuh Io, Artemis den Perlhuhn-Schwestern des Meleager. Umgekehrt verwandelt Zeus, einmal für Aiakos, ein andermal für Peleus, Legionen von Ameisen zu Kriegern. Kurzum: in der antiken Mythologie (ob auch im antiken Mythos?) ist die Zauberkraft (der Götter) noch nicht gegliedert, gewissermaßen ein unklares Gemisch aus »unseres« Gottes Absolutheit und aus der »unseren« Hexen und Zauberern übertragenen Vollmacht. Anders ausgedrückt: die antik-mythologischen Götter stehen auf halbem Wege zwischen Gott und den Hexen oder Zauberern unserer Märchen. Mögen Kirke und Medea auch ursprünglich Göttergestalten gewesen sein, später sind die Kirke der Odyssee und die Medea der Argonauten-Sage den Hexen unserer Märchen dann schon sehr ähnlich geworden. Ganz wie ein Märchenheld war Odysseus (durch eines Gottes Gabe!) gegen die Hexerei der Kirke gefeit; und mit der höheren Macht der Liebe zwang er sie, alle von ihr verhexten Menschen wieder freizugeben.

Wenn ich soeben den Verwandlungszauber unserer Märchen dem des antiken Mythos gegenübergestellt habe, so will ich auf den folgenden Seiten aus der Sicht des Psychiaters etwas vorbringen über »Gott und die Anderswelt«. Ich will damit nicht eine »These« behaupten, sondern will in der gebotenen Kürze eines Buchbeitrages nichts anderes als zum Nachdenken anregen. Aus dem

Unterschied zwischen dem Verzaubern einerseits im Märchen, andererseits im antiken Mythos, folgere ich entwicklungspsychologisch: im Morgenlicht seiner erst aufdämmernden Erkenntniskraft hat der Mensch der Antike das unergründliche Geheimnis Gott zusammen mit den Rätseln der ihm begegnenden Welt zu einem zauberischen Götterhimmel zusammengesehen. Mit fortentwickeltem Unterscheidungsvermögen hat der spätere Mensch diese Mächte allmählich untergliedert in Gott als das unerfahrbare »ganz andere« und in die noch nicht erforschte »Anderswelt«, in der die rätselhaften Zwischenwesen unserer Märchen: Hexen, Zauberer, Wiedergänger, Jenseitige ihr Wesen treiben. Mit neuen Erkenntnissen waren immer und sind auch heute noch Umstufungen in der Bilderwelt des Menschen verbunden: während ich vor dreißig Jahren noch an farbigen, wild-schizophrenen Abenteuern mit Zauberern, Königen und Dienstmägden teilnehmen konnte, melden sich heute nur mehr blasse und vergleichsweise langweilige Wahninhalte zu Wort: Radarstrahlen, Mikroprozessoren und Polit-Agenten.

Denken wir einmal weit zurück: der vorgeschichtliche Mensch begriff sich wahrscheinlich als aller Geschöpfe Bruder und Schwester. Wie es der Augenblick erforderte, *war* er Tier oder Mensch, ohne sich erst verwandeln zu müssen. Er lebte in einer Zeit, »als das Wünschen noch geholfen hat«. Er konnte doch noch nicht weit vorausdenken und wünschte sich nur das, was er sah, was er tatsächlich greifen konnte. In jener Zeit war er weder schuldfähig noch erlösungsbedürftig; hatte ein Gott oder eine Göttin ihn verwandelt, blieb er in der Regel ohne Schmerz das andere Wesen. Das war in mythischer Vorzeit, vielleicht in der Zeit des Urvogels, von der die Märchen sagen: »als die Hühner noch Zähne hatten«. Mischgestalten in Märchen, Mythos und Psychose, oben Mensch und unten Tier, zum Beispiel die Pferdemenschen oder Kentauren, und »Hans mein Igel . . . das war oben ein Igel und unten ein Junge« (KHM 108), lassen an jene Übergangszeit denken. Mit zunehmender Vernunft erkannte sich später der Mensch als den Tieren überlegen und zu weiteren Zielen gerufen. Aber mit seiner neuen Fähigkeit der Vorausschau bemerkte er auch sein Todesschicksal und seine Machtlosigkeit vor der Grenze zu jenem unerfahrbaren »ganz anderen«. Der Mythos, Geist und Glaube des Menschen, aber hat sich aus seinem Ursprung bis in unsere späteren Volksmärchen hinein weiterentfaltet, fortentwickelt, verfeinert und durchlichtet: hinter dem erforschten Vordergrund der Welt und hinter dem Zwischengrund noch ungelöster Welträtsel weiß nun der homo religiosus der Neuzeit die höchste Allmacht, mit anderen Worten: Gott. Die für uns immer noch rätselvollen Zwischenwesen, abgesunkene Götter und Halbgötter von einst, leben meines Erachtens in unseren Märchen als Hexen und Zauberer fort. Zuweilen gut und böse in ein und derselben Gestalt, bewegen sie sich dort wie Figuren, die von der verborgenen Allmacht geführt werden. (In der Legende erscheinen sie unter anderen Namen: als Engel und Teufel, und wiederum anders in der Sage: als überwiegend böse Geister und Gespenster.) Im Märchen nun erlischt ihr Zauber, wenn die höhere Gerechtigkeit es will, zum Beispiel im Augenblick der Erlösung in den Tierbräutigam-, Schwanenjungfrau- und Tiergeschwistermärchen (AT 400-459). Späterhin waren es in manchen Märchen sogar schon Menscheneltern, die ihre Kinder in Tiere verwünschen konnten. In einigen Märchentypen geht der Held oder die Heldin bei einem Zwischenwesen in die Lehre und kann danach auf der magischen Flucht (AT 313, z. B. KHM 51, 56) oder als Zauberlehrling (AT 325, z. B. KHM 68) sich selbst in verschiedenste Gestalten hin- und zurückverwandeln. Einige Gelehrte deuten das als ein Überbleibsel des schamanischen Verwandlungszaubers. Aber so eine Deutung sagt auch nicht viel mehr als der naive Märchenwortlaut: »Da wickelt sie ihre armselige Mäusehaut von sich, ihre goldenen Haare quellen hervor und ihre große Schönheit blendet den König.« Jedenfalls tönt durch Tiergestalt und Zauberbann der Mythos: Verzage nicht! Geh weiter durch das Dunkel zum Licht! Dem Menschen in einer Depression aber (und uns!) bedeutet der Verwandlungsmythos, wennschon nicht Hoffnung, so doch Zuspruch und Halt.

C) Der verklemmte und gehemmte Mensch, der Neurotiker, ist unfähig, sich zwischen Ja und Nein zu entscheiden, unfähig zu vertrauensvoller Hingabe. Wie der Märchenheld am Scheideweg oder vor einer schier unlösbaren Aufgabe will der Neurotiker sein Glück versuchen, versagt sich jedoch das Weitergehen oder das Zupacken aus Angst vor den Folgen. Blockiert, eingezwängt zwischen Trieb und Gewissen, kann er sich nicht allein weiterbringen. Ihm sagen die Märchenhelfer: »Leg deinen Kopf in meinen Schoß und schlaf ein wenig, und wenn du aufwachst, ist alles getan!« Nicht von Fatalimus ist hier die Rede, sondern von der Kraft der Geduld. Nicht wenn der Mensch es will, sondern wie im Dornröschen-Märchen, wenn die rechte Zeit das ist, löst sich der Bann, zerbricht der Zauber, geschieht das Wunder. Der Held schläft derweilen traumlos wie der antike Endymion und wird wie dieser nicht älter. Schamanismus-Forscher deuten den Märchenschlaf als Ekstase, Einweihung, Jenseitsreise des Schamanen. Die Psychiaterin Irmgard Müller-Erzbach sieht im Märchenschlaf sogar das Modell für die moderne Heilschlafbehandlung der Psychosen[10]. Wie dem auch sei, der ausübende Erzähler begnügt sich mit der schlichten Erfahrung: Wundermärchen sind zwar auch Tröster und Mutma-

cher, einfache, in sich klare, welthaltige und leicht zu behaltende Abenteuergeschichten; vor allem aber sind sie auch zauberische Mitnehm-Geschichten in
eine Zukunft, in der Wunderwünsche zu Taten werden.

Von dem, was sich das einfache Volk in der Antike erzählt hat, wissen wir wenig; auf uns sind nur die planvoll durchdachten Heldengedichte der Mytho-
poeten und Mythographen gekommen; das sind die damaligen Lehrbücher einer gegliederten Weltordnung. Wenn auch persönlich eingefärbt und als »*historisches* Allerlei« dargeboten, enthalten sie doch schon die Wunder unserer
späteren ahistorischen Volksmärchen. Gleichwie die weiter oben angeführten
Verwandlungswunder entspringen die sogleich noch zu nennenden Wunder
aller Art niemals der Kraft eines Menschen, sondern geschehen immer durch
die Macht und Gnade von Göttern oder, wie im Falle von Herakles, Halbgöt-
tern. Also auch auf dem Wunderfelde ganz allgemein gibt es im antiken Mythos noch keine Hexen und Zauberer im Sinne unserer Märchen, von Über-
gangsgestalten wie Kirke und Medea abgesehen. Immerhin begegnen wir alsbald unserem »Starken Hans«: Herakles, dem Liebling der Griechen. Ganz allein besiegt er Feindesheere, Drachen und Ungeheuer, leitet Flüsse um, reißt
Wälder aus, verschiebt Berge und Felsen, baut eine Straße über das Meer, gräbt
einen See vor der Stadtmauer. Er erschlägt Riesen und weilt drei Tage lang im
Bauch eines Seeungetüms vor Troja, bevor er die Königstochter Hesione rettet. An anderen Stellen erzählt der Mythograph von Puppen, die lebendig werden, von Sturmwinden in Ledersäcken, geflügelten Sandalen, Liebesgürteln,
Helmen der Unsichtbarkeit, von stets siegreichen Schwertern und immer tref-
fenden Pfeilen, vom Kraut der Unverletzlichkeit, der Frucht der Erinnerung,
dem Wasser des Vergessens, dem Stuhl der Qual, dem Lebenswasser Athenes,
von der wundertätigen Blume aus dem Blute des Prometheus, dem magischen
Halsband der Harmonia, den rettenden oder tötenden Zauberkleidern. Alles,
was die »Weinbäuerinnen« anrühren, wird verwandelt, wird bei Elais zu Öl,
bei Spermo zu Getreide, bei Oino zu Wein; was aber der habgierige König Midas berührt, wird zu Gold und bringt ihm so Verderben. Medea fährt auf einem Schlangenwagen durch die Wolken, Dionysos bevölkert Schiffe auf hoher
See mit Geistertieren. Atreus zuliebe läßt Zeus die Sonne rückwärts gehen;
Orpheus zähmt mit seiner Musik wilde Tiere, und eine ganze Stadt erbaut sich
von selbst zu den Klängen der Leier des Amphion. Das Flügelpferd Pegasos,
die zwölf Fohlen des Erichthonios, die Pferde des Adrastos, die des Laomedon
und die des Pelops galoppieren durch die Lüfte. Kadmos und später Iason säen
Drachenzähne, und heraus wachsen Kriegerheere. Atalanta, ein andermal Poseidon schlägt Wasser aus einem Felsen. Solange Sisyphos den Todesgott ge-

171

fesselt hält, stirbt niemand mehr auf Erden. Phrixos und Helle fliegen auf einem Widder über Land und Meer, und Arion reitet auf einem Delphin. Herakles, Bellerophon, Perseus, Kadmos, Iason, Kychreus und Apollon sind Drachenkämpfer und -sieger.

Für uns Heutige gilt: das Wunder ist der gemeinsame Wesenskern von Volksmärchen, antikem Mythos und Psychose. Das Wunder ist für den echten Glauben nicht gleich Gottes unmittelbarer Eingriff, sondern nur Zeichen und Zeugnis für die überirdische Ordnung, für Gottes verborgene Allmacht. Das Wunder besagt immer dasselbe, damals wie heute, obgleich der Mensch in der Vorzeit unter Wunder, im Leben wie im Mythos, etwas anderes verstand als heutzutage. Ein Wunder, das war für die alten Völker: die Größe, Kraft, Schönheit, Zuverlässigkeit und Regelmäßigkeit der für sie noch undurchschaubaren Naturgesetze. So ein Wunder war beispielsweise der Lauf der Gestirne. Jähe, unerwartete Ereignisse dagegen waren für den Vorzeitmenschen die Regel; abenteuerliche Vorkommnisse war er ja jederzeit, oft leidvoll, gewohnt. Umgekehrt nennen wir heute ein Wunder jeden Vorfall, der den uns bekannten Gesetzen von Ursache und Wirkung, von Raum und Zeit nicht gehorcht, sondern uns überrascht, verblüfft und erstaunt: eine unerhörte Begebenheit, eine plötzliche Heilung, eine unverhoffte Rettung. Gleichviel ob mit dieser oder jener Art Wunder bezeugen unsere Zaubermärchen Gottes Größe und Macht und, deutlicher als der antike Mythos, auch Gottes Einheit, Gerechtigkeit, Weisheit, Wahrheit und Güte. Unsere Märchenwunder sind nicht mehr abhängig von den Streitigkeiten zwischen Göttern oder Göttinnen. Die wunderbaren Jenseitsorte, Jenseitszeiten, Jenseitsgestalten, Jenseitsgeschehnisse, Jenseitsrequisiten und Jenseitsformeln in Märchen, Mythos und Psychose sind allerdings, und das kann nicht deutlich genug gesagt werden, weder innerweltliche noch innerseelische Wirklichkeiten, sondern sind nicht mehr, jedoch auch nicht weniger, als Hinweise auf das eigentliche Jenseits, auf das in Wahrheit »ganz andere«. An dieser Märchenbotschaft scheidet sich der Glaube von manchem modernen Aberglauben an die gegenwärtig hochgespielte »Anderswelt« der Okkultisten, Spiritisten und Dämonologen, der Geisterbeschwörer, Pseudoschamanen und Psychedeliker und anderer Schwarmgeister oder Geschäftemacher. Den Menschen in einer Neurose aber (und uns!) will und kann das erzählte Wundergeschehen umstimmen zu mehr Hingabe und mehr Hinnahme: Verändert euch, verändert die Welt!

D) Der organisch Hirnkranke, der Bewußtseinsgetrübte oder Wesensveränderte, erlebt angstvoll, wie seine überschauende Besinnung immer enger und schwächer wird. Die Welt zerbricht oder zerrinnt ihm, wird ihm fremd, gespenstisch, zum Alptraum, solange er noch nicht völlig geistlos-zufrieden dahinlebt. Auch die Angehörigen spüren den Anhauch des Endgültigen und Unvorstellbaren. Sie sehen den Kranken entschwinden in eine immer unzugänglichere Ferne. Je weniger die Beteiligten früher von der Grenze des Lebens wissen wollten, um so mehr sind sie nun bestürzt und entsetzt. Daran gemessen sind die Schreckgestalten der griechischen Mythologie keine sinnlose Phantasterei, sondern apokalyptische Gestalten vor der Grenze unseres irdischen Scheins: Erinnyen, Gorgonen, Hydren, Chimairen, Phorkiden, Harpyien; Medusa, das geflügelte Ungeheuer mit glühenden Augen, riesigen Zähnen, heraushängender Zunge und Schlangenlocken; Typhon, der hundert Meilen lange Drache mit Schenkeln und Händen aus sich windenden Schlangen; sein furchtbares Eselshaupt reicht bis an die Sterne, seine gewaltigen Flügel verfinstern die Sonne, Feuer bricht aus seinen unheimlichen Augen, flammende Lava aus seinem Mund; Lamia, die Kindererwürgerin mit ihrer grauenvollen Maske und den herausnehmbaren Augen; die Empusen, die jungen Männern das Blut aussaugen. Der Psychiater begegnet heutzutage solchen Horrorgeschichten seltener, als der Laie sich vorstellt, dafür aber viel öfter, und das ist schlimmer, einer bildlosen benommenen Todesangst. Es scheint, als ob Märchen und Mythos (und Gruselgeschichte), rechtzeitig und wohldosiert erzählt, dem Menschen seine Zeitlichkeit und Kleinheit bewußt machen und ihn veranlassen, sich bescheiden in die richtige Rangfolge der Schöpfung einzuordnen.

Gegenüber den grausigen Ungeheuern des antiken Mythos, die in den Gespenstern und Schauderwesen unserer Volkssagen noch fortgeistern, sind die Schreckfiguren unserer Volksmärchen gedanklich klarer, geläutert, menschlicher geworden: Riesen, Menschenfresser, Hexen, Trolle, Drachen. Sie sind freilich wiederum Figuren vor der Grenze zum Unerfahrbaren. Wer meint: sie lebten und westen in einer spiritistischen, durch Trance erfahrbaren wirklichen »Anderswelt«, oder: sie seien eingebildete Zeugen für ein eingebildetes Jenseits, oder: sie seien nichts anderes als Angstsinnbilder für in der eigenen Seele erlebte gefährliche Triebe, der muß sich sagen lassen, daß Kranke und Kinder solche komplizierten Deut- und Drehversuche nicht brauchen. Sie verstehen den Märchensinn geradezu mühelos. Sie suchen nicht nach dem Hirngespinst einer spiritistischen »Anderswelt«, sondern spüren den Atem der geheimnisvollen Gotteswirklichkeit, die über alle Erfahrung, über alles Erfahrenwollen und über alle machbare Welt hinausreicht; Kranke und Kinder finden umso eher in den Volksmärchen ein echtes »Zuhause«. Wer andererseits die Märchen wegen ihrer Schreck-, Mahn- und Drohgestalten beiseiteschiebt, dem wird vermutlich seine eigene Vernünftigkeit, womöglich als Wissenschaft und Technik, zum Angsttraum werden. Nebenbei gesagt empfinden manche Erwachsene (mit einem gewissen Recht), daß die böse Mutter, der Riese, die Hexe, der Märchenunhold nicht selten in ihnen selber steckt. Da sie sich das nicht gerne eingestehen, führen sie Haß- und Angstanwandlungen der Kinder auf gehörte Märchen zurück. Sie sollten lieber dankbar dafür sein, daß die in jeder seelischen Entwicklung notwendigen Angst- und Trotzphasen und umweltbedingte Aggressionen durch Phantasieabenteuer zum Austrag gelangen. Jedenfalls lieben Kranke und Kinder Volksmärchen, auch wenn sie darin schlimme Erinnerungen und gegenwärtige Anfechtungen und Ängste aushalten und mit den Märchenhelden überwinden müssen. Der Hirnkranke aber gelangt durch die Angst hindurch entweder zur Genesung oder zur ewigen Freiheit. Und wir anderen erkennen in den erzählten Schreckgestalten auch die Übel dieser Welt: Not, Gewalt, Krankheit und Tod. Wie die Märchenhelden werden wir siegen, wenn wir wie sie glaubend wissen, daß weder Krankheit noch Tod der eigentlichen »Seele« des Menschen etwas anhaben kann.

Vom Bund zwischen Himmel und Erde und von des Menschen Herkunft soll im folgenden Abschnitt die Rede sein. Bei Plutarch (46 – 120 n. Chr.) wird in seinem Bericht über den Tod des großen Pan der kulturelle Umbruch deutlich, der zum »Tod« der griechischen Götter geführt hat. Aber der gemeinsame Mutterboden von antikem Mythos, europäischen Märchen und psychotischen Zerrbildern ist lebendig und fruchtbar wie eh und je und erzählt wie damals auch heute noch vom Bund zwischen Gottheit und Menschheit, behutsamer gesagt: von der Hochzeit zwischen einem Wesen von ganz anderswoher und einem irdischen Menschen. Ein solches Bündnis ist das Hauptmotiv der Tierbräutigam- und Tierbrautmärchen (AT 400-449). Wer noch weiterdenken möchte, der kann auch die oft vermerkten Extreme im Volksmärchen als Beispiel für den unerhörten Treuebund verstehen: den Bund des gewaltigen Königs mit dem Hirtenbüblein, des häßlichen Untiers mit der Welt-Schönen, des weissagenden Alten mit dem hilflosen Kind. Im antiken Mythos nahmen an der Hochzeit eines Sterblichen mit einer Göttin zweimal alle zwölf Götter und Göttinnen teil, ausgenommen die Göttin Eris (Streit), die nicht eingeladen war. Das war das eine Mal, als Peleus die Thetis, das andere Mal, als Kadmos die Harmonia heiratete. Aber nicht nur ehelich, sondern auch brüderlich waren Gottheit und Menschheit verbunden. Von den berühmten unzertrennlichen Zwillingen (Kastor und Polydeukes, Idas und Lynkeus, Herakles und Iphikles) war der eine ein Gott, der andere ein Mensch. Dagegen stammten die berüchtigten streitsüchtigen Zwillinge (Eteokles und Polyneikes, Akrisios und Proitos, Atreus und Thyestes) beide von sterblichen Eltern. Dem Bund zwischen Gott und Mensch in Märchen und Mythos entsprechend berichten einzelne Kranke, sie seien mit Gott verehelicht oder verschwistert: »Um Mitternacht kam Gottvater zu mir und schlief mit mir und fragte: Willst du Kaiser oder Kaiserin werden?« Ist dies nicht ein Zeichen der Sehnsucht des Menschen nach Gottes unverbrüchlicher Freundschaft?! Gewisse Wahnkranke (Hebephrene) sagen gelegentlich mit unerschütterlicher Gewißheit, daß sie zwar Pflegekinder ihrer Eltern, in Wahrheit jedoch von sehr hoher oder geheimnisvoller Abkunft seien: »durch Geschlechtsumwandlung Kaiser von Gottes Gnaden«, aus einem Baum geboren, aus einem Fürstenhaus als Säugling ausgesetzt. Der kranke Mensch überspielt mit einem derartigen Abstammungswahn sein Krankheitselend, sein armseliges Versagen. Auch manche Volksmärchen berichten von außernatürlicher Empfängnis, zum Beispiel durch Fisch, Apfel, Wasser oder einfaches Wünschen (EM III 1395-1406). Andere Märchen wieder erzählen von einer wundersamen Geburt. Ein Knabe wird schwanger vom Verspeisen eines Herings und bringt ein Mädchen zur Welt. Ein Rabe nimmt es fort und zieht es in seinem Baumnest groß (Weißbär am See. Kassel 1965, 95). »Espenklotz« wird aus einem Baum entbunden und »Murmel Gänseei« von fünf Frauen ausgebrütet (MdW: Norwegische Volksmärchen, 37 und 199). Eine derart wunderbare Herkunft behandeln die Märchen-Typen AT 303, 407A, 408, 650A, 675B*, 702B*, 705, 708 und andere. Im griechischen Mythos stammen Eros und die Söhne des Aktor aus silbernen Eiern, Aphrodite aus dem Meeresschaum, Athene aus dem Kopf und Dionysos aus dem Oberschenkel des Zeus, Adonis aus einem Myrrhenbaum, die drei Furien aus dem Blute des Uranos. Aus Wolken entsprangen Kentauros, Phrixos, Leukon und Helle. Hier und da waren Menschen von Bäumen gefallen, andere aus Pilzen emporgewachsen. Zahlreiche Menschenfrauen wurden von Göttern schwanger, etliche vom Verzehr von Bohnen, Nüssen oder Fischen. Iphimedeias empfing vom Meerwasser, Eurynome vom Nordwind, Danaë vom Goldregen. Wer solche Beispiele aus Märchen, Mythos und Psychose kennt, der achtet noch mehr auf die offene oder versteckte Grundfrage aller Volksmärchen: »Mensch, wer bist du? Woher kommst du? Und was willst du?« Ja, woher kommen wir? Wer hat uns das Leben gegeben? Wer ernährt und erzieht uns? Für all das sorgen durch Vater und Mutter und Paten doch auch noch mächtigere »Adoptiv«- und zugleich »Stamm«-Eltern: Gott im Himmel und Allmutter Erde, Vater Staat und Mutter Natur, gewiß auch unser Gevatter Tod. Schlimm sind Eltern, die ihre Kinder für sich allein »besitzen« wollen und stiefelterlich nicht erkennen, daß sie ihnen doch nur zu treuen Lehen gegeben sind! Zu bedauern sind gleichfalls Kinder, die sich nicht von ihren Eltern (sind sie nicht alle nur »Stief«- oder »Pflege«-Eltern?) lösen wollen!

In Märchen, Mythos und Psychose kommt bisweilen der Inzest, der Geschlechtsverkehr zwischen Blutsverwandten, zur Sprache. Heute zählen ihn viele Menschen zu den *sexuellen* Perversionen. Das ist falsch; denn der Inzest ist eine *soziale* Abnormität. Auffallend oft behaupten hebephrene Patientinnen, der Vater oder ein Bruder habe sie vergewaltigt. Der griechische Mythos berichtet von absichtlichem Inzest in zwei Fällen zwischen Mutter und Söhnen, in vier Fällen zwischen Vater und Tochter[11]. Ödipus dagegen heiratet seine Mutter, ohne zu wissen, was er tut. Auch manche Volksmärchen handeln vom Inzest (AT 313E*, 510B, 674, 706, 823A*, 931, 933 und 938*). Aufschlußreich ist dabei die Tatsache, daß die eigentlichen Märchen lediglich von Inzestwünschen erzählen, von erfolgten Inzesten jedoch die mehr sagenhaften Märchen. Und selbst diese erwähnen ihn nicht so grob wie der antike Mythos als Vergewaltigung, sondern verständnisvoller, so zum Beispiel unter dem Bild des unentrinnbaren Schicksals. Alle Kulturvölker haben mit Recht den Inzest verboten. Noch Papst Gregor I. (590–604 n. Chr.) setzte das Ehehindernis bis in den 7. Blutsverwandtschaftsgrad fest. Heutzutage ist nur noch der sexuelle Gehalt des Inzestverbotes sichtbar, das daher oft als Abwehr gegen sexuelle Perversion mißverstanden wird. Sigmund Freud zum Beispiel behauptet in seiner »Selbstdarstellung« (Ges. Werke XIV. Frankfurt 1963, 93) mit dem Inzestverbot wolle der Vater aus Sexualneid die inzestuösen Wünsche seiner Söhne unterdrücken. Robert Briffault hingegen meinte in »The Mothers« (London 1927), die Söhne hätten das Inzestverbot errichtet als Schutz gegen die bewahrende erotische Liebe der Mutter innerhalb der mutterrechtlichen Familie. Heute wissen wir durch Claude Lévi-Strauss (Les structures élémentaires de la Parenté. Paris 1949), daß das Inzestverbot vor allem ein Sozialgebot ist: in jahrtausendelanger Überlieferung erzwang das Inzestverbot die Heirat über die Familie hinaus, schuf und sicherte also die sozialen Großstrukturen und die höherentwickelten Staatsformen. Heiraten innerhalb der Familie hätten diesen Aufbau verhindert und den Menschen in seiner Familie sozial verkümmern lassen. Die hebephrene Inzest-Behauptung ist, wie klinische Befunde zeigen, nicht ein sexueller Wunschtraum, sondern eine Art von rassischem Autismus. Dieser Wahn führt uns sogleich hinüber in die Völkerkunde (Ägypten, Phönikien, Persien, Siam, Inkareich) und zu Märchen und Mythos, die von Geschwisterehen und Heiraten zwischen Eltern und Kindern der Herrscherhäuser zu berichten wissen. In den alten Zeiten hätte das Herrscherhaus durch Heirat mit seinen Untertanen nicht an sozialer Kraft gewonnen, sondern hätte sie eingebüßt. Der Inzest jedoch beglaubigte und bestätigte die soziale Einzigartigkeit der Herrschenden. Erst später übernahmen auch sie die familiären Exogamiegebote, allerdings in der Form einer strengen standesgemäßen »Endogamie« der Herrscherhäuser untereinander, gewissermaßen mit dem alten Ziel in neuen Formen. Märchenausleger sollten also Inzeste in Märchen, Mythos (und Psychose) nicht immer stracks sexuell deuten!

Daß Kranke in bestimmten Fällen akustisch oder optisch halluzinieren, also eingebildete Stimmen gegenständlich hören oder Wahnbilder leibhaftig sehen, erfährt der Psychiater tagtäglich. Der Depressive bestätigt sich mit derlei Stimmen seine vermeintliche Schuld, sozusagen damit er weiß, warum er leidet. Anders der Schizophrene: er hört sich von seinen Stimmen hin- und hergerufen, ausgeliefert an sich widerstreitende Mächte. Der Hirnkranke wiederum hört in seiner Halluzinose Stimmen oder sieht Scheinbilder aus einer verworrenen und sich entfernenden Welt mit der Aufforderung: er solle doch etwas tun, sich auf den Weg machen, sich gegen Verfolger wehren! Nebenbei bemerkt kommen Visionen und Stimmenhören ganz vereinzelt auch bei dazu besonders begabten Gesunden vor, deren Gesundheit der geübte Diagnostiker selbstverständlich sofort erkennen kann. Immerhin erinnert uns das psychotische Stimmenhören: »Ich höre Vögel und Hunde sprechen . . .«, oder: »Wenn die Steine Augen haben, dann sprechen sie . . .« an die antiken Wahrsager, die, wie übrigens Herakles auch, die Sprache der Tiere verstanden, nachdem eine Schlange ihre Ohren geleckt hatte. Wir denken weiterhin an die Märchen von den sprechenden Tieren (z. B. AT 533), an die Märchen von den tiersprachekundigen Menschen (z. B. AT: 516, 517, 670-673, Varianten von: 329, 555, 563, 613) und an die vielerlei Märchen von Menschen, die in Tiere verwandelt waren. Zum mindesten erhellt aus diesem Zusammenhang, daß »Stimmenhören« und »Bildersehen« mit ein Grund ist für die Lehre von der ursprünglichen und endzeitlichen Brüderlichkeit und Freundschaft aller Geschöpfe.

Im folgenden Abschnitt möchte ich andeuten, wie und warum die Wege im Märchen Lebenswege sind. Die meisten Märchenwege bringen uns in unser angestammtes »Königreich«.
In den Dummlingsmärchen (z. B. AT 402, z. B. KHM 63) führt uns der Weg ins Dunkel-Ungewisse. Diesen wagemutigen Weg des Glaubens geht, wenn auch selten mit der »Einsträngigkeit«, Genauigkeit, Zielstrebigkeit und Voll-

endung des späteren Märchenstils, ebenfalls manch ein Held des griechischen Mythos. Peleus zum Beispiel wird auf der Flucht von Königreich zu Königreich verspottet, überfallen, beraubt und von wilden Kentauren bedroht. Wie der Dummling in der Umarmung der häßlichen Kröte, so ringt Peleus mit Schlange und Tintenfisch (der Herrin des Meeres). Da wird aus ihr wieder die schöne junge Frau, die Göttin, und er gewinnt sie und einen Königsthron dazu.

In den Aschenpeter- und Aschenputtelmärchen (z. B. AT: 510, 511, 923) gehen Held oder Heldin demütig im Kleid der Armut den Weg der Hoffnung, bis ihre wahre Schönheit sich offenbart. Die erhöhte Niedrigkeit, Lichtblick auf unserer Lebensreise, ist auch im griechischen Mythos im Umriß bereits zu erkennen. Iason zum Beispiel wird als neugeborener König verfolgt und ausgesetzt, dient arm und zunächst unerkannt seinem Verfolger und Onkel, dem falschen König Pelias, und bewältigt auf mühseliger Fahrt mit den Argonauten die verlangte unlösbar erscheinende Aufgabe, bis er die Königstochter aus dem fernen Kolchis gewinnt und mit ihr das Königreich Korinth. (Das Zwischenspiel »Iason und Medea« ist zugleich ein Fluchtmärchen: AT 313.)

In den Suchwanderungsmärchen (AT 400-459) sucht die getrennte oder verlassene Liebe, den verlorenen Partner auf langer und qualvoller Irrfahrt wiederzufinden, auf dem langmütigen Weg der Treue. Im Grundzug stimmt diese Geschichte mit dem antiken Mythos von Amor und Psyche überein. Reinhold Merkelbach hat in dem Buch »Amor und Psyche« (Hrsg.: Gerhard Binder. Darmstadt 1968, 392-407) darauf hingewiesen, daß die Geschichte von Eros und Psyche mit dem noch älteren Mythos von der Irrfahrt der Io und dem noch früheren von der Leidensfahrt der Isis auf der Suche nach Osiris erstaunlich gut übereinstimmt.

Der Ilsebill-Märchenweg (AT 555, z. B. KHM 19), der hochmütige Weg der Unersättlichkeit, allerdings führt ins Verderben. An seinem trostlosen Ende sitzen der Fischer und seine Frau wieder in der Hütte des Elends oder hockt sich die leibhaftige »Frau Trude« (KHM 43) neben das in voller Glut verbrennende Menschenleben, wärmt sich daran und spricht: »Das leuchtet einmal hell!« Auch solche Wege in den Untergang sind im griechischen Mythos da oder dort vorgezeichnet: Bellerophon zum Beispiel vermaß sich auf der Höhe seines Glücks, zu den Göttern emporzufliegen; doch von Zeus hinabgestürzt, irrt er nun lahm, blind, verflucht und gemieden über die Erde dahin bis zu seinem einsamen Tod. Oder die Königin Niobe, stolz, reich, mächtig, spottete der Gottheit, bis diese, ihr vor den Augen, Pfeil auf Pfeil, die sieben Söhne und die sieben Töchter tötete. Heute noch steht Niobe, tränenden Auges zu Stein geworden, auf dem Berge Sipylos, der Heimat ihres genauso berüchtigt-vermessenen und auf ewig bestraften Vaters Tantalos.

Auf den folgenden Seiten möchte ich noch besprechen, auf welch verschiedene Weise der Psychiater Märchen und Mythos beruflich anwendet, entweder mehr analytisch-deutend, wie namentlich Carl Gustav Jung und seine Schule, oder mehr ganzheitlich-verstehend, worauf ich weiter unten kurz eingehen werde. Jung gründete seine Psychosentheorie auf Psychoanalyse und Mythologie. Er stellte sich vor, daß in einer Lebenskrise (abaissement) das »kollektive Unbewußte« (das sich unter anderem in den Menschheitsmythen, in den Märchen der Völker und in den Träumen kundtut) chaotisch lebendig wird und die Einheit des Bewußtseins sprengt: »Je weiter sich der Spalt zwischen Bewußtsein und Unbewußtem auftut, desto näher rückt die Spaltung der Persönlichkeit, welche bei neurotisch Disponierten zur Neurose, bei psychotisch Veranlagten aber zur Schizophrenie, zum Persönlichkeitszerfall, führt« (Werke 5. Olten 1973, 559). Der Arzt möge dafür sorgen, daß der Patient sein kollektives Unbewußtes wahrnehmen und verstehen lernt und »auf diese Weise die fremdartigen Inhalte des Unbewußten assimilieren und seiner Bewußtseinswelt integrieren« kann (Werke 3, 307). Jung nahm an, daß in einem »kollektiven« (?) unbewußten Anteil unserer Seele gemeinmenschliche, bildhafte Grundstrukturen, die sogenannten »Archetypen«, weitervererbt werden und daß diese die seelischen Abläufe mitbestimmen. Der Archetyp sei, so schrieb Jung: »ein an sich leeres, formales Element, das nichts anderes ist als eine facultas praeformandi« (Werke 9/I, 95). Der Archetyp bewirke dann irgendwie (?) die »archetypischen Vorstellungen«, also die Bilder und Begebenheiten in Träumen, Märchen und Mythen. Etliche Märchendeuter und Hobby-Psychotherapeuten mißverstehen jedoch Jungs »Archetypen« als abrufbereite »Urbilder« in einer »Kollektivseele«, zumal Jung selbst gelegentlich einfach von »Urbildern« und, noch bedenklicher, wiederholt von »einer kollektiven Psyche« (z. B.: Briefe III, 70) sprach. Diese unbekümmerte Verkürzung der Begriffe führt immer wieder zu Irrtümern schon im Ansatz von »Märcheninterpretationen«. Dabei versicherte doch Jung mehrfach, der »Archetypus an sich« sei lediglich eine »unanschauliche Grundform«, er könne gar nicht erlebt werden, sei nur ein »psychoider Faktor, der sozusagen zu dem unsichtbaren, ultravioletten (!) Teil des psychischen Spektrums gehört« (Werke 8, 244): »Der Archetypus stellt an sich eine hypothetische, unanschauliche Vorlage dar, wie das in der Biologie bekannte ›pattern of behaviour‹« (Werke 9/I, 15). »Ob nun«, so schrieb Jung 1959, im Alter eher noch rätselvoller als früher: »diese Archetypen, wie ich die präexistenten und präformierenden Faktoren der Psyche benannt habe, als bloße Instinkte (!) oder als Dämonen und Götter (!) aufgefaßt werden, ändert an der Tatsache ihres wirksamen Vorhandenseins gar nichts« (Briefe III, 232). Eine weitere wichtige, jedoch ebenfalls fragwürdige, Rolle spielt bei den Jungschen Märchendeutungen die »Amplifikation«, das heißt: die vielfache Ausweitung einer einfachen Aussage durch vielfältiges Vergleichen. Zum Beispiel bereichert der Therapeut Traummotive, indem er ähnliches Material: Bilder, Symbole, Sagen, Mythen, Dichtungen usw. aus allen möglichen Religionen, Zeitaltern und Kulturkreisen, besonders aus Alchemie und Gnostik, in die Seelendeutung miteinbezieht und hierbei gleichzeitig umgekehrt Märchen- und Mythendeutung betreibt. Besonders letzteres unternehmen nun unkritische Verehrer von Jung nicht selten ohne Rücksicht auf die kulturell, historisch und geographisch ganz unterschiedliche Herkunft des Materials, das heißt ohne das notwendige umfangreiche kulturanthropologische Vorstudium für jeden einzelnen Fall. Eine weitere Klippe für begeisterte Märchendeuter ist die Jungsche Unterteilung nach einerseits personaler und transpersonaler, andererseits subjektstufiger[12] und objektstufiger Deutung. Träume kann man nach Erich Neumann, Jungs maßgeblichem Schüler, personal, Märchen und Mythen jedoch soll man immer transpersonal deuten. So deutet er, wenn er sich gerade mit der »Muttertötung« beschäftigt (Ursprungsgeschichte des Bewußtseins. Olten 1971, 215-220), den Drachen aus den Drachenkampfmärchen transpersonal auf der Subjektstufe als »die furchtbare Weiblichkeit«, auf der Objektstufe als »Erdmutter«, als ägyptische »Löwengöttin Sachmet« und so fort. Nur notfalls möchte er den Drachenkampf als meteorologisches (z. B.: H. Oldenberg: der Gewittergott tötet den Drachen, der den Regen bewacht und festhält) oder astrales (z. B.: E. Siecke: der Sonnenheld tötet den Monddrachen) Geschehen verstanden wissen. In der Abteilung »mit personalistischen Zügen« hingegen deutet Neumann den Drachen als Hexe oder Zauberer und in der »personalistischen« Abteilung als böse Mutter oder bösen Vater. Je mehr also ein Höhen- oder Tiefenpsychologe über Kulturgeschichte und Kulturgeographie gelesen hat, um so besser kann er durch »Amplifikation« jede erzählte oder geträumte Gestalt mit Ähnlichem aus allen möglichen Zeiten und Ländern gleichsetzen und dies oder das darin sehen, aber auch dessen Gegenteil! Apollon zum Beispiel kann für ihn als Tagessonne das Bewußtsein, als Winter- oder Nachtsonne das Unbewußte verkörpern. Wer den Märchenhelden aus Grimms »Goldenem Vogel« (KHM 57), ein andermal den Vogel selbst seinem Klienten als Apollon, Sonnengott, lichtvollste Lebenskraft, bewußtes Selbst, geflügelte Anima erklärt, der wird sich freilich schwertun, ihm auch Apollons zerstörerisches Todesdunkel als Nachtsonne auszulegen, wenn er nicht zusammen mit seinem Schützling den gesamten religiösen, sozialen, psychologischen und kulturhistorischen Hintergrund des Apollon-Mythos, auch des hyperboreischen, erörtert. Ohne jeden Zweifel haben die psychoanalytischen und tiefenpsychologischen Schulen mit dieser oder jener märchendeutenden Methode ihre therapeutischen Erfolge vorzuweisen. Heilerfolge allein aber berechtigen nicht zu der weitverbreiteten Gepflogenheit, auch außerhalb der Therapie ohne weiteres Märchen- und Mythenmotive aus psychopathologischen Motiven abzuleiten und das hypothetische »Unbewußte« (oder psychotisches Erleben) zur Märchen- und Mythenquelle zu erklären. Überhaupt verdunkeln die zahlreichen psychologischen »Märcheninterpretationen« aller Schattierungen, meine eigenen eingeschlossen, eher den Sinn der Volksmärchen, als daß sie ihn erhellen. Die vielen, sich oft auch widersprechenden, einschlägigen Neuerscheinungen im Buchhandel beleuchten eigentlich mehr das Seelenleben der jeweiligen Interpreten als das Volkserzählgut. Jedenfalls ist Jungs Behauptung, der Mythos sei eine Projektion des ererbten (!) und zugleich erfahrenen (!) kollektiven Unbewußten, und die andere Behauptung, der Mythos sei *nichts anderes als* eine Darstellung des »Individuationsprozesses«, das heißt der Eroberung des Unbewußten durch das Ich, wissenschaftlich nicht zu halten[13].

Glücklicherweise kann aber jeder Mensch schlicht und ohne Sonderstudium Volksmärchen begreifen und im Märchen wie im Mythos sich selbst und seinen Mitmenschen begegnen. Und der Psychiater entdeckt in ihnen bald einfache pathologische und therapeutische Verhaltensmuster. Vielleicht wird er in Prometheus den Menschen schlechthin erkennen: erfolgreich bis zum Größenwahn, gefesselt und gepeinigt bis zum Beeinträchtigungswahn. Der märchen- und mythoskundige Arzt kann den Kranken in dessen fremdartiger, psychotischer Welt schneller einholen, näher bei ihm bleiben und ihn weiter fortgeleiten. Und wer einmal mit eigenen Augen und Ohren erlebt hat, wie ein stuporöser Kranker, ein seelisch sozusagen Lebloser, sich unter dem Hören eines kurzen Märchens erhob und zu sprechen begann, der hält Volksmärchen für mehr wert als für ein bloßes Vergnügen. Der Arzt erkennt unter so absonderlichen Äußerungen wie: »habe vom Fleisch meines Vaters gegessen . . .«, »habe den Ozean leergetrunken . . .«, noch den wundersamen mythischen Seelengrund, der den in seiner Logik gestörten Kranken vor dem Versinken in völlige Dunkelheit bewahrt. Selbstverständlich kann bloßes Märchenerzählen keine Psychose heilen. Stark erregte und bewußtseinsgestörte Kranke können ja nicht einmal zuhören. Andere aber, besonders in der Genesungszeit, aus allen Krankheitsgruppen: Ratlose, Schwermütige, Enttäuschte, Fehlentwickelte und Unterbegabte empfinden Märchenstunden als Lebenshilfe. Nach meiner Erfahrung ist es im Märchen der Mythos mit seinem geschlossenen Weltbild (im Gegensatz zum offenen der Wissenschaft), der seelisches Leiden lindert, Mut macht und Freude bringt. Der Mythos geht über Teilmotive hinweg immer aufs Ganze; in der Therapie ist er ein Weg über die Psychoanalyse hinaus, hin zur Ganzheitserfahrung. Schon der antike Mythos vermied eine kleinliche Zeitgeistmoral und erzählte ganz offen auch von den Schwächen und Bosheiten des Menschen. Aber er riß die Hörer darüber hinweg mit der Rede von Helden und großen Taten, von Leben und Tod, von gewaltigen Gegnern, vom Kampf des Zeus gegen Prometheus, des Dionysos gegen Pentheus, des Agamemnon gegen Achill. Diese begeisternde und trotzdem wertfreie mythische Weltsicht schickt sich besonders für den Psychiater. Sein Augenmerk gilt dem Menschen und erst in zweiter Linie der Moral. Ihm ist es besonders zuwider, aus Volksmärchen immer nur Moralgeschichten zu machen.

Während unserer Märchenstunden im Krankenhaus bin ich daraufgekommen, daß man jedes Märchen auf verschiedene Weise erzählen kann. Als »Exempel« soll es geradeheraus ein klares Beispiel aus einer Reihe von Möglichkeiten sein. Als »Parabel« soll es eine Wahrheit gleichnishaft verdeutlichen, damit man sie mühelos verstehen kann. Für das »allegorische Erzählen« dagegen müssen alle in der Runde den vom Erzähler verwendeten Bildzeichen-Code kennen; sonst ist die Allegorie witzlos. Meint der Erzähler beispielsweise mit dem »göttlichen Märchenkind« eine Allegorie des Eros, des zweigeschlechtlichen Allbewegers, so verstehen die Hörer das göttliche Kind womöglich als Allegorie des Hermes (Bote, Musikant, Viehzüchter, Händler, Dieb oder Lügner). Oft hört man auch die Symbolsprache der Märchen preisen. Wer Märchen »symbolisch« erzählen will, der muß allerdings um die Unzulänglichkeit unserer Sprache wissen und fähig sein, eigentlich Unsagbares mit stellvertretend Gesagtem zum Gemeinten zusammenzufügen (griechisch: symbállein). Dabei wird leicht vergessen, daß Symbole unausschöpflich und grundsätzlich vieldeutig sind. Daher führen die beliebten Symbollexika, wenn man sie blindlings gebraucht, oft zu Fehldeutungen. Dem unvoreingenommenen Mitmenschen aber, der Märchen frei und geradeweg als »Metapher« versteht, drohen keine Mißverständnisse; denn unsere Sprache selbst besteht fast ganz aus jahrtausendelang vereinbarten Metaphern. (Was zum Beispiel mit dem Wort »blühende Gesundheit« gemeint ist, begreift doch jedermann unmittelbar richtig.)

Unbelastet durch Märchenwissenschaft habe ich seinerzeit mit dem Erzählen im Krankenhaus einfach angefangen und mich nicht lange mit Erzählforscherfragen aufgehalten: ob nun wirklich geschichtliche Personen oder Naturereignisse, innerseelische Konflikte oder gesellschaftliche Zwänge, wirtschaftliche oder politische Wünsche oder alle zusammen zum Märchenerfinden geführt haben? Auch heute noch möchte ich mich nicht darüber streiten, was in nebliger Vorzeit zuallererst kam: der Kult oder der Mythos, der Mythos oder das Märchen, der einzelne Märchendichter oder die »Volksseele«? Das im Vorspruch der Märchen beschworene »ehrwürdige Alter«, das deutsche »Es war einmal vor langer, langer Zeit . . .«, ist doch weder historisch gemeint, noch war es, wie auch schon benörgelt wurde, eine politische konservative Aktion der Romantiker, sondern ist ganz einfach mythischer Glaubensgrund: Es *war* nicht nur einmal, sondern *ist* auch heute noch und *wird* immer wieder sein! Das Wort Märchen stammt von Märe. Dieses (verwandt mit »mehr«, griechisch »-mōros«) ist entstanden aus althochdeutsch »mari«, was soviel wie »hohe Botschaft« bedeutet (Duden Bd. 7, 422), also über Raum und Zeit hinausweist. Ähnliches besagt das französische Wort Fee (lateinisch »fata«, von »fari«): das Zugeschickte, Herübergekommene. Das englische »fairy-tale« wiederum heißt gleichfalls Fahr- und Fährgeschichte. Das deutsche Wort »Sinn«, indogermanisch »sent« meint: Richtung, Reise, Weg. Das Wort »Abenteuer« (vulgärlateinisch »adventura«, »das Hergekommene«) meint dasselbe wie »Wagnis« (von wagen, bewegen von indogermanisch »uegh-«, das ist fahren, ziehen, germanisch »weg«. Duden Bd. 7, 8 und 750). So habe ich nicht zuletzt von der Sprachwissenschaft her guten Grund, die Volksmärchen Weggeschichten zu nennen, Wander-, Such- und Sinngeschichten, Abenteuergeschichten, Komm-mit-Geschichten, Seelenreisen, Schulungswege. Wenn auch eingangs oft vorerst kurzweilig-unverbindlich, offenbaren sie unter dem fortschreitenden Erzählen dann doch ihre ernst-verpflichtende Kraft und führen mit sanftem Nachdruck den Hörer zurück zur Einfachheit, Klarheit, Sicherheit und Frische des Urbeginns. Mit voller Absicht bringen sie ihn rückwärts, gleichsam bis in die Zeit, »als Gott noch auf Erden wandelte«, entlassen ihn jedoch mit der Schlußformel regelmäßig wieder in unsere Wirklichkeit. Dabei versichern sie ihn der Ernsthaftigkeit ihrer Botschaft: »Auch ich war dort und davon bin ich so weiß geworden« (russisch) und schicken ihn mit neuem Mut zurück an sein Tagewerk. Heilige Texte sind Volksmärchen nicht; sie sind jedoch mehr als bloße Alltagsnachrichten, Umweltfiktionen oder Zufluchtsidyllen. Menschen jeden Alters und jeden Bildungsgrades schätzen die anspruchslose Eigenart der von der Alltagssprache völlig abgehobenen mythischen Sprache und verstehen sie im Volksmärchen ohne Umschweife. Der Mythos ist für mich das Wort, das über das Mitgeteilte und über alles Bekannte hinausweist: »über das rote, weiße und schwarze Meer«. Ja der Mythos deutet noch weiter hinaus: über alles, was uns in dieser Welt jemals bekannt sein wird: bis »östlich von der Sonne und westlich vom Mond«! Der langen Rede kurzer Sinn: Mythos ist nicht lediglich eine Literaturgattung, etwa die Gattung »Götter- und Vorzeitheldengeschichte«, sondern ist schöpferische Sprache par excellence und bürgt für den Sinnzusammenhang der Welt, für die Einheit des Seins. Daß er damit in besonderer Weise Glaubenskraft, Hoffnung und Liebe erweckt, sei nebenher bemerkt.

Um dem Mythos im Märchen gerecht zu werden, verwende ich manchmal die Bezeichnung »mythisches Erzählen«. Damit meine ich das Erzählen, in dem das Wissen um Einheit, Ganzheit, Ordnung, Frieden und Sinn der Schöpfung mitschwingt. »Mythisches Erzählen« ist schlichtes, aber ganzheitliches Erzählen ohne analytische Grübeleien, ohne Deuterkunststücke. »Mythisches Erzählen« wird dann ganz von allein wie bei den Naturvölkern auch in unserer Märchenstunde zum dreifältigen Erzählen. Erstens: es erklärt die Herkunft der Welt; zweitens: es beglaubigt die Welt und gewährleistet ihr Dasein; drittens: es erschafft die Welt im Augenblick des Erzählens neu und beschwört ihre Zukunft! Die zauberische Magie des schlichten, nicht theatralischen, Erzählens macht den immerwährenden Reiz der Volksmärchen aus. Unter dem »mythischen Erzählen« erweisen sich Märchenhelden als stille Heilbringer und Tatenverrichter. In gleichem Maße wie der Held in der erzählten Geschichte Katastrophen bewältigt, befreit der Erzähler seine Zuhörer von Spannung und Angst. Solches Erzählen wird auch wiederholt niemals langweilig und kann im Laufe der Zeit dem Verlust von Sinn und Glauben, heutzutage oft verdrängt unter der Maske kollektiver Ängste, entgegensteuern. Der Titel eines Volksmärchens (MdW: Ukrainische Märchen, 228) verspricht geradezu buchstäblich: »Wie man sich mit dem Erzählen retten kann« (wenn man an einem unheimlichen Ort übernachtet). Ethnologen berichten, wie Naturvölker zu Heilzwecken, zur Geburtserleichterung, zur Schadensabwehr mythische Geschichten erzählen. Den Psychiater verwundert das nicht, ihm ist die Magie des gesprochenen Wortes ohnehin bekannt und geläufig. Er sieht hinter den scherzhaften Märchen-Schlußformeln den tiefen Ernst: »Sie lebten gut, aber wir leben noch besser« (griechisch), oder: »Sie aßen und tranken und erreichten ihren Wunsch« (türkisch), oder: »So leben sie auch heute noch und sind reich und glücklich« (sibirisch). Er, der Psychiater, benutzt gern solche liebevoll in die Zukunft wirkenden Worte. »Warum wird eine Geschichte«, so fragt Röhrich auf Seite 34 dieses Buches, »überhaupt über Jahrhunderte hinweg erzählt?« Ich halte dafür: deswegen, weil der Mythos, die in der Geschichte überlieferte Wortmagie, des Menschen Freund und Helfer ist.

Nun möchte ich zusammenfassen, was mir auf meinem Weg durch die Bereiche von Märchen, Mythos und Wahngebilden klar wurde. Wenn ich von den Psychosen aus auf den antiken Mythos und auf unsere Märchen hinüberblicke, dann sehe ich da wie dort ähnliche Erzählgeschichten mit den gleichen psychologischen Zielen und Wirkungen; beide Erzählarten sind Mittel zur Angstbewältigung (im Sinne von Wundt[14]), beide ermöglichen imaginäre Wuncherfüllungen (im Sinne von Freud[15]), beide sind unter anderem auch Identifikationsmuster zur Individuation (im Sinne von Jung[16]). Aber nach meiner eigenen Erfahrung befriedigen sie vor allem den stärksten Drang des Menschen, seinen Willen zum Sinn; und beide Erzählarten zeigen den Menschen als einen Erlösungsbedürftigen. Neben den eben genannten Gemeinsamkeiten weisen Märchen und Mythos allerdings auch eigentümliche Unterschiede auf. Der Reifegrad der ihnen zugrundeliegenden Weltsicht ist jeweils ein anderer; die künstlerische Ausformung ist recht verschieden; und überhaupt unterscheiden sie sich sehr in ihrer Verstehbarkeit: den antiken Mythos (wie die Stimmen der Psychose) können wir ohne zusätzliche Fachkenntnisse nur ungenügend begreifen. Im psychiatrischen vergleichenden Überblick aber erkennen wir Sinn und Gehalt des antiken Mythos in unseren Volkserzählungen wieder, freilich verfeinert, veredelt und menschennäher: warmherzig-werbend im Märchen, düster-drohend in der Sage, lichtvoll beseligend in der Legende. Manche Erzählforscher unterscheiden streng die Gattung Märchen von der Gattung Mythos, müssen aber alleweil von »märchenhaften Motiven im Mythos« und »mythischen Motiven im Märchen« sprechen. Für mich sind Märchen und Mythos gar nicht zu trennen. Märchen ist für mich die mündliche Erzählgeschichte, Mythos der Geist, der sie lebendig macht. Für mich sind unsere Volksmärchen nicht »verspielte Töchter des Mythos«, sondern seine zeitgemäßen Schwestern. Auch sind Volksmärchen für mich nicht *abgesunkene* Mythen«; denn auf gleicher Höhe stehend wie alle mythischen Geschichten stammen sie aus demselben gemeinsamen (europäischen) Kulturgrund, aus dem seinerzeit der antike Mythos hervorging. Ferner meine ich, daß nicht so sehr eine profane oder sakrale Absicht, als vielmehr der Stil des Erzählens das Märchen vom Mythos unterscheidet. Wenn man genau hinhört, dann verändert der Märchenerzähler, wenn er ein oder das andere Mal eine Geschichte vom Mythographen übernimmt, der sich stets wandelnden Welt entsprechend, gar nicht ihren Wesensinhalt, ihre profane *und* sakrale »Botschaft«, sondern versteht es, ihre überzeitliche Aussage im Hier und Jetzt nur freier zu entfalten, genauer durchzugliedern und treffender auszurichten. Deshalb unterscheide ich für meine Zwecke den *antiken* Mythos von *unseren* Märchen rundweg so: mit Volksmärchen spricht der begabte und geübte Erzähler die Menschen von heute ohne weiteres an. Den antiken Mythos dagegen kann er nicht unmittelbar fürs Erzählen verwenden; ohne umfassende Kenntnis der Antike verstehen ihn die Zuhörer nicht. So wie der Mythos von der Antike her über die Zeiten hin neue, erweiterte und besser gegliederte Weltanschauungen aufgenommen und sich in verschiedene Erzählformen (Märchen, Sage, Legende) mit jeweils eigenen Aufgaben auseinandergefaltet hat, so werden sich unsere Märchen mündlich wie schriftlich weiter fortspinnen und den Kommenden zum Guten gereichen. Als mündliche, stets frische Erzählgeschichten sind sie wie geschaffen dafür, Erkenntnisse und Gesinnungen auch der zeitgenössischen Wissenschaft und Kunst in ein immer aktuelles, sinnvoll geschlossenes, hilfreiches Weltbild zusammenzufassen.

Das Staunen ist der Anfang aller Erkenntnis. Wer Wundergeschichten immer gleich deutet, verstellt sich mitunter selbst den Zugang zu ihrem Sinn und Wesen. Er erklärt die Begleiterscheinungen, während ihm die Hauptsache vielleicht entgeht, wie das ein chinesisches Sprichwort bespöttelt: »Wenn der Weise mit dem Finger auf den Mond zeigt, blickt der Dumme auf den Finger.« Unsere Zaubermärchen zeigen, neben anderen Funktionen, über die Welt hinaus. Blicken wir doch ab und zu auch einmal dorthin! Dann werden uns Volksmärchen wahrhaftig zu Weggeschichten, Abenteuergeschichten, Komm-mit-Geschichten. Odysseus ist trotz seiner menschlichen Unvollkommenheit nach langer Irrfahrt »durch das Labyrinth der Welt« (Plotin) nach Hause gekommen. Von den Helden vor Troja war er neben Menelaos und dem greisen Nestor einer der drei wenigen, die durchkamen, denen die Heimkehr wirklich gelang. Wir aber sollten daran denken: während wir noch von der Ausfahrt eines Märchenhelden erzählen, hat unsere eigene Rückreise schon begonnen; denn auch wir sind Odysseus.

ANMERKUNGEN

Lutz Röhrich: Märchen – Mythos – Sage

1 Bronislaw Malinowski: The Myth in Primitive Psychology. New York 1926. Mircea Eliade: Myth and Reality. London 1963. Thomas Sebeok (Hrsg.): Myth. A Symposium. Bloomington 1968. Carl-Martin Edsman: Myt, Saga, Legend. Stockholm 1968. Jean Guiart: Multiple Levels of Meaning in Myth. In Pierre Maranda (Hrsg.): Mythology. Middlesex 1972, 111–126. Franz Vonessen: Mythos und Wahrheit. Einsiedeln 1964. Leszek Kolakowski: Die Gegenwärtigkeit des Mythos. München 1973. Karl Kerényi: Die Mythologie der Griechen. Zürich 1968. Walter Burkert: Structure and History in Greek Mythology and Ritual. Berkeley 1979.

2 Ulrich Funke: Enthalten die deutschen Märchen Reste der Germanischen Götterlehre? Diss. Bonn 1932.

3 RGG (Religion in Geschichte und Gegenwart) IV. 1269. Emma Brunner-Traut: Gelebte Mythen. Darmstadt 1981, 2.

4 Lutz Röhrich: Der Tod in Sage und Märchen. In Gunther Stephenson (Hrsg.): Leben und Tod in den Religionen. Darmstadt 1980, 165–183.

5 Ders.: Erotik – Sexualität. In EM IV. 234–278.

6 Ders.: Anthropogonie. In EM I. 579–586.

7 Friedrich Panzer: Beitrag zur deutschen Mythologie, 2 Bde. München 1848. Johann Wilhelm Wolf: Beiträge zur deutschen Mythologie, 2 Bde. Göttingen und Leipzig 1852 und 1857. August Witzschel: Kleine Beiträge zur deutschen Mythologie. Wien 1866. Arnold Büchli: Mythologische Landeskunde von Graubünden, 2 Bde. Aarau 1958 und 1966.

8 Lauri Simonsuuri: Typen- und Motivverzeichnis der finnischen mythischen Sagen (FFC 182). Helsinki 1961.

9 André Jolles: Einfache Formen. Halle 1956, 89.

10 Roland Barthes: Mythen des Alltags. Frankfurt am Main 1976.

11 Lutz Röhrich: Metamorphosen des Märchens von heute. In Klaus Doderer (Hrsg.): Über Märchen für Kinder von heute. Weinheim 1983, 97–115.

12 BP IV. 112. Kurt Ranke: Schleswig-Holsteinische Volksmärchen II. Kiel 1958, 326.

13 Wolfgang Fauth: Argonauten. In EM I. 767–773.

14 Jan de Vries: Betrachtungen zum Märchen, besonders in seinem Verhältnis zu Heldensage und Mythos (FFC 150). Helsinki 1954, 97.

15 Lutz Röhrich: Drache. In EM III. 787–820.

16 G. Gerhard: Der Tod des großen Pan. Heidelberg 1915. Archer Taylor: Northern Parallels to the Death of Pan. In: Washington Studies 10 (1922), 3–102. Inger Boberg: Sagnet om den Store Pans Død. Kopenhagen 1934. Patricia Merivale: Pan the Goat-God. Cambridge 1969.

17 Leopold Schmidt: Pelops und die Haselhexe. In: Die Volkserzählung. Berlin 1963, 145–155.

18 Karl Reiser: Sagen, Gebräuche und Sprichwörter des Allgäus, I. Kempten 1894, 340. Max Lüthi: Wahnbild und Leitbild in der Volkssage. In: Volksliteratur und Hochliteratur. Bern 1970, 38–47.

19 Wendelin Marwede: Die Zwergsagen in Deutschland. Würzburg o. J., 75–77.

20 Günther Schmitt: Das Menschenopfer in der Spätüberlieferung der deutschen Volksdichtung. Diss. Mainz 1959. Lutz Röhrich: Die Volksballade von »Herrn Peters Seefahrt« und die Menschenopfer-Sagen. In: Hugo Kuhn und Kurt Schier (Hrsg.): Märchen, Mythos, Dichtung. München 1963, 177–212.

21 Liebgard Gierth: Griechische Gründungsgeschichte als Zeugnis historischen Denkens vor dem Einsetzen der Geschichtsschreibung. Diss. Freiburg 1970.

22 Lutz Röhrich: Erlösung. In: EM IV. 195–222.

23 Ders.: Erotik – Sexualität. In: EM IV. 234–278.

24 Albert Wesselski: Versuch einer Theorie des Märchens. Reichenberg 1931 (Nachdruck).

25 Dietz-Rüdiger Moser: Altersbestimmung des Märchens. In: EM I. 407–419.

26 Denys Page: Folktales in Homer's Odyssey. Cambridge 1973. Dietz-Rüdiger Moser: Die Homerische Frage und das Problem der mündlichen Überlieferung aus volkskundlicher Sicht. In: Fabula 20 (1979), 116–136.

27 Hermann Bausinger und Kurt Ranke: Archaische Züge im Märchen. In: EM I. 733–743.

28 Emma Brunner-Traut: Aegypten. In: EM I. 175–214.

29 Jan-Öjvind Swahn: The Tale of Cupid and Psyche. Lund 1955. Gerhard Binder und Reinhold Merkelbach (Hrsg.): Amor und Psyche. Darmstadt 1968. Georgios Megas: Das Märchen von Amor und Psyche in der griechischen Volksüberlieferung. Athen 1971. Detlev Fehling: Amor und Psyche. Wiesbaden 1977. Fritz Hoevels: Märchen und Magie in den Metamorphosen des Apuleius. Amsterdam 1979.

30 Karl Meuli: Odyssee und Argonautika. In: Gesammelte Schriften II. Basel 1975.

31 Lutz Röhrich: Die mittelalterlichen Redaktionen des Polyphem-Märchens. In: Sage und Märchen. Freiburg 1976, 234–252.

32 Rolf W. Brednich: Volkserzählungen und Volksglaube von den Schicksalsfrauen (FFC 193). Helsinki 1964. Helmer Ringgren (Hrsg.): Fatalistic Beliefs in Religion, Folklore and Literature. Stockholm 1967. Georgios Megas: Die Moiren als funktioneller Faktor im neugriechischen Märchen. In: Hugo Kuhn und Kurt Schier (Hrsg.): Märchen, Mythos, Dichtung. München 1963, 47–62.

33 Georgios Megas: Griechische Volksmärchen. Düsseldorf 1965, 299.

34 Dêmétrios Loukatos: Les Néréides. In: Croyances, Récits et Pratiques de Tradition. Grenoble 1982, 293–299.

35 MdW.: Französische Volksmärchen II. Jena 1923, 289–295. Heinz Demisch: Die Sphinx. Stuttgart 1977. Lowell Edmunds: The Sphinx in the Oedipus Legend. Beitr. z. Klass. Philologie 127. Königstein 1981.

36 Lutz Röhrich: Dämon. In: EM III. 223–237. Christoph Daxelmüller: Dämonologie. In: EM III. 237–259.

37 Hugo Moser: Mythos und Epos. Bonn 1965, 20. Claude Lecouteux: Les monstres dans la litterature allemande du moyen age, 3 Bde. Göppingen 1982.

188

38 Maja Bošković-Stulli: Narodna Predaja o Vladarevoj Tajni. Zagreb 1967.
39 Lutz Röhrich: Sonnenfolklore. In: Joseph Jobé (Hrsg.): Die Sonne. Freiburg 1975, 89–150.
40 Lutz Röhrich und Rolf W. Brednich (Hrsg.): Deutsche Volkslieder, I. Düsseldorf 1965, 89–98. Elisabeth Orling: Die Behandlung des Pyramus- und Thisbe-Stoffes in der deutschen Literatur und Volksdichtung. Mag.Arbeit Mainz – Middlebury 1966.
41 Gertraud Meinel u. Jos. R. Klima: Blumenmädchen. In: EM II. 495–506.
42 BP II. 210. Lutz Röhrich: Erzählungen des späten Mittelalters, I. Bern 1962, 62–79 und 253–258.
43 Manfred Beller: Philemon und Baucis in der europäischen Literatur. Heidelberg 1967, 47.
44 Otto Knoop: Sagen und Erzählungen aus der Provinz Posen. Posen 1893.
45 Johannes Künzig: Schwarzwaldsagen. Jena 1930, 105.
46 Jacob Grimm: Deutsche Mythologie, II. Nachdruck Tübingen 1953, 767–770.
47 Ida Naumann: Zum Schutzgeisterglauben. In: Hans Naumann: Primitive Gemeinschaftskultur. Jena 1921, 98–116. Helga Meyer: Hackelberg. Diss. Göttingen 1954, 1.
48 Diodorus Siculus. Bibl. hist. IV. 22, 3–5.
49 William Rouse: Greek votive offerings. London 1902. Karl Meuli: Griechische Opferbräuche. In: Phyllobolia. Basel 1946, 263.
50 Leopold Schmidt: Pygmalion in den Alpen. In: Antaios 11 (1969), 209–225.
51 Anton von Zingerle: Über Berührungen tirolischer Sagen mit antiken. In: Tirolensia. Innsbruck 1894.
52 Gotthilf Isler: Die Sennenpuppe. Basel 1971.
53 Lutz Röhrich: Le monde surnaturel dans les légendes alpines. In: Croyances, Récits et Pratiques de Tradition. Grenoble 1982, 25–41.
54 RGG II. 498.
55 Lutz Röhrich: Volksdichtung als anthropologisches Modell. Freiburg 1972.

Anna Birgitta Rooth: Mythenmotive in Märchen

1 Anna Birgitta Rooth: The Cinderella Cycle. Lund 1951.
2 Rooth: Loki in Scandinavian Mythologi. Lund 1961.
3 wie 2, 18.
4 wie 2, 35.
5 wie 2, 106.
6 wie 2, 142. Rooth: Chibiabos, Väinömäinen and Orpheus. New York 1960.
7 In den spätmittelalterlichen Dichtungen wird Loki Locke oder Lokke genannt. Das heißt auf Deutsch Spinne. Celander hat die Spinne, Loki, für einen Zwerg der Unterwelt gehalten. Ich betrachte Loki nur als Spinne und Erfinder des Netzes. Das Netz ist eine kulturelle Erfindung des Heilbringers und war besonders wichtig in frühen Jagd- und Fischfangkulturen.
8 Rooth: The Raven and the Carcass. FFC 186. Helsinki 1962.
9 Rooth: The Creation Myths of the North American Indians. Fribourg 1957.

10 Rooth: Myth, Aetia, or Animal Tales? Uppsala 1975. Rooth: The Alaska Expédition 1966. Lund 1971. Rooth: Pattern Recognition, Data Reduction, Catchwords and Semantic Problems. Uppsala 1978.
11 Rooth: The Importance of Storytelling. Uppsala 1976.
12 Rooth: On the Difficulty of Transcribing Synchronic Perception into Chronological Verbalization. Uppsala 1978.
13 Rooth: The Alaska Seminar. Uppsala 1980. 21.
14 wie 11: 25, 29, 85.
15 Rooth: Folklig diktning. Stockholm 1965. 139.
16 Rooth: Vom Lügenmärchen bis zur Paradiesschilderung. Uppsala 1983, 52.

Sebastiano Lo Nigro: Von den Mythen zu den Märchen

1 Jan de Vries: Betrachtungen zum Märchen besonders in seinem Verhältnis zu Heldensage und Mythos. Helsinki 1954 (FFC 150). Vladimir Propp: Le radici storiche dei racconti di fate. Torino 1949. Cap. I, X.
2 Stith Thompson: The Folktale. New York 1951, 368–370.
3 Claude Lévi-Strauss: La Structure et la Forme. Cahiers de l'Institut de Science Economique Appliquée. Mars 1960. Vladimir Propp: Struttura e storia nello studio della favola. Torino 1966.
4 Geoffrey Kirk: Myth. Its Meaning and Functions in Ancient and.other Cultures. Berkeley 1973. Ders.: The nature of Greek Myths. Penguin Books 1974. Jean-Pierre Vernant: Mythe et société en Grèce ancienne. Paris 1974. Eleasar Meletinskij: La struttura della fiaba. Palermo 1977.
5 Geoffrey Kirk: La natura dei miti greci. Bari 1980. Cap. V.
6 Eric Dodds: I Greci e l'irrazionale. Firenze 1959, 211.
7 Franz Boas: Race, Language and Culture. New York 1966, 405. Bronislaw Malinowski: Myth in Primitive Psychology. London 1926.
8 Richard Dawkins (Hrsg.): Forty-five Stories from the Dodekanese. Cambridge 1950. Ders. (Hrsg.): Modern greek folktales. Oxford 1953.

Stephanos Imellos: Aus dem Kreis der Polyphemsage

1 Das Motiv in anderen Volkssagen: z. B. Νικόλαος Πολίτης: Παραδόσεις, Nr. 134.
2 Lutz Röhrich: Die mittelalterlichen Redaktionen des Polyphem-Märchens. In Fabula 5. Berlin 1962. 48–71. Γεώργιος Σπυριδάκης: Ὁ μῦθος τοῦ Πολυφήμου εἰς δημώδεις παραδόσεις περὶ τῶν Τριαμάτηδων, Κρητικὰ Χρονικὰ 15–16, III (1963), 106.
3 Νικόλαος Πολίτης: Παραδόσεις, Nr. 134 und Nr. 624, Bd. II. 752–754, 1338–1342.
4 Στέφανος Ἤμελλος: Παρατηρήσεις ἐξ ἐπιτοπίου ἐρεύνης εἰς τὸν λαϊκὸν πολιτισμὸν τῶν νοτίων Κυκλάδων. Athen 1974, 40–41.
5 Ἰωάννης Κακριδῆς: Οἱ ἀρχαῖοι Ἕλληνες στὴ νεοελληνικὴ λαϊκὴ παράδοση. Athen 1978. 83, 88–89.
Ders.: Die alten Hellenen im neugriechischen Volksglauben. München 1967, 76.

6 Νικόλαος Πολίτης: Παραδόσεις, Nr. 134.
7 In mittelalterlichen wie auch neuzeitlichen westeuropäischen Varianten kommen die Riesen mit zwei Augen vor. Schon in der um 1185 erfolgten lateinischen Polyphem-Redaktion des lothringischen Mönches De Alta Silvas wird der *zweiäugige* Riese durch Verbrühen der Augen geblendet und nicht – wie bei Homer – mit einem zugespitzten Pfahl; ähnliches gilt für die neuzeitlichen westeuropäischen Varianten (in den nordischen Fassungen meistens durch flüssiges Zinn, so auch in Lappland, vgl. »Die steinerne Herde«, Kassel 1975, Nr. 4). Zweiäugigkeit gilt aber auch für einen Teil der antiken Überlieferung, wie sie die frühe Vasenmalerei bezeugt.

Walter Puchner: Ödipusüberlieferung und Schicksalsmärchen
1 Carl Robert: Oidipus. 2 Bde. Berlin 1915. Ludwig Deubner: Ödipusprobleme. Berlin 1942. Franz Dirlmeier: Der Mythos vom König Ödipus. Mainz 1948. Bernhard Knox: Oedipus at Thebes. New Haven 1957. Eric Dodds: On misunderstanding the Oedipus Rex. Oxford 1973, 64. L. Dahly: Oidipus. In: Paulys Real-Encyclopädie der Classischen Altertumswissenschaften Bd. 34 (1937) Sp. 2103–2117 und Suppl. VII (1940) Sp. 769–786. M. Mito: II mito di Edipo. Siracusa 1927. Martin Nilsson: Der Oedipusmythos. Lund 1951.
2 W. Pabst: Die Selbstbestrafung auf dem Stein. Hamburg 1955, 33–49. A. van der Lee: De mirabili despensatione et ortu beate Gregorii Papae. Neophilologus 53 (1969), 30–45, 120–173, 251–256. G. Schieb: Schuld und Sühne in Hartmanns Gregorius. Beiträge zur Geschichte der deutschen Sprache und Literatur 72 (1950), 51. H. Nabel: Schuld und Sühne in Hartmanns Gregorius. Zschr. f. deutsche Philologie 76 (1957), 42. Friedrich Ohly: Der Verfluchte und der Erwählte. Opladen 1976, 43.
3 E. Dorn: Der sündige Heilige in der Legende des Mittelalters. München 1967.
4 wie in 2.
5 Paul Schreiner: Ödipusstoff und Ödipusmotive in der deutschen Literatur. Diss. Wien 1964, 75 ff.
6 Die Legenda aurea des Jacobus de Voragine aus dem Lateinischen übersetzt von Richard Benz. Heidelberg 1975.
7 Peter Dinzelbacher: Judastraditionen. Wien 1977, 12 ff., 41 ff.
8 E. Rand: Medieval Lives of Judas Ischarioth. Boston 1913, Anniversary Papers by Colleages and Pupils of G. L. Kittredge, 305–316. Paul Lehmann: Judas Ischarioth in der lateinischen Legendenüberlieferung des Mittelalters. Studi medievali II (1929), 289–346.
9 Heinrich Günter: Die christliche Legende des Abendlandes. Heidelberg 1910.
10 H. Günter: Psychologie der Legende. Freiburg 1949, 51.
11 Rolf-Wilhelm Brednich: Volkserzählungen und Volksglaube von den Schicksalsfrauen (FFC 193). Helsinki 1964, 47.
12 Otto Rank: Das Inzestmotiv in Dichtung und Sage. Leipzig 1912. Ders.: Der Mythos von der Geburt des Helden. Leipzig 1922.
13 wie 5, 42.

14 William Reginald Halliday: Greek and Roman Folklore. New York 1927. Ders.: Indo-European Folk-Tales and Greek Legend. Cambridge 1933.
15 A. Thomson: The Art of the Logos. London 1935.
16 Martin Nilsson: Greek Folk Religion. New York 1961.
17 R. Carpenter: Folk Tale, Fiction and Saga in the Homeric Epics. Berkeley 1946.
18 J. Fontenrose: Python. Berkeley 1959.
19 O. Page: Folktale in Homer's Odyssee. Cambridge 1973.
20 O. Gruppe: Griechische Mythologie und Religionsgeschichte. München 1906, 504.
21 Carl Robert: wie in 1: Bd. I. 64. Ders.: Griechische Heldensage. III. Berlin 1921, 877 ff.
22 Georgios Megas: Ὁ Ἰούδας εἰς τὰς παραδόσεις τοῦ λαοῦ. Laografia XXV (1967), 116–144. Ders.: Ὁ περὶ Οἰδίποδος μῦϑος. Laografia XXV (1967), 145–157.
23 I. Velikovsky: Oedipus und Echnaton. Zürich 1966. Franz Dirlmeier: Der Mythos von König Ödipus. Mainz / Berlin 1964.
24 A. Krappe: La légende d'Oedipe. Neuphilologische Mitteilungen 34 (Helsinki 1933), 11–22.
25 Karl Horálek: Fabula 8 (1966), 121–126.
26 Gerhard Binder: Fabula 16 (1975), 169–173.
27 Detlev Fehling: Erysichthon oder das Märchen von der mündlichen Überlieferung. Rheinisches Museum für Philologie 1972, 173–196.
28 Georgios Megas (Hrsg.): Folktale of Greece. Chicago 1970. Foreword by Richard Dorson.
29 Hermann Bausinger / Wolfgang Brückner (Hrsg.): Kontinuität? Geschichtlichkeit und Dauer als volkskundliches Problem. Berlin 1969. Hans Trümpy (Hrsg.): Kontinuität und Diskontinuität. Darmstadt 1973.
30 Walter Puchner: Brauchtumserscheinungen im griechischen Jahreslauf. Wien 1977, 295.
31 J. Goody (Hrsg.): Literacy in Traditional Societies. Cambridge 1968. M. Nagler: Spontaneity and Tradition. Berkeley 1974. F. Finnegan: Oral poetry. Cambridge 1977. J. Vansina: Oral tradition. Harmondsworth 1973. E. Haymes: A Bibliography of Studies Relating to Parry's and Lord's Oral Theory. Cambridge 1973. Ders.: Das mündliche Epos. Stuttgart 1977.
32 Ludwig Constans: La légende d'Oedipe. Paris 1881, 99.
33 wiederveröffentlicht in Johann von Hahn: Griechische und albanische Märchen II. München 1918, 239.
34 Johann von Hahn: Albanesische Studien. I–III. Jena 1854. H. 1, 167. Ders.: wie 33, 98.
35 Bernhard Schmidt: Griechische Märchen. Leipzig 1877, 143.
36 Nikolaos Politis: Παρατηρήσεις εἰς τὰ ἀλβανικὰ παραμύϑια. Laografia I (1909), 107–119. Konstantinos Sotiriu: Ἀλβανικὰ ᾄσματα καὶ παραμύϑια. Laografia I (1909), 82–106.
37 Georgios Megas: Das Märchen von Amor und Psyche in der griechischen Volksüberlieferung. Athen 1971, 206.

38 Georgios Megas: wie 22: Judas, 116. Die kretische Variante deutsch bei Marianne Klaar: Christos und das verschenkte Brot. Kassel 1963, 85–88.
39 Archer Taylor: The Predestinated Wife. In: Fabula 2 (1959), 45–82.
40 Stith Thompson / Warren E. Roberts: Types of Indic Oral Tales. FFC 180. Helsinki 1960. Nr. 931.
41 Hiroko Ikeda: A Type and Motif Index of Japanese Folk-Literature (FFC 209). Helsinki 1971. Nr. 931.
42 Stith Thompson: European Tales among the North American Indians. Colorado Springs 1919.
43 S. Al Azharia Jahn: Themen aus der griechischen Mythologie und der orientalischen Literatur in volkstümlicher Neugestaltung im nördlichen und zentralen Sudan. In: Fabula 16 (1975), 61–90.
44 G. Grunebaum: Greek Form Elements in the Arabian Nights. Journal of the American Oriental Society 62 (1942), 277–292. Auch bei Jahn: wie 43, 65. Victor Chauvin: Bibliographie des ouvrages arabes. 12 Bde. Liège 1892–1922. Bd. 6, 36.
45 Micha Josef bin Gorion: Der Born Judas. 6 Bde. Leipzig 1918. Bd. I, 165, 372.
46 Georgios Megas: Die Moiren als funktioneller Faktor im neugriechischen Märchen. In: Hugo Kuhn und Kurt Schier (Hrsg.): Märchen, Mythos, Dichtung. München 1963, 47–62. Auch Laografia XXV (1967), 316–322.
47 E. Klivinyi: Der heilige Georg, Graz 1959. Georgios Spyridakis: Saint-George dans la vie populaire. L'Hellénisme Contemporain 6 (1952), 126–145.
48 Marianne Klaar: Die Tochter des Zitronenbaums. Kassel 1970. Nr. 25.
49 Felix Karlinger: Rumänische Märchen außerhalb Rumäniens. Kassel 1982. Nr. 13.

Konstantinos Tsangalas: Das Orpheus- und Arionmotiv

1 Mikhail Rabinowitsch: Der Delphin in Sage und Mythos der Griechen. Dornach–Basel 1947.
2 Albin Lesky: Thalatta. Der Weg der Griechen zum Meer. Wien 1947, 105.
3 Βιτζέντζου Κορνάρου: Ὁ Ἐρωτόκριτος. "Εκδ. »Γαλαξίας«. Ἀθήνα 1968, 11.
4 Nicolai Cartojan: Poema cretană Erotocrit în Literatura Românéscă si izvorul ei necunoscut. In: Anal. Acad. Rom. Mem. sec. Liter. Ser. III. VII. m. 4, Bucur. 1935. Emmanuel Kriaras: Μελετήματα περί τάς πηγάς τοῦ Ἐρωτοκρίτου (Forschungen über die Quellen von Erotokritos). In der Serie: Texte und Forschungen zur byzantinisch-neugriechischen Philologie, Nr. 27. Athen 1938, 27. Γιάννη Μαυρομάτη: Τό πρότυπο τοῦ »Ἐρωτοκρίτου«. Diss. Ἰωάννινα 1982, 1.
5 Nikólaos G. Polítis: Ἐρωτόκριτος (Erotokritos). In: Laographia, I. 1909, 60.
6 Dimitrios Oikonomides: Αἱ πηγαί τοῦ »Ἐρωτοκρίτου« καί ὁ νέος »Ἐρωτόκριτος« (Die Quellen von »Erotokritos« und der »Neue Erotokritos«). In der Zeitschrift: Ἑλληνική Δημιουργία, Bd. 104, 677. – D. Hesseling: Erotokritos and Aretousa. Haarlem 1911, 104. – H. Pernot: Etudes de Littérature grecque moderne. Paris 1918, 66–77.

7 Auch ich habe 1973 ein anderes Volksmärchen im Dorf Palamas Karditsa mit dem Titel »Belmém« oder »σταχτιάρης« oder »σταγτομπούτης« (Der Aschenfüßige) aufgezeichnet, in dem mehrere Elemente und Episoden des Erotokritosgedichtes zu finden sind.

8 Georgios Megas: Märchensammlung und Märchenforschung in Griechenland seit dem Jahre 1864. Deutsches Jahrbuch für Volkskunde, Bd. 8, Teil 1. 155.

9 Leopold Schmidt: Die Volkserzählung. Berlin 1963, 48–49.

10 Stith Thompson: Motiv-Index of Folk-Literature, II. Indiana 1956. 151, 231, 232. Georg Malalasekera: Dictionary of Pali Proper Names, I. London 1937. 192, 1055.

11 wie 10, I. Indiana 1955. 449, 452.

12 wie 10, II. 226; AT 592.

Detlev Fehling: Die alten Literaturen als Quellen

1 Max Lüthi: Märchen. Stuttgart 1979, 83.

2 Kurt Rankes Aufsatz: Orale und literale Kontinuität (in: Hermann Bausinger und Wolfgang Brückner (Hrsg.): Kontinuität? Berlin 1969, 102–116, ist fast der einzige seriöse Versuch, den ich kenne, und wohl dennoch widerlegbar. Heinz Rölleke (mündlich) meint, daß die gelegentlichen Erwähnungen von Märchentiteln in der frühen Neuzeit zuweilen die Existenz eines Stoffes wenigstens kurz vor der ersten gedruckten Fassung garantieren. Keins der mir bekannten Beispiele ist wirklich beweisend.

3 Detlev Fehling: Amor und Psyche. Wiesbaden 1977.

4 Wolf Aly: Volksmärchen, Sage und Novelle bei Herodot und seinen Zeitgenossen. Göttingen 1921. Der Verfasser deutet die Parallelen jedoch im Sinne der romantischen Theorie.

5 Den rein literarischen Weg von Basiles Petrosinella bis zum Grimmschen Rapunzel hat Max Lüthi: In Fabula 3. Berlin 1960, 95, aufgewiesen.

Jan-Öjvind Swahn: Psychemythos

1 Johann von Hahn: Griechische und albanesische Märchen, 1–2. Leipzig 1864.

2 Max Müller: Chips from a German Workshop, 1–4. London 1867–1875.

3 Bengt Holbek: Axel Olrik. In: Arv 25/27 (1969/71), 259.

4 Axel Olrik: Ragnarök. Die Sagen vom Weltuntergang. Berlin/Leipzig 1922.

5 Carl von Sydow: Jätten Hymes bägare. In: Folkminnen och folktankar 1 (1914).

6 Ders.: Sigurds strid med Fåvne. In: Lunds universitets årsskrift, Ny följd, Avdelning 1, Band 14, Nummer 16. Lund 1918.

7 Ders.: Beowulf och Bjarke. In: Studier in nordisk filologi 14 (1923).

8 Ders.: Brynhildsepisoden i tysk tradition. In: Arkiv för nordisk filologi 44 (1928), 183.

9 Ders.: Den fornegyptiska sagan om de två bröderna. In: Vetenskapssocietetens i Lund årsbok 1930.

10 Bo Almqvist: Den fulaste foten. Folkligt och litterärt i en Snorrianekdot
   In: Scripta islandica 17 (1966).
11 Jan-Öjvind Swahn: The Tale of Cupid and Psyche. Lund 1955.
12 Carl von Sydow: Selected Papers on Folklore. Copenhagen 1948, 44.
13 Linda Dégh: Some Questions of the Social Function of Storytelling. In:
   Acta ethnographica 6 (1958).
14 In-Hak Choi: A type Index of Korean Folktales. Seoul 1979, 57.
15 Hiroko Ikeda: A Type and Motif Index of Japanese Folk-Literature (FFC
   209). Helsinki 1971, 110.
16 Kristina Lindell / Jan-Öjvind Swahn / Damrong Tayanin: A Kammu
   Story-Listener's Tales. London/Copenhagen 1977, 9.
17 Albert Wesselski: Versuch einer Theorie des Märchens. Hildesheim 1974
   (Fotomechanischer Nachdruck von Reichenberg 1931), 180.
18 Kristina Lindell / Jan-Öjvind Swahn / Damrong Tayanin: Folk Tales from
   Kammu, 2: A Story-Teller's Tales. London/Copenhagen 1979.
19 Jan-Öjvind Swahn: A European Tale in Kammuland. In: Symposium on
   Southeast Asian Folklore (zur Zeit noch in Arbeit).
20 Detlev Fehling: Amor und Psyche. Eine Kritik der romantischen Märchentheorie. Wiesbaden 1977.
21 Walter Anderson: Zu Albert Wesselskis Angriffen auf die finnische folkloristische Forschungsmethode. Tartu 1935.
22 wie 21, 36.
23 Jan-Öjvind Swahn: Die menschenfressende Schwester und die Flucht auf
   den Baum. In: Arv 16 (1960), 101.
24 Fritz Graebner: Methode der Ethnologie. Heidelberg 1911. Das Problem,
   wie das Quantitätskriterium in der Volksdichtungsforschung gehandhabt werden soll, wurde von den Folkloristen leider im großen und ganzen ver-
   nachlässigt. Auch Theoretiker wie Krohn und Thompson ließen es unbespro-
   chen. Arbeiten wie die von Fehling unterstreichen das Bedürfnis. Vergleiche
   dazu Anna Birgitta Rooth: The Raven and the Carcass. Helsinki 1962, 155.
25 Anna Birgitta Rooth: The Cinderella Cycle. Lund 1953, 31, 237. Dies.:
   Loki in Scandinavian Mythology. Lund 1961, 219.
26 wie 11, 435.
27 wie 11, 265.
28 wie 20, 75.
29 Jan-Öjvind Swahn: Jason och Medea i Kråksmåla. In: Från Småland och
   Hellas. Malmö 1959, 323.
30 wie 29, 338.

Ilona Nagy: Die Gestalt des Charon

1 Mircea Eliade: Schamanismus und archaische Ekstasetechnik. Frankfurt 1975,
   369–375.
2 ebd. 195–199.
3 János Erdélyi: Magyar népmesék (Ungarische Volksmärchen). Budapest 1855.

4 Georgios Megas: Referat über Wesen und Einteilungssystem der griechischen Sagen. Acta Ethnographica. Budapest 1964, 93–95.

5 Tettamanti Sarolta: in Mihály Hoppál – László Novák (Hrsg.): Elömunkálatok a Magyarság Néprajzához (Vorarbeiten zur Volkskunde des Ungarntums). Budapest 1982, 90.

6 László Kovács: A kolozsvári hóstátiak temetkezése (Begräbnisbräuche der Hostater von Klausenburg). Kolozsvár 1944, 49–50.

7 Heinrich Wlislocki: Aus dem Volksleben der Magyaren. München 1893, 134.

Walter Burkert: Vom Nachtigallenmythos zum »Machandelboom«

1 KHM 47. AT 720. BP I, 412–423. Lutz Röhrich: Die Grausamkeit im deutschen Märchen. Rheinisches Jahrbuch für Volkskunde 6, 1955, 176–224. Ders.: Märchen und Wirklichkeit. Wiesbaden 1974, 123–158. Charlotte Oberfeld: »Der Wachollerbeem«, ein Mythenmärchen? Hessische Blätter für Volkskunde 51/2, 1960, 218–223. Michael Belgrader: Das Märchen von dem Machandelboom. Frankfurt 1980.

2 Erstveröffentlichung: Zeitung für Einsiedler 29, vom 9. 7. 1808, 232. Wiederholt Belgrader, 15.

3 Belgrader, 18.

4 A. Höfer: Blätter für literarische Unterhaltung, 1844 II, 794: Pippety pew / My mammy me slew; / My daddy me ate; / My sister Kate / Gathered a' my banes / and laid them between twa milk-white stanes, / And a bird I grew, / And awa' I flew, / Singing pippety pew, pippety pew.

5 Motiv vom Mühlstein, der über der Tür aufs Haupt fällt (Mot. Q412) in der Edda: BP I, 423.

6 Vladimir Propp: Morphologie des Märchens. München 1975. Alan Dundes: The Morphology of North American Indian Folktales. Helsinki 1964. Walter Burkert: Structure and History in Greek Mythology and Ritual. Berkeley 1979, 5–10. Zu »Kristallisation«: 18–22. Zum Unterschied von Motiv und »Motivem« Max Lüthi in: Elemente der Literatur. Stuttgart 1980, 11–24.

7 Walter Burkert: Homo Necans. Interpretationen altgriechischer Opferriten und Mythen. Berlin 1972.

8 ebd. 98–125. Leopold Schmidt: Pelops und die Haselhexe. Laos 1, 1951, 67–78. Ders.: Die Volkserzählung. Berlin 1963, 145–155.

9 Der »Meisterdieb« geht über den »Dolopathos« (12. Jh.) auf »Rhampsinit« (Herodot 2, 121) zurück. Detlev Fehling: Amor und Psyche. Mainz 1977, 9, 89–97.

10 wie 7. 189–207.

11 wie 7. 201–207. Hans Herter: Schwalbe, Nachtigall und Wiedehopf. Zu Ovids Metamorphosen 6, 424–674. Würzburger Jahrbücher NF 6a. 1980, 161–171.

12 Kárl Meuli: Gesammelte Schriften. 2 Bde. Basel 1975, 907–1018. Christine Uhsadel-Gülke: Knochen und Kessel. Meisenheim 1962.

13 Zu den immer noch bruchstückhaften und schwierigen sumerischen Texten Thorkild Jacobsen: The Treasures of Darkness. A History of Mesopotamian

Religion. New Haven 1976, 60–68. In ugaritischen Mythen nimmt Anat Rache für ihren Bruder Baal, Paghat für ihren Bruder Aqhat: James Pritchard (Hrsg.): Ancient Near Eastern Texts. Princeton 1955, 140, 155. Auf Isis-Osiris verwies Oberfeld (wie in 1) 223. Zu Dionysos-Athena: Otto Kern (Hrsg.): Orphicorum Fragmenta. Berlin 1922, 210 und 214. Zu Dionysos-Rhea: wie 7, 257.

14 Servii Grammatici qui ferunter in Vergilii Bucolica et Georgica Commentarii rec. G. Thilo. Leipzig 1887. Appendix Serviana rec. H. Hagen. Leipzig 1902 (1–189: Philargyrius).

15 *phasianus* Myth. Vat. 1,4; 2,217. *fassa* Vergilius ed. P. Danielis Paris 1600 p. 35.

16 Pomponius Sabinus in den Vergilausgaben Basel 1589 Sp. 78, 1613 p. 81.

17 P. Vergilii Maronis Bucolica Georgica et Aeneidos Libri XII, mit teutschen Anmerckungen. Halle 1722, 55: »Tereus der König in Thracien wird in einen Guckuck verwandelt«.

18 Heinz Schmitz: Arkadischer Uetliberg. Theodori Collini De Itinere ad Montem Utliacum (1551). Zürich 1978.

19 Iohannes Chrysostomos: Patrologia Graeca 57, 409. Otto Schönberger: Griechische Heischelieder. Meisenheim 1980. Im heutigen Griechenland tragen die Kinder aus Holz geschnitzte Schwalben, die sich bewegen müssen; dazu Walter Puchner: Brauchtumserscheinungen im griechischen Jahreslauf. Wien 1977, 94–96.

20 James Frazer: The Golden Bough. London 1911–36, VIII. 319–322.

21 Zum Begriff der »Zielform« Max Lüthi: Märchen. Stuttgart 1979, 85.

22 Claude Lévi-Strauss: La pensée sauvàge. Paris 1962. Geoffrey Kirk: Myth, Its Meaning and Functions in Ancient and Other Cultures. Berkeley 1970, 81.

Heinz Rölleke: Die Stellung des Dornröschenmärchens
Auf detaillierten Nachweis der vorausgesetzten Forschungsliteratur wird verzichtet; als besonders hilf- und aufschlußreich seien genannt: Jan de Vries: Betrachtungen zum Märchen (FFC 150). Helsinki 1954. Ders.: Dornröschen. In: Fabula 2. Berlin 1958, 110–121.

1 Heinz Rölleke (Hrsg.): Die älteste Märchensammlung der Brüder Grimm. Genf 1975. 106–108.

2 Friedrich Panzer (Hrsg.): Kinder- und Hausmärchen der Brüder Grimm (Erstfassungen). Wiesbaden o. J., 190.

3 Heinz Rölleke (Hrsg.): Kinder- und Hausmärchen der Brüder Grimm (Zweitauflage von 1819). Köln 1982. Bd. 1, 178.

4 Es ist der Typus, der unter dem Titel einer Novelle von Washington Irving (»Rip van Winkle«; 1820) bekannt wurde und der sich oft mit der Sage vom Kyffhäuser verbindet: Irving hatte seine Quelle in Johann Gustav Büschings »Volks-Sagen, Mährchen und Legenden« von 1812 gefunden, der sie wiederum aus Otmar-Nachtigalls Sagensammlung von 1800 hat, die ihrerseits aus mündlicher Tradition schöpft.

5 Helmut Brackert (Hrsg.): Und wenn sie nicht gestorben sind ... Perspektiven auf das Märchen. Frankfurt a. M. 1981, 237.
6 Carl-Heinz Mallet: Das Einhorn bin ich. Hamburg 1982, 12–64.
7 Max Lüthi: Es war einmal. Göttingen 1964, 17.
8 Alfred Romain: Zur Gestalt des Grimmschen Dornröschenmärchens. In: Zs. f. Volkskunde 42. 1933, 84–116.
9 Rolf Hagen: Perraults Märchen und die Brüder Grimm. In: Zs. f. dt. Philologie 74. 1955, 392–410.
10 wie Anm. 1, 109.
11 Heinz Rölleke: Nebenschriften. Bonn 1980, 1–15; vgl. jetzt auch »Hessen – Märchenland der Brüder Grimm. Veröffentlichungen der Europäischen Märchengesellschaft«, Band 5. Kassel 1984, 104 ff.
12 Detlev Fehling: Amor und Psyche. Mainz 1977, 56; vgl. meine Kurzbesprechung in: Germanistik 19. 1978, 553.
13 wie Anm. 1, 108.
14 Philipp Stauff: Märchendeutungen. Leipzig 1921, 26.
15 Brüder Grimm: Kinder- und Hausmärchen (Ausgabe letzter Hand). Hrsg. von Heinz Rölleke, Stuttgart 1980. Bd. 3, 97.
16 Walter Puchner: in diesem Buch Seite 52 ff.
17 Außerdem – und das ist den Grimms wohl wichtiger – ist es nun die »13.« Fee, die den Fluch ausspricht.
18 wie Anm. 15, Bd. 1, 16.

Leander Petzoldt: Geburt des Mythos

* Der Beitrag beruht auf einem Vortrag, der am 9. September 1982 an der Universität Jannina/Griechenland im Rahmen des internationalen Kongresses der Europäischen Märchengesellschaft gehalten wurde. Um die Form des Vortrags beizubehalten, wurde auf Anmerkungen verzichtet und nur die benutzte Literatur angegeben.
Trikont-dianus Buchverlag: Die Mythen des 20. Jahrhunderts (Verlagsprospekt). München (1982).
Weimann, Robert: Literaturgeschichte und Mythologie, Frankfurt 1977.
Sloek, J., Artikel »Mythos«, in: Die Religion in Geschichte und Gegenwart. Tübingen 1960, 4. Bd.
Petzoldt, Leander: Sage als aktualisierter Mythos, in: Wirkendes Wort 27 (1977), 1–9 (= Petzoldt 1).
Eickelpasch, Rolf: Mythos und Sozialstruktur. Düsseldorf 1973.
Malinowski, Bronislaw: Die Rolle des Mythos im Leben. In: K. Kerényi: Die Eröffnung des Zugangs zum Mythos. Darmstadt 1976, 177–193 (= Malinowski 1).
Jolles, André: Einfache Formen. Tübingen 1962.
Blacker, Carmen und Loewe, Michael: Weltformeln der Frühzeit. Die Kosmologien der alten Kulturvölker. Köln 1977.
Gehlen, Arnold: Urmensch und Spätkultur. Frankfurt ³1975.

Barüske, Heinz: Eskimo-Märchen. Köln 1969.
Schmidbauer, Wolfgang: Mythos und Psychologie. München 1970.
Petzoldt, Leander: Magie und Religion. Beiträge zu einer Theorie der Magie. Darmstadt 1978 (= Petzoldt 2).
Barthes, Roland: Mythen des Alltags. Frankfurt 1964.
Malinowski, Bronislaw: Magic, Science and Religion. New York 1954 (= Malinowski 2).
Pavese, Cesare: Gespräche mit Leuko. Hamburg 1958.

Hans-Peter Müller: Mythisches Erzählen

1 Sergio Picchioni: Il poemetto di Adapa. Budapest 1981 (Lit.!). Ephraim Speiser bei James Pritchard (ed.): Ancient Near Eastern Text Relating to the Old Testament. Princeton (N. J.) 1955, 101–103. Die deutsche Übersetzung von Erich Ebeling bei Hugo Greßmann (ed.): Altorientalische Texte zum Alten Testament, Berlin und Leipzig 1926, 143–146, ist überholt.
2 Hans-Peter Müller: Mythos als Gattung archaischen Erzählens und die Geschichte von Adapa. Archiv für Orientforschung 29, 1983, und: Erkenntnis und Verfehlung. Prototypen und Antitypen zu Gen 2–3 in der altorientalischen Literatur, bei Trutz Rendtorff (ed.): Glaube und Toleranz. Gütersloh 1983, 191–210.
3 Géza Komoróczy: Zur Deutung der altbabylonischen Epen Adapa und Etana. In: Neue Beiträge zur Geschichte der Alten Welt 1. Berlin (DDR) 1964, 31–50, bes. 31, 40–43.
4 Hermann Gunkel: Genesis. Göttingen 1977, XIV seqq. 4 ff.
5 Wilhelm Wundt: Mythus und Religion 3. Leipzig 1915, 275 f.
6 Claus Westermann: Genesis II. Neukirchen 1981, 45.
7 Miguel Civil u. a.: Materialien zum sumerischen Lexikon 12. Rom 1969, 93.
8 Zur hebr. Vorstellung von der Heilkraft der Schlange: Num 21, 6–9. 2 Kön 18, 4. Zu ihrer Beschwörbarkeit: Jer 8, 17. Ps 58, 8. Pred 10. 11.
9 Eberhard Jüngel: Metaphorische Wahrheit. In: P. Ricœur – E. Jüngel: Metapher. Zur Hermeneutik religiöser Sprache. München 1974, 71.

Wolfdietrich Siegmund: Märchen, Mythos, Wahngebilde

1 Von der Leyen: Traum und Märchen. In Wilhelm Laiblin (Hrsg.): Märchenforschung und Tiefenpsychologie. Darmstadt 1975, 2–3.
2 Ders.: Zur Entstehung des Märchens. In Felix Karlinger (Hrsg.): Wege der Märchenforschung. Darmstadt 1973, 36–37.
3 Ders.: Das Märchen. Heidelberg 1958, 78.
4 Lutz Röhrich: Märchen und Psychiatrie. In Wilhelm Laiblin: Siehe 1, 212–213.
5 Günter Clauser: Märchen als Rollenspiel. In Helmuth Stolze (Hrsg.): Arzt im Raum des Erlebens. München 1959, 103–108. Gerhard Kienle: Das Märchen in der Psychotherapie. Ztschr. f. Psychother. u. med. Psychologie 1959, 47–53. Ingrid Möllers: Märchen als Rollenspiel. Diss.: Freiburg 1967. Ottokar

Graf Wittgenstein: Märchen, Träume, Schicksale. Düsseldorf 1973. Christa Crames: Das Märchen in der Psychiatrie. Diss.: Tübingen 1975. Wolfdietrich Siegmund: Märchenmotive in der Therapie. In Frederik Hetmann (Hrsg.): Traumgesicht und Zauberspur. Frankfurt 1982, 119–130.

6 Heinrich Kranz: Mythos und Psychose. In: Studium Generale, Heft 6. Berlin 1955, 370–378.

7 Vorübergehend oder dauernd geisteskrank waren: Athamas, Ino, Dionysos, Lykurgos, Pentheus, Alkitoë, Leukippe, Arsippe, 6 Söhne der Halia, Lysippe, Iphinoë, Iphinassa, Angiope, Alkmaion, Broteas, Orestes, Astrabakos, Alopekos, Herakles, Kleite, Gross-Aias, Demophon.

8 Abschuß eines koreanischen Verkehrsflugzeugs durch ein sowjetisches Kampfflugzeug am 1. 9. 1983.

9 Otto Betz: Der abwesend-anwesende Gott in den Volksmärchen. In: Jürgen Janning (Hrsg.): Gott im Märchen. Kassel 1982, 9–24.

10 Irmgard Müller-Erzbach: Märchenmotive im Stupor – Stupormotive im Märchen. Mschr. Psychiatr. 126 (1953), 403.

11 Inzeste zwischen Mutter und Sohn: Echidne – Orthros, Halia – ihre sechs Söhne. Inzeste zwischen Vater und Tochter: Kinyras – Smyrna, Thyestes – Pelopia, Klymenos – Harpalyke, Diomedes – Asterië.

12 Carl Gustav Jung: »Diese Deutung faßt, wie der Terminus sagt, alle Figuren des Traumes als personifizierte Züge der Persönlichkeit des Träumers auf« (Werke 8, 303).

13 Wolfgang Schmidbauer: Mythos und Psychologie. München 1970, 81–84.

14 Wilhelm Wundt: Nach ihm sind Krankheit, Tod, Wahnsinn, Sonnen- und Mondfinsternis, Hunger und Dürre die Hauptquellen primitiver Mythenbildung (Grundriß der Psychologie, Leipzig 1922, 62).

15 Karl Abraham hat die These seines Lehrers Freud klar zusammengefaßt: »Die Menschen selbst bilden den Mittelpunkt ihrer Mythen, und in diesen Mythen erleben sie die Erfüllung ihrer Wünsche« (Clinical Papers. London 1955, 206).

16 Erich Neumann (prominenter Jung-Schüler): »Der Wandlungsweg der Individuation ist ... eine neue Form des Drachenkampfes« (Ursprungsgeschichte des Bewußtseins. Olten 1971, 439).

ÜBERSICHT

VERÖFFENTLICHUNGEN DER
EUROPÄISCHEN MÄRCHENGESELLSCHAFT

VOM MENSCHENBILD IM MÄRCHEN

Herausgegeben von Jürgen Janning, Heino Gehrts, Herbert Ossowski
Franz Vonessen/Freiburg: Der wahre König. Die Idee des Menschen im Spiegel des Märchens – *Max Lüthi/Zürich:* Der Aschenputtel-Zyklus – *Claude Lecouteux/Sorbonne-Paris:* Das Motiv der gestörten Mahrtenehe als Widerspiegelung der menschlichen Psyche – *Heino Gehrts/Alt-Mölln:* Schamanenweihe in einem niedersächsischen Volksmärchen – *Pierre Kallenberger/Straßburg:* Mann und Frau im Essigkrug (Fischer un syne Fru) – *Leza Uffer/ St. Gallen:* Das Menschenbild im rätoromanischen Märchen – *Inez Diller/ Kiel:* Vom Draken – einer dämonischen Figur im griechischen Volksmärchen – *Lynn Snook/Berlin:* Auf den Spuren der Rätselprinzessin Turandot

GOTT IM MÄRCHEN

Herausgegeben von Jürgen Janning, Heino Gehrts, Herbert Ossowski, Dietrich Thyen
Otto Betz/Hamburg: Der abwesend-anwesende Gott in den Volksmärchen – *Dietrich Thyen/Siegen:* Transzendenz und Wirklichkeit in der Sicht der Märchen – *Günter Lange/Duisburg:* Märchen aus der Sicht eines Religionspädagogen – *Paul Ludwig Sauer/Osnabrück:* Wunder und Wunderbares im Märchen und in der Bibel – *Felix Karlinger/Geras-Salzburg:* Vom Austausch der Jenseitsgestalten und Wandel der Funktion in der Volksprosa – *Ulrich Bubenheimer/Reutlingen:* Gevatter Tod. Gott und Tod in einem religionskritischen Märchen – *Dietz-Rüdiger Moser/Freiburg:* Christliche Märchen. Zur Geschichte, Sinndeutung und Funktion einiger »Kinder- und Hausmärchen« der Brüder Grimm – *August Nitschke/Stuttgart:* Was wissen die Märchen von Göttern? – Echo archaischer Vorzeit – *Alfons Rosenberg/Zürich:* Die Metamorphose des Göttlichen im Märchen – *Franz Vonessen/Freiburg:* Das Märchen und die »Natürliche Offenbarung«

RUMÄNISCHE MÄRCHEN AUSSERHALB RUMÄNIENS

Herausgegeben von Felix Karlinger. 130 Seiten mit 8 Schabeblättern von Herbert Rosner
Märchen von Balkanromanen, die ehemals Brücke zwischen Rom und Dacien bildeten, Märchen von Wanderhirten, aus Bessarabien, und bis in den Vorraum des Kaukasus.

MÄRCHENERZÄHLER – ERZÄHLGEMEINSCHAFT
Herausgegeben von Rainer Wehse
Rainer Wehse/Göttingen: Volkskundliche Erzählerforschung – *Leza Uffer/ St. Gallen:* Von den letzten Erzählgemeinschaften in Mitteleuropa – *Maria Hornung/Wien:* Die mündlich tradierte Volkserzählung im Österreich unserer Zeit und in den altösterreichischen Sprachinseln – *Walter Kainz/Söding:* Über meine weststeirischen und slowenischen Märchenaufzeichnungen und Erzähler – *Katalin Horn/Basel:* Wandlung und Auflösung traditionellen Erzählgutes im heutigen Dorf – *Agnes Kovács/Budapest:* Eine Märchenerzählerin im heutigen Kakasd – *Alfred Cammann/Bremen:* Märchen als Volkserzählung heute – *Felix Karlinger/Geras:* Märchenerzähler im Mittelmeerraum – *Marianne Klaar/Freiburg:* Vom Märchensammeln in Griechenland – *Felicitas Betz/Ellerbek:* Der Märchenerzähler nach dem Ende der mündlichen Überlieferung – *Jürgen Janning/Münster:* Märchenerzählen: läßt es sich lernen – kann man es lehren? – *Carl-Heinz Mallet/Hamburg:* Märchen in der Lernbehindertenschule – *Johanna v. Schulz/Berlin:* Die Heilkräfte der Märchen und der Musik in der Musiktherapie – *Walter Scherf/München:* Psychologische Funktion und innerer Aufbau des Zaubermärchens

HESSEN – MÄRCHENLAND DER BRÜDER GRIMM
Herausgegeben von Charlotte Oberfeld und Andreas C. Bimmer
Charlotte Oberfeld/Marburg: Erzähllandschaft Hessen – *Alfred Höck/Marburg:* Karl Spieß, ein hessischer Märchenforscher – *Ingeborg Weber-Kellermann/Marburg:* Hessen als Märchenland der Brüder Grimm – *Heinz Rölleke/ Wuppertal:* Die »stockhessischen« Märchen der »alten Marie« – das Ende eines Mythos – *Ludwig Denecke/Hann. Münden:* Die Brüder Grimm – heute – *Lampros Mygdalis/Thessaloniki:* Die Märchen der Brüder Grimm in Griechenland – *Marianne Klaar/Freiburg:* Eine griechische Schneewittchen-Variante – *Karl Dielmann:* Wilhelm Grimm an den Malerbruder Ludwig Emil – *Angela Koch, Claudia Vietze/Marburg:* Märchen auf Bilderbogen

DIE WELT IM MÄRCHEN
Herausgegeben von Jürgen Janning und Heino Gehrts
Max Lüthi/Zürich: Diesseits- und Jenseitswelt im Märchen – *Katalin Horn/ Basel:* Der Weg – *Heino Gehrts/Alt-Mölln:* Der Wald – *Agnes Kovács/Budapest:* Das Märchen vom himmelhohen Baum – *Ursula Heindrichs/Gelsenkirchen:* Der Brunnen – *Felix Karlinger/Geras:* Das Meer – *Heino Gehrts/Alt-Mölln:* Die Klappfelsen – *Otto Huth/Tübingen:* Der Glasberg – *Sándor Solymossy/Budapest:* Die Burg auf dem Entenbein – *August Nitschke/Stuttgart:* Das Bild der Zukunft im europäischen und außereuropäischen Märchen

MÄRCHEN DER VÖLKER

Irische Zaubermärchen

»Diarmuid mit dem roten Bart«. Aus dem Gälischen übersetzt von Ludwig Mühlhausen. 180 Seiten, Hln.
In diesen reizvollen irischen Märchen wirkt keltisches Erzählgut bis in unsere Tage fort. Wild und ungebärdig, jedem Traulichen fern, sind sie weit ausgesponnen, kunstreich verwickelt und mit immer neuen unerwarteten Wendungen versehen. Kaum anderswo ist das Erzählen so meisterhaft zu kunstvoller Form stilisiert und dramatisch gesteigert wie in den Zaubermärchen von Europas grüner Insel.

Zigeunermärchen

»Ilona Tausendschön«. Aufgezeichnet von Sándor Csenki. 194 Seiten. Hln.
Die burlesken Besonderheiten der zigeunerischen Erzählweise hat Sándor Csenki, der schon als Kind die Zigeunersprache wie seine eigene sprach, geradezu großartig bewahrt. Es spricht für eine innige Vertrautheit, daß man diese Märchen nur ihm erzählte, *sonst aber keinem* Nicht-Zigeuner. So sind sie ein kostbarer, einmaliger Schatz.

Märchen aus Lappland

»Das Haus der Trolle«. Aufgezeichnet vom Lappendoktor Ludwig Kohl-Larsen. 204 Seiten. Hln.
Dieser besonders reizvolle Band schließt die Lappland-Trilogie ab, in der der Berglappe Siri Matti nicht weniger als fast 150 Stücke lebendig und mit schalkhaftem Humor erzählt.

Griechische Märchen

»Die Reise im goldenen Schiff«. Märchen von Inseln der Ägäis, aufgezeichnet von Marianne Klaar, die das Schweizerische Archiv für Volkskunde »eine begnadete Märchensammlerin im griechischen Sprachgebiet« nennt. 208 Seiten. Hln.
Da die Herausgeberin längere Zeit unter griechischen Hirten, Fischern und Bauern lebte und die Dialekte der einzelnen Inseln versteht, erhält sie besonders vollkommene Texte; frisch vom Tonband gelingt ihr treffende Spontaneität.

Märchen aus Nepal

»Der Schlangenkönig«. Aufgezeichnet von Annette Heunemann. 196 Seiten.
Die Märchen Nepals sind im Abendland fast unbekannt. In Einzelzügen bunt und fremd, wirken sie dennoch in überraschender Weise wohlvertraut. Da man in der nepalischen Umwelt die alten Märchenmotive noch spät in ihrem eigentlichen Sinn verstand, könnten diese reizvollen Märchen Schlüssel zum Verständnis unserer eigenen sein. Annette Heunemann, die drei Jahre im Lande lebte, hat die schönsten unmittelbar auf Tonband aufgenommen, andere aus bisher teils unzugänglichen nepalischen Sammlungen übersetzt.

Afrikanische Mythen

»Die Leute im Baum«. Aufgezeichnet von Ludwig Kohl-Larsen, Entdecker des afrikanischen Vormenschen. 208 Seiten. Hln.
Diese Texte, in denen altägyptische Vorstellungen nachklingen dürften, sind wertvolle Beiträge für Mythologie, Religionsgeschichte, vergleichende Erzählforschung und darüberhinaus gewichtige Bausteine für eine noch zu schreibende Geistesgeschichte Afrikas.

Südseemärchen

»Das Geisterkanu«. Aufgezeichnet von Wolfgang Laade. 174 Seiten. Hln.
Auf der Inselgruppe, die sich von der Nordspitze Australiens nach Neuguinea hinüberschwingt, hat der Züricher Ethnologe Mythen von Heilbringern und Kultbegründern, Dämonengeschichten und zauberhafte Märchen aufgezeichnet. Sie sind Zeugnisse einer kaum bekannten Kultur.

Feuerland-Indianermärchen

»Nordwind-Südwind«. Aufgezeichnet von Martin Gusinde. 191 Seiten. Hln.
Einfach und doch von erstaunlicher Aussagekraft verbinden sie Überlieferung und mythische Vorstellungen zu Bildern zeitloser Gültigkeit. Formen archaischer Jägerkultur leben bis in unsere Tage fort.